RESPUESTAS,
NO PROMESAS,
DE LA
MADRE ANGÉLICA

RESPUESTAS, NO PROMESAS,
DE LA
MADRE ANGÉLICA

*Madre M. Angélica
y Christine Allison*

EWTN PUBLISHING, INC.
Irondale, Alabama

EWTN Publishing, Inc.

5817 Old Leeds Road, Irondale, AL 35210

Distribuido por Sophia Institute Press,
Box 5284, Manchester, NH 03108.

Nihil Obstat: Colin B. Donovan, S.T.L.
Birmingham, Alabama

Imprimatur: + Robert J. Baker, S.T.D.
Bishop of Birmingham in Alabama

Birmingham, Alabama, August 30, 2013

ISBN 978-1-68278-099-2

Library of Congress Control Number:2019946737

Primera edición

CONTENIDO

Tercera Parte: Últimas Consideraciones

Prefacio

Cuando Michael Warsaw, Presidente de la junta de directores de EWTN, me pidió compartir estas breves líneas sobre "Respuestas, no promesas", acepté con mucho gusto y a la vez, creo yo, con temor, pues tener que comentar sobre una obra de Madre Angélica implica una gran responsabilidad. Sin embargo inmediatamente me vino a la memoria aquel día de verano de 1997 cuando, en un almuerzo de trabajo con Doug Keck, Director de programación (en ese entonces) y Natalie French, primera productora para Hispanoamérica, me comunicaban que Madre Angélica quería lanzar dentro de la nueva programación para Hispanoamérica un programa similar al suyo, semanal y de una hora de duración: "Nuestra Fe en Vivo". Temor y temblor. Gracias al apoyo y acompañamiento de mi querida esposa Viri, quien ya está en el cielo en compañía de Madre Angélica, acepté, teniendo como ejemplo la respuesta que la misma Madre Angélica le dio al Señor Jesús cuando le pidió lanzarse a los medios de comunicación, siendo ella una monja de clausura, sin dinero, en Alabama (un estado de los Estados Unidos), donde los católicos son una minoría entre una mayoría bautista, y con una escasa experiencia en televisión. Dios no busca a los capacitados sino que capacita a los que lo buscan.

Madre Angélica sigue con nosotros de una manera especial: intercediendo ante el Señor por su fundación y por la Iglesia, así como el mundo en general. Además de su intercesión, contamos con un legado de escritos muy importantes, entre los cuales se encuentra en este libro que tienes en tus manos. ¿Cómo es que lo tienes? No lo sé, pero ya sea que te lo regalaron o tú lo adquiriste, agradécele a Dios por el tesoro que tienes delante de ti.

"Respuestas, no promesas" es, sin lugar a dudas, un valioso "manual de vida cristiana". No pretende ser un tratado de alta teología para los eruditos, sino un camino de teología (theos: Dios y logos: conocimiento). El Salmo 118 lo resume maravillosamente: "Lámpara es tu palabra para mis pasos, luz en mi sendero" (118, 105 y 106).

Entre los muchos carismas con los que Dios equipó a Madre Angélica estaba el de la enseñanza, una enseñanza práctica basada no solo en conocer la Palabra de Dios, la Doctrina y el Magisterio de la Iglesia, sino en cómo "vivir en cristiano" en todas las circunstancias de nuestras vidas. "Respuestas, no promesas" nos lleva desde quién es Dios, cómo conocerle personalmente y a partir de ahí, cómo bregar día a día -con los altibajos que todos experimentamos diariamente- hasta llevarnos a las consideraciones y preparación para nuestro destino final.

Al inicio de este manual Madre Angélica nos previene: "Puede que se sorprendan de tener en las manos un libro escrito por una monja". Tiene toda la razón: ¿Una monja de clausura hablándonos de los problemas humanos que experimentamos los de "a pie"?

Te quedarás sorprendido, a la vez que agradecido, de la sabiduría práctica que encontrarás en estas páginas: verdaderas respuestas para nuestro caminar cristiano. Madre Angélica comprendió que el cristianismo es más que una religión, es un estilo de vida que Jesús nos trajo y que lo habíamos encasquillado en un conjunto de reglas, normas y preceptos. El cristianismo es "El Camino, la Verdad y la Vida" que nos conducen hacia la casa del Padre.

No te limites a "leer" simplemente este libro. Absórbelo y ponlo en práctica. Cuentas con la intercesión de su autora, Madre Angélica.

—José "Pepe" Alonso
Conductor de "Nuestra Fe en Vivo"

Agradecimientos

Este libro está dedicado afectuosamente a Ginny Dominick Kelly, sin cuya ayuda no habría sido concebido ni realizado

No tengo palabras para expresar mi agradecimiento a los que me han ayudado a escribir este libro. Christine Allison, la coautora, ha pasado muchas horas escuchando cintas, viendo programas y revisando notas y otros libros que he escrito, para compaginar el material utilizado. Su incansable dedicación y perseverancia han permitido que esta obra avanzara a través de sus numerosas fases y llegara a una conclusión satisfactoria. Ginny Dominick Kelly ha trabajado en la composición y corrección. Su valor ha alentado mi esperanza cuando el espíritu flaqueaba. Estoy también agradecida a John Boswell por su entusiasmo y sus consejos. Las oraciones de las hermanas de mi convento han constituido un estímulo permanente. Gracias a su generosidad he podido dedicar mucho tiempo a la escritura de este libro.

Doy especialmente las gracias a Bill Steltemeier por su aliento y sus consejos, a la hermana M. Raphael por clasificar, investigar y mecanografiar un sinfín de documentos, y a la hermana M. Antoinette por los días y noches que ha pasado mecanografiando y editando manuscritos, así como por sus valiosísimos consejos. La hermana dominica M. Gabriel y el padre Don McDonagh han sido de gran ayuda criticando y corrigiendo el contenido teológico. Finalmente, Brad Miner me convenció de la necesidad de este libro, asegurándome que millares de lectores se beneficiarían de su contenido.

Estoy profundamente agradecida a todos ellos por su extraordinaria contribución a este proyecto. Por encima de todo, le doy las gracias a Nuestro Señor por facilitarme las respuestas a tantas preguntas.

RESPUESTAS,
NO PROMESAS,
DE LA
MADRE ANGÉLICA

El comienzo

Puede que se sorprendan de tener en las manos un libro escrito por una monja. En realidad, yo también lo estoy, puesto que monja era precisamente lo que no deseaba ser en esta vida.

Recuerdo que cuando yo era pequeña observaba a las hermanas que rezaban en la iglesia de Canton, en Ohio, con unos gorros tan enormes que me impedían ver al sacerdote que celebraba la misa. Además, la expresión de sus rostros era tan amarga, que estaba convencida de que eran las personas más desgraciadas que había visto. «Dios mío, jamás seré una de ellas», decía en mis oraciones. Pero El Señor trabaja en forma misteriosa, porque ahora soy monja desde 1944.

Pertenezco a una orden de clausura. Esto significa que en lugar de dedicarnos a la enseñanza, a la enfermería o a otras profesiones, nuestra vida está consagrada a la oración. Existen muchas formas de rezar y la mía consiste en la adoración de la Santa Eucaristía. La fuerza que recibo de Jesucristo en la Eucaristía me permite llevar a cabo la misión que Dios me ha encomendado. Esta misión incluye mi lealtad a la vida monástica. También incluye una labor algo inusual para una monja, la *Eternal Word Television Network* (EWTN). Después de los preparativos acostumbrados, me siento delante de las cámaras para presentar un programa en directo que se transmite vía satélite a millones de hogares por todos los Estados Unidos.

Ese programa ha dado pie a este libro. Cada noche, cuando estamos transmitiendo en televisión, abrimos nuestras líneas telefónicas para recibir llamadas de los televidentes. Las llamadas vienen de todos los sectores del país, tanto de hombres como de mujeres, de la gente más diversa y de distintas creencias. Después de muchos años de recibir estas llamadas, he llegado a conocer tanto a las personas que hacen estas llamadas. Me refiero a ellos como mi familia EWTN. No llaman para hacer ninguna declaración grandiosa, para discutir, ni para presumir. Llaman para hacer preguntas.

Estoy segura de que no lo hacen por el hecho de que yo sea monja. En realidad, se reciben tantas llamadas de protestantes como de católicos. Puede que lo hagan por el hecho de poder hacerle preguntas a una mujer, cosa que a la gente le resulta más fácil que a un hombre.

Por lo general, las preguntas no son fáciles. Puede que un niño quiera saber por qué ha muerto su padre, o que una esposa desee saber cómo perdonar a su marido después de que éste abusara de su hijo. Muchas de las preguntas están relacionadas con el peso de la soledad.

No tardé en descubrir que la gente que formula este tipo de preguntas no se conforma con una respuesta superficial o prefabricada. Nuestro catecismo responde a muchas preguntas, pero no a éstas. Lo que equivale en televisión a una palmada en la espalda y la promesa de que habrá finalmente una solución satisfactoria, no resulta aceptable para mi familia televisiva.

Han oído demasiadas promesas. Al igual que un número cada vez mayor de norteamericanos, los que llaman han descubierto—con frecuencia de manera dura— que las promesas de este mundo son promesas vacías. Toda la riqueza del planeta es inútil cuando muere un ser querido. La mayor fama del mundo carece de significado cuando un hijo se convierte en drogadicto. Uno puede tener tantos amigos como estrellas hay en el firmamento y sentirse tan solo como el ser más desesperado de la creación.

No creo en las promesas de este mundo.

Creo en respuestas.

Creo que hay respuestas.

Todo lo que hago cada noche que estoy transmitiendo en televisión, es indicar a mi familia dónde encontrarlas.

Ésta es la razón por la que he escrito este libro, a fin de compartir lo que mi familia televisiva y yo hemos descubierto juntos.

Por qué hago lo que hago

Para la prensa, una monja que tiene su propio canal de televisión supone ser una noticia interesante. Periodistas de todo el mundo se trasladan a Birmingham, Alabama para confirmar con sus propios ojos que somos monjas auténticas que disponemos realmente de un estudio de televisión, una verdadera antena parabólica y el resto de los equipos necesarios de transmisión.

Si esto es lo que buscan, lo encuentran. Pero yo deseo que hallen algo más.

En muchos círculos, los evangelizadores televisivos han adquirido mala reputación. Puede que en algunos casos se lo merezcan. Pero en muchos casos sus críticos no comprenden la sed terrible que dichos evangelizadores tratan de aplacar. En todo caso, la polémica ha producido un notable efecto secundario: ha hecho que los periodistas desconfíen de todo aquel que mezcle la televisión con la religión.

Hace muchos años, tuvimos el placer de que nos visitara Morley Safer, acompañado de su equipo del programa *60 minutes* de la CBS. Después de conversar un buen rato y de dar una vuelta por las instalaciones, Morley Safer me hizo una entrevista. Sus primeras preguntas fueron muy inocentes, pero a continuación decidió entrar en materia y me preguntó sobre nuestras finanzas.

Soy franciscana, lo que significa que sigo a Jesús según el ejemplo de San Francisco de Asís. Él fundó nuestra orden, y al hacerlo impuso la condición de que todos sus seguidores hicieran voto de pobreza. Morley y yo acabábamos de visitar una serie de salas repletas de modernísimos equipos electrónicos, valorados en varios millones de dólares.

—¿Cómo compagina todo esto con su voto de pobreza?—me preguntó.

Creo que es perfectamente válido formular esta pregunta a cualquiera que utilice los medios de este mundo para hablar a la gente sobre el otro. Le respondí que no era propietaria de ninguno de aquellos equipos ni recibía salario alguno. Nuestros benefactores se han mostrado sumamente generosos donando el dinero con el que se ha pagado la EWTN. Pero todo el material de nuestros estudios, tornillos, tuercas y cintas, pertenece a Dios. Evidentemente contamos con un equipo de profesionales que trabaja en los estudios, pero la EWTN no produce beneficio alguno. El voto de pobreza que las demás monjas y yo hemos hecho nos permite utilizar la tecnología que Dios pone a nuestra disposición, conscientes en todo momento de que todo le pertenece.

Afortunadamente, cuando Morley Safer me formulaba la pregunta estábamos sin dinero. Digo «afortunadamente» porque el hecho de estar sin dinero es el secreto de nuestro éxito. Al no tener dinero, necesitamos ayuda. Al necesitar ayuda, nos dirigimos a Dios. Al estar permanentemente sin dinero, nos dirigimos constantemente a Dios. Nuestro mensaje, el mensaje que transmitimos todas las noches a lo largo y ancho de los Estados Unidos, es el de amar a Dios, en quien podemos confiar plenamente. Si Dios decidiera dejar de utilizarnos, nuestra cadena dejaría de existir en menos de dos segundos.

Cuando se lo dije a Morley, al principio levantó las cejas, con incredulidad. Sin embargo, al cabo de un momento su descon-fianza se disolvió en una sonrisa. Era testigo de la providencia de Dios.

Cómo he llegado hasta aquí

Mucha gente se pregunta cómo me las he arreglado para fundar un convento en el Sur y un canal católico de televisión por cable. Por inconcebible que parezca, jamás me propuse ni lo uno ni lo otro. Siempre he estado agradecida por mi vocación religiosa y nunca he deseado otra vida más que la que Dios me ha dado. En realidad, me ha parecido uno de los mayores milagros de Nuestro Señor el hecho de que permitiera que la EWTN prosperara, sin sacrificar la plenitud de mi vida como monja. Tal vez sea difícil creerlo, pero jamás he tenido ninguna gran aspiración en el minis-terio al que he consagrado mi vida. Nunca he comenzado nada sabiendo cómo se desarrollaría el plan en su conjunto, o incluso cómo se desenvolvería el proyecto.

Por lo contrario, me ha alegrado con ver cómo Dios creaba grandes obras a partir de la nada. Confío plenamente en que Dios abra las puertas y en poder cruzarlas cuando lo haga. A menudo estos actos, para mí y ciertamente para un observador lógico o racional, no tienen sentido alguno. Pero no estaría dispuesta a vivir mi vida de un modo distinto. Me emociona observar cada uno de los pasos que Dios va dando y comprobar cómo, a partir de los incidentes aparentemente insignificantes y pequeños de la vida, construye los cimientos de las grandes obras.

Un ejemplo de su providencia lo constituye el hecho de cómo llegué a Birmingham. Todo comenzó en una tranquila mañana en nuestro convento de Canton, en Ohio. Mi misión para aquel día consistía en limpiar y pulir los suelos. Para ello disponíamos de una máquina de control manual, con cepillo giratorio. Accidentalmente, al llegar a un lugar resbaladizo, la máquina comenzó a girar descontrolada sin darme tiempo a desconectarla. Me arrojó contra la pared y me golpeé exactamente en el lugar de la columna vertebral en el que tenía un defecto de nacimiento.

Tuve muchos dolores a raíz del accidente. Al cabo de dos años, la lesión había deteriorado hasta el punto de resultar inevitable someterme a una operación quirúrgica. El médico me dijo que sólo tenía un cincuenta por ciento de posibilidades de volver a andar.

No les ocultaré mi reacción: estaba petrificada.

Recuerdo que estaba en la cama del hospital—después de que el médico me había contado los detalles de la compleja operación y de los riesgos relacionados con la misma—, contemplando fijamente una pared gris pálido.—Señor—dije—, sí me permites volver a andar, fundaré un convento en el Sur para ti.

¿Por qué en el Sur? La respuesta de cualquiera sería tan válida como la mía. Lo que sé es que la operación fue un éxito y después de un período de rehabilitación comencé a caminar de nuevo, con un artefacto ortopédico en la espalda y en la pierna, que sigo utilizando en la actualidad.

El problema de hacer promesas a Dios consiste en que hay que cumplir el trato. Se lo conté a la madre superiora y aquella gran mujer me dijo que lo hiciera. Reuní cinco monjas y comencé a hacer planes para construir un convento en el Sur, para ser precisos en Birmingham, Alabama, donde en aquella época los católicos representaban exactamente el dos por ciento de la población.

No creo que nada pudiera haber preparado a aquellos encantadores *alabamianos* para nuestros hábitos, nuestras sandalias de fabricación casera y la verja que levantamos alrededor de los claustros para aislarnos de los visitantes. Recuerdo aquellos días con asombro; no nos asustaba pedir lo que fuera, ni que nos dieran un «no» por respuesta. Sin embargo, casi siempre obtuvimos respuestas afirmativas de los habitantes de Birmingham, y en especial de la comunidad italiana.

Un individuo hizo donación de todo el cemento necesario para la construcción del convento. Otro se ocupó de excavar la zona circundante y dinamitar la roca. Una mujer y su hija hicieron donación de los ladrillos. Cuando la estructura estaba ya construida pero sólo medio acabada, nos quedamos sin dinero y los obreros decidieron seguir trabajando hasta que algún día pudiéramos recompensarlos. Y desde el primer momento, un hombre muy especial, Joe Bruno, nos ha hecho donación de toda la comida que consumimos.

Cuantos más fueron los que oyeron hablar de nosotros y de nuestro nuevo edificio, mayor fue el número de gente que nos visitó, algunos por curiosidad y otros para ver si podían ayudarnos. No tardamos en recibir un apoyo extraordinario, tanto de la comunidad católica, como de las congregaciones cristianas y judías de Birmingham.

Habiendo hecho un trato con Dios, todas nosotras confiábamos en que nos ayudaría a completar nuestro proyecto. Por medio de la gente más insólita y en los momentos más inesperados, nos demostró que no fracasaríamos si confiábamos en Él.

Cuando el edificio estuvo terminado y el techo construido, hicimos todo lo que se nos ocurrió a fin de recaudar fondos para mantener el convento. Incluso nos dedicamos a tostar cacahuetes, para vender en las ferias y en los acontecimientos deportivos de la región. Habíamos empezado a tostarlos por arrobas y a cubrir nuestros gastos, cuando un buen día nos visitó un distribuidor de cacahuetes del lugar. Nos dijo que tendríamos que «soltar algunas propinas» si deseábamos seguir con éxito en el negocio. ¡Se pueden imaginar a alguien diciéndole eso a una monja! Le respondí que si iba al infierno, desde luego no sería por los cacahuetes.

Pasaron varios años hasta que Nuestro Señor manifestara que su proyecto para nuestro convento era otro. A principios de la década de los setenta, nuestra comunidad había aumentado hasta un total de doce monjas. Compramos unas máquinas de imprimir y comenzamos a publicar libros. Nuestro propósito era el de revelar el mensaje de la bondad divina tan lejos como pudiéramos, y al poco tiempo distribuíamos mas de quinientos mil libros y panfletos mensuales por todo el mundo.

Los libritos adquirieron una popularidad inmediata, gracias a la cual comenzamos a recibir solicitudes para entrevistas televisadas, principalmente por parte de las pequeñas estaciones independientes. Una de dichas solicitudes, a la que accedí, procedía del Canal 38 de Chicago. Y así fue como entré en el mundo de la televisión.

El Canal 38 era una pequeña estación cristiana, situada en el ático de un alto edificio. Hay centenares de estaciones parecidas en los Estados Unidos. Sin embargo, por alguna razón incomprensible, en el momento en que entré en aquellos estudios me dije:

—¡Dios mío, necesito algo como esto!

Esto me enseñó algo que nunca he olvidado. Uno tiene que ser muy específico al pedir algo a Dios; nunca se sabe cuándo está dispuesto a concederlo.

Pero volviendo a mi relato, durante algunos minutos me debatí con la pregunta evidente: ¿qué en esta tierra harían doce monjas de clausura con un estudio de televisión? Era una idea absurda. Pero también lo era la imprenta y el medio millón de libros mensuales. A estas alturas había aprendido a aceptar la inspiración, aun cuando pareciera una locura.

—Dios mío—me oía murmurar, de regreso a Chicago—. Debo conseguir un estudio como ése.

—¿Cómo dice, madre?—me preguntó un amigo que conducía el coche—. ¿Un estudio?

—Un estudio, o estación de televisión, o algo por el estilo— respondí vagamente.

—Madre—exclamó entonces la hermana Joseph, que iba rezando en el asiento posterior—, el Señor acaba de decirme: «Dile a la madre superiora que los medios de comunicación me pertenecen y que se los ofrezco.»—¿Está bromeando?—pregunté incrédula.

—No creo que Él lo hiciera—respondió.

Así fue como comenzó la Eternal Word Television Network. Gracias a una serie de milagros de la vida moderna, recibimos la debida autorización, la ayuda de donantes maravillosos y algunas veces anónimos, el apoyo de la comunidad local y, sobre todo, la guía y el valor de Nuestro Señor. Comenzamos a transmitir en agosto de 1981.

De un convento a una cadena católica de televisión vía satélite, pasando por una editorial, es la secuencia que conduce directamente al libro que tienen en las manos. Y confío en que al leerlo comprendan por qué creo tan firmemente en todo lo que deseo contarles.

De qué se trata este libro

Nuestra audiencia televisiva sigue aumentando a pasos enormes. Conforme aumenta el tamaño de nuestra familia EWTN, cada vez es mayor el pedido de vídeos de ciertos programas. Los televidentes nos escriben contándonos sus problemas y lo mucho que nuestros vídeos y programas les ayudan en la vida cotidiana.

Tanto las preguntas y comentarios que nos llegan demuestran la necesidad de facilitar respuestas, no promesas.

Finalmente, este año las monjas me han convencido para que escribiéramos algunas de estas respuestas. Hemos procurado compaginarlas del modo más sistemático posible, ateniéndonos a las preguntas más frecuentes; al hacerlo, ha emergido una especie de «trinidad». Algunas preguntas están relacionadas con la búsqueda de Dios, el deseo de conocerlo y descubrir lo que espera de nosotros; esta sección es la que hemos nombrado «Consideraciones Iniciales». A continuación se encuentran las preguntas relacionadas con las pruebas y rigores de la fe en el mundo real, que hemos agrupado en la segunda sección llamada «Vida y Amor». Finalmente se encuentran las preguntas relacionadas con el próximo mundo, ese mundo sobre el que a veces la gente ni se atreve a formular preguntas. Hemos titulado esa sección «Últimas Consideraciones».

Es muy probable que en estos momentos ustedes estén debatiendo con una de dichas preguntas; de ser así, sugiero que se dirijan directamente a la sección correspondiente, lean el capítulo, y después vuelvan al principio para leer el libro con toda tranquilidad. Espero que no lo lean apresuradamente; preferiría que lo hicieran con mucha calma.

Este libro es una primicia. Las verdades del cristianismo han existido desde hace dos mil años y sin embargo apenas las aplicamos al mundo en que vivimos, a los dolores que padecemos, ni a las alegrías que se escapan de nuestras manos. No son verdades fáciles. La religión cristiana no está basada en «pasarlo bien», ni es una fórmula para alcanzar la felicidad instantánea. Éste es un libro para todos los cristianos, puesto que está basado en las verdades que todos los cristianos compartimos.

Lo que Dios espera de ti

He escrito este libro porque estoy plenamente convencida de que Dios quiere que seas un santo. No se sorprendan. Ni eliminen la idea.

Cualquiera de nosotros puede sentir la presencia de Dios en una hermosa catedral, escuchando los cantos del coro. Cualquiera puede sentir aquel calor especial de Dios que brota de un sermón elocuente o de unas oraciones vespertinas.

Sin embargo, se necesita cierta santidad, una gracia especial, para resistirse a la tentación de estrangular al marido o a la esposa que le ha humillado a uno en público, le ha mentido o le ha engañado.

—El problema de la vida es que es tan ... cotidiana—me dijo en una ocasión una mujer.

Día tras día, incluso cuando nos agobian las preguntas y los problemas de la vida, recibimos la llamada de apelar a esa gracia especial de la santidad. Recibimos la llamada de rechazar las promesas vacías del mundo. Recibimos la llamada de aceptar las respuestas que incluso ahora se encuentran a nuestro alcance.

Si pueden olvidar momentáneamente los problemas que los agobian, dejar a un lado las cuestiones específicas de su propia vida, me gustaría formularles la más profunda de todas las preguntas:

—¿Por qué buscamos?

La respuesta es la siguiente: porque tanto ustedes como yo hemos sido llamados a la santidad y todavía no la hemos alcanzado. Aún no.

Vengan a buscar conmigo. El camino no es fácil. No se supone que deba serlo. Pero es nuestro camino, y nuestro destino es seguirlo.

Primera Parte

Consideraciones Iniciales

CAPÍTULO UNO

¿POR QUÉ ES TAN DIFÍCIL CREER?

Hace muchos años, después de una semana auténticamente agobiante, cuando intentábamos organizar la Eternal Word Television Network (EWTN), pronuncié un discurso en una conferencia en Los Ángeles. Hablé durante mucho rato y al terminar me sentía cansada y algo mareada, por lo que me retiré y tomé un par de pastillas. De pronto apareció una mujer a mis espaldas y exclamó:

—¡Madre! Se supone que usted tiene una fe enorme.

¿Para qué necesita las pastillas?

—Señora—le respondí, cuando empezaba a revolvérseme el estómago—, tengo mucha fe. Lo único que ocurre es que mí estómago no lo sabe.

Puede que se pregunten qué tienen que ver las pastillas con el hecho de creer en Dios. Bien, el hecho de creer en Dios supone fe, y la fe, para mí, es como tener un pie en el aire, otro en el suelo y una sensación muy peculiar en el estómago. La fe le exige a uno vivir en la oscuridad, seguir a alguien a quien no puede ver y amar a alguien a quien no puede tocar. Para algunos esto es absurdo, para otros milagroso. Sin embargo para mí ha sido siempre una cuestión de confiar en la palabra del Señor.

La fe es un tema fascinante y creo que todo el mundo debe enfrentarse al mismo o por lo menos reflexionar sobre la existencia de Dios. Una persona razonable simplemente no puede vivir toda una vida sin preguntarse por qué miles de millones de personas a lo largo de la historia han adorado a un Dios invisible, cuyo hijo era, al parecer, un simple carpintero y al Espíritu Santo, cuya presencia parece incomprensible.

Todos los días, personas en busca de explicaciones claras de la fe se ponen en contacto con nuestros estudios. El verano pasado me llamó por teléfono una mujer que «no tenía tiempo para charlas inconsecuentes» y simplemente quería que le mandara cuatro o cinco pruebas «convincentes» de la existencia de Dios, a vuelta de correo, para poder convertir a su hijo. Tuve que advertirle que no sería tan fácil. Preguntarse por qué es tan difícil creer en Dios equivale a preguntarse por qué uno se enamora. No hay recetas, ni atajos. Dios inspira un deseo de sí mismo y uno se da gradualmente cuenta de la existencia de otra presencia aparte de la propia.

En el caso de que tú también te estés formulando esta pregunta, sé algo muy importante respecto a ti: llegado el caso, preferirás creer en Dios que no hacerlo. En realidad, creo que todo el mundo, dada la oportunidad, preferiría saber que hay un Dios, un Dios que ama y a quien a su vez se puede amar. La necesidad de conocer y amar a Dios, a cierto nivel, es tan básica como la de alimentarse y vestirse. Los que creen reciben el apoyo de medios inconmensurables. En efecto, vemos que a lo largo de la historia, cuando se han satisfecho las necesidades espirituales de los pueblos, les ha sido más fácil soportar las necesidades físicas, simplemente debido a que el espíritu enaltece al ser humano ante la adversidad. Si te estás formulando preguntas sobre la fe, e intentas conocer a Dios, has comenzado ya a poseer aquello de lo que precisamente crees que careces.

La búsqueda de Dios en todos los lugares erróneos

No podemos vivir una vida plena sin fe. Por supuesto podemos levantarnos por la mañana, desayunar, dirigirnos al trabajo medio dormidos, pasar ocho horas moviendo papeles, regresar a casa por la noche y llamarle a eso vida. Pero sin fe no podemos estar realmente vivos. La gente sin fe vive en un vacío. Tienen una extraña sensación de carencia en su vida, un vacío, una sed que puede impulsarles a dar la vuelta al mundo, a las cumbres y abismos de la vida, en busca de algo con que rellenar dicho hueco. Sin embargo, nada lo logra.

Es difícil hallar la gratificación que sólo procede de Dios en una cultura que da tanta importancia al «yo». Y sin embargo ésta es la situación en la que se encuentra la mayoría de la gente. Los filósofos modernos defienden descaradamente la «autosatisfacción», no sólo como camino de la felicidad, sino, curiosamente, como derecho innegable. Esto me parece particularmente lamentable, ya que aleja a muchos de la fe en Dios.

Hace un par de años conocí a un «maestro» de la autosatisfacción. Richard, abogado de Illinois de treinta y seis años, para su sorpresa—y la mía—, apareció un buen día en la puerta de nuestro convento. Se trataba de un hombre que lo tenía «todo» y en abundancia: poder, prestigio, posición, así como una esposa a quien describió como «maravillosa» y dos hijos «encantadores». Pero no todo funcionaba a pedir de boca con aquel hombre que de nada carecía, ya que en su interior bullía cierta inquietud espiritual. Su visita a nuestros estudios nació del desprecio que sentía por Dios, así como para todo aquel que amara a Dios. En realidad, Richard estaba buscando desesperadamente a Nuestro Señor, a pesar de que lo ocultaba de las formas más extrañas.

No perdió tiempo en insultarme. Después de un comentario ofensivo sobre el hábito franciscano, comenzó a interrogarme acerca de la vida monástica y de mi «insensata decisión de huir del mundo real». Si alguna vez has deseado pegarle una paliza a un hombre cuya corpulencia sea el doble que la tuya, saben lo que significa ser italiana. Afortunadamente intercedió Nuestro Señor, sugiriendo que cambiara de tema y formulara algunas preguntas a Richard. Obedecí.

—Usted tiene un trabajo maravilloso y una familia encantadora, ¿no es cierto?—le pregunté, con la mayor paciencia de la que fui capaz.

—Así es—respondió brevemente.

—¿Tiene algún pasatiempo predilecto?—le pregunté.

—Sí. Me gusta navegar y corro todas las mañanas. ¿Y qué? —exclamó.

—¿Le gusta viajar?—insistí.

—Desde luego. Voy a Europa todos los años con mi esposa —respondió.

—¿Tiene todo el dinero que cree poder llegar a necesitar?—le pregunté.

—Más del que pueda suponer—profirió.

—En tal caso—dije en un tono sumamente sosegado—, debe ser muy feliz.

En aquel momento Richard miró por la ventana y comenzaron a empañársele los ojos.

—No, no lo soy—reconoció de pronto— y me resulta sumamente molesto que usted y sus monjas lo sean.

Richard comenzaba a descubrir la dura realidad; el hecho de que había estado buscando precisamente aquello de lo que huía. Lo último que deseaba era que Dios fuera la respuesta. Deseaba ser un hombre autosuficiente, autosatisfecho, independiente, sin deber nada ni explicación alguna a nadie. Como la mayoría de nosotros, había buscado satisfacción en su trabajo, en sus posesiones y en su estilo de vida «perfecto». Se había entregado por completo al «mundo real», pero ese «mundo real» no le había recompensado con nada duradero.

De un modo u otro, todos sabemos en el fondo que nuestras escapatorias no lo son. Nos sumergimos en el trabajo, el alcohol, las drogas o el pecado, y acabamos insatisfechos y sintiéndonos culpables. Sepultamos la necesidad de Dios en un sinfín de actividades, persiguiendo una promesa tras otra, la de mejorar nuestra piel, agudizar la mente, organizar fiestas perfectas, disfrutar de la emoción del deporte y amar a los amigos. Pero por muy «nuevos y mejorados» que logremos llegar a ser, por mucho que nos ofrezcan Madison Avenue y la calle Mayor en Estados Unidos, seguimos experimentando una extraña sensación de inquietud. Un descontento. Una tristeza que indujo a una mujer a preguntarme en una carta: «¿Hay otra vida después de un nuevo Rolls-Royce?»

Existen innumerables barreras y desviaciones en el camino de la fe, y ésta es una de las razones por las que a mi entender es difícil creer en Dios. Da la impresión de que cuanto más desea uno conocerlo, con mayor empeño lo buscamos en los lugares equivocados. Muéstrame a cualquier mujer que vaya de relación en relación, o a un ejecutivo que avance a gran velocidad, o a algún joven adicto a la cultura popular, o a un científico que se pase la vida en su laboratorio, y yo les mostraré a alguien que intenta desesperadamente eludir a Dios. A veces esta gente logra excluir a Dios completamente de su vida. Pero algunos, que se detienen el tiempo suficiente para reflexionar, comienzan a sentir una sed insaciable. Su inquietud llega a ser tan abrumadora, que se ven obligados a considerar la aterradora posibilidad de que exista algo o alguien más poderoso que todo lo que han conocido, algo que, a fin de cuentas, diera sentido a todo lo demás.

«¿Es Esto Todo Lo Que Existe?»

Si crees que a todo aquel que cree en Dios le ha llegado la fe como un rayo del firmamento, cometes un grave error. La fe, para la mayoría de nosotros, llega a pasos pequeños e insignificantes, el primero de los cuales suele consistir en cierta impaciencia con el mundo que conocemos.

—Un momento—le decimos a cualquiera que esté dispuesto a escuchar—, esto no puede ser todo lo que existe.

La vida, tal como la conocemos, se ha convertido en algo absurdo, o está a punto de hacerlo. Cuando experimentamos ese ligero deseo que nos hace ser conscientes de que «existe un vacío en nuestro interior, algo ausente», estamos recibiendo una llamada.

La mayoría de nosotros atribuiríamos este descontento a la sofisticación de nuestra mente, o a la influencia de algún teólogo, filósofo o amigo. Puede que creamos que el vacío que experimentamos es de elaboración propia y en ese momento no tenemos razón para suponer que se trate de algo mucho más emocionante, mucho más importante. En realidad, el vacío no sólo forma parte de la naturaleza humana, sino que es algo permitido por Dios con un propósito especial. Dios nos llama junto a Él y nos hace saber que por muy persistentemente que busquemos, jamás volveremos a sentirnos satisfechos hasta que lo conozcamos y creamos en Él. Se trata de Dios manifestándose a través de la gente que nos rodea y de todo lo que vemos, oímos y leemos. Como dijo San Pablo en su carta a los Gálatas: «Entonces, Dios, que me había elegido cuando estaba todavía en el vientre de mi madre, me llamó a través de su gracia y decidió revelar a su Hijo en mí» (Gálatas 1:15). La llamada que Dios dirigió a San Pablo, se dirige también a todos nosotros. Es el don que nos ofrece. En el momento en que comprendemos que Dios nos llama individualmente por nuestro nombre, se produce una alteración profunda en nuestro modo de vivir.

De lo que la mayoría de nosotros no nos damos cuenta es de que Dios nos hizo para conocerlo, amarlo y seguirlo. No se nos creó sólo para comer, beber y celebrar. Tampoco se nos creó sólo para fichar o llevar a cabo cualquiera que sean nuestras labores cotidianas. No, nuestra misión primordial en la vida, la respuesta a «¿por qué vivimos?», es para amar y servir a Dios. Esto no significa que todo lo demás que hagamos en la vida no sea bueno y santo. No todos estamos destinados a vestir un hábito franciscano, a cuidar de los desvalidos o a trabajar en las misiones de Sudamérica. Cualquiera que sea nuestra situación actual en la vida, la clave consiste en aceptar y comprender que el propósito fundamental de la misma es el de centrarla en Dios en lugar de en uno mismo.

Cuando hayamos reconocido esta verdad, comenzaremos a comprender que el vacío, la inquietud y la sed son inevitables cuando uno se distancia de Dios. Ahora podemos comprender que la crisis de la madurez obedece al hecho de haber pasado media vida persiguiendo duendes. Adquirimos una mayor comprensión de la juventud al darnos cuenta de que la rebelión adolescente es la búsqueda rudimentaria y desbocada de lo extraordinario en el campo de lo ordinario. El aburrimiento de esta vida no es más que el cansancio de los frutos de este mundo y la necesidad de asir la realidad del infinito. Hemos sido hechos para Dios, y sin Él nos sentiremos mal, insatisfechos y discretamente desesperados. La persona que acepte el hecho de que pertenece a Dios habrá dado el paso más importante en el camino de la fe.

En todo caso, ¿quién es Dios?

Supongo que antes de decidir si creemos en Dios debemos llegar a un consenso general sobre de quién estamos hablando. Allí es donde muchos tropezamos, caemos y jamás volvemos a levantarnos. Muchos esperan que Dios sea un abuelo con impecables vestiduras blancas, que nos reprima duramente o ignore nuestra existencia.

El caso es que el nuestro es un problema de percepción. Operamos todos con una mente limitada en un mundo material. Esto es perfectamente adecuado para hacer la compra, curar a los niños cuando se lastiman y jugar cartas el sábado por la noche. Pero la mente limitada tiene ciertos inconvenientes a la hora de percibir un ser infinito en el mundo de lo sobrenatural. Dios tampoco nos controla de cerca, permite que nos desenvolvamos según nuestro libre albedrío, lo cual para muchos de nosotros supone una prueba de que no existe. Qué fácil es eludir la verdad. Mientras uno siga buscando a ese «santo abuelo en el firmamento» en lugar del Dios que te ama como si nadie más existiera, no dejarás de sentirte decepcionado. ¡Vaya trágico error!

Al principio todos buscamos al «Dios de los sentidos», un Dios que podamos ver, oír y tocar. Nos formamos esta imagen de la infancia y supone un primer paso importante para comprender el cariño paternal de nuestro Dios. Lamentablemente, sin embargo, para muchos en esa imagen acaba el aprendizaje y llegamos a la vida adulta pensando todavía en «aquel anciano». Entonces, cuando no acude en nuestra ayuda en las crisis financieras, o no impide la muerte de algún ser querido, lo descartamos de nuestra mente como tantas últimas posibilidades que tampoco se materializaron.

La verdad es que Dios es invisible. No podemos verlo. No podemos oírlo. No podemos tocarlo. Pero está allí. Siempre ha estado y siempre estará. Lo conoce todo y a todos, porque lo ha creado todo y a cada uno de nosotros. Nada ocurre sin que Dios lo sepa. La grandeza de Dios es incomprensible para nosotros, pero nuestra incapacidad para comprenderla no altera el hecho de que sea cierta. El reto de la fe consiste en salvar los confines de nuestros sentidos y alcanzar, a algún nivel, esta verdad que no podemos ver, oír ni tocar.

¿Por qué no nos habla?

Si *Mother Angelica Live* les ha enseñado alguna cosa, es que una de las cosas sobre Dios que más preocupa a la gente es el hecho de que siempre guarde silencio. Les costaría creer la cantidad de llamadas que recibimos quejándose de ello:

—¿Cómo puedo creer en alguien que jamás me habla?

—¿Cómo sé que ha oído mis plegarias?

—¿Por qué no se manifiesta Dios claramente y resuelve mi problema?

Sin intentar hacerme la graciosa, les respondo que escuchen. Éste es un concepto difícil de asimilar, puesto que habitualmente suponemos que el silencio significa ausencia. Dado que nosotros tenemos voz, deducimos que la de Dios debe ser todavía más potente. Éste es un buen ejemplo de cómo nuestra mente limitada puede ocasionarnos muchísimos problemas.

Hace varios años ingresé en un hospital para que me hicieran unas pruebas; por alguna razón incomprensible, me instalaron en una habitación al fondo de un pasillo vacío. El silencio era extraordinario, casi de ultratumba. Me di cuenta de que no era un silencio habitual, sino de otra naturaleza, al que no estaba en absoluto acostumbrada. Durante los primeros días recé incesantemente y leí las Sagradas Escrituras. Entonces, gradualmente, entablé amistad con el silencio. Llegué a comprender que, a pesar del silencio, no estaba sola. La presencia silenciosa de Dios se me hacía cada vez más palpable.

Lo que experimenté en aquel ambiente desprovisto de sonido fue que Dios no actúa en el ruido y en el ajetreo. Lo hace en absoluto silencio. Comprendí cada vez con mayor claridad que su acto permanente de creación es silencioso, tanto si se trata de la formación de un niño en el útero de su madre, como del césped cuando sale de la tierra. Me di cuenta mientras permanecía tumbada de que los átomos se movían a mi alrededor, dentro, por encima y por debajo de mí, en un silencio absoluto. Pensé en las toneladas de nieve que caen todos los años sin que nadie oiga el más ligero sonido. Y la forma en que los planetas giran y se desplazan sin el más leve susurro.

Dios me mostraba su forma de operar, sencilla, simple y silenciosa. Ahora comprendo que se necesita tiempo y fe para comprender que el silencio es, en realidad, el sonido de su presencia. Pero si uno se toma sólo unos pocos minutos todos los días para detenerse y escuchar el silencio, comenzará a ser más consciente de la presencia de Dios. Como dicen las Sagradas Escrituras, «Permanezcan quietos y sepan que soy Dios» (Salmos 46:10). Si te propones oír a Dios, cada vez serás más consciente de su presencia. Lo único que debes hacer realmente es permanecer en silencio el tiempo suficiente para oírlo hablar en el silencio de tu corazón.

Desde mi estancia en el hospital, no he dejado de recomendar el silencio como camino para creer en Dios, porque en el silencio uno debe realmente enfrentarse a sí mismo y a quienquiera que esté junto a uno. Se dice que, en una ocasión, cuando San Francisco de Sales contemplaba una rosa, llegó a ser tan consciente de la perfecta mano de Dios en la creación de la misma, que exclamó: «¡Deja de gritarme!» Cuando nos sintonizamos con el silencio, comprendemos que no es una simple ausencia de sonido. Es la presencia de Dios en persona.

¿Cómo puedo llegar a conocer a Dios?

Ahora que sabes que Dios te ha elegido y que quiere que tengas fe, puedes ver en tu inquietud y en tu sed síntomas adicionales de su existencia y de su amor por ti.

—Sí, pero, madre, hasta ahora sólo ha despertado mi interés para con ese ser silencioso en la oscuridad. Sigue siendo difícil creer en Él.

Efectivamente, éstos son los momentos más difíciles para el futuro creyente. Pero no son tan difíciles como puedas suponer. Recuerda que el hecho de creer en Dios es algo para lo que Él ya te ha dotado. Es un don. No porque ni tú ni yo lo merezcamos. Nadie lo recibe por su mérito. No se trata de un premio a nuestra buena conducta. Es un regalo de amor que nos ha sido ofrecido libremente y que podemos aceptar o rechazar.

¿Cómo nos las arreglaremos para aceptar ese preciado regalo? Con un acto de fe. Éste es el momento en el que uno debe decidir si seguir sobre el caballo o apearse. El paso no debe darse en un momento emocional, sino con el valor sosegado que diferencia a los hombres de los muchachos y a las ovejas de las cabras. No es un momento para que cunda el pánico, sino más bien el momento de pedir humildemente a Dios que te otorgue el valor necesario para aceptar el regalo que ya te ha ofrecido. Dios no te abandonará a la deriva en la oscuridad, mano sobre mano, mientras te devoran los nervios. Por lo contrario, espera que le pidas la luz que sólo Él puede concederte.

Te otorgará dicha luz por medio de tres instrumentos suma-mente poderosos, con cuyos nombres tengo la seguridad de que estás familiarizado, pero puede que no sepas exactamente lo que significan. Sus nombres son: fe, esperanza y amor. Y lo que sig-nifican es una transformación completa de tu vida.

El proceso de creer en Dios es lo que su propio nombre indica, un viaje espiritual con un principio tangible y un fin místico. Cada paso en el camino es posible gracias a esas tres virtudes. Fe, esperanza y amor son las virtudes que te transforman de ob-servador espiritual en creyente.

- La fe es el punto de partida.
- La esperanza es lo que te ayuda a seguir en tu camino.
- El amor es lo que te lleva hasta el fin.

Estoy convencida de que cuando digo «fe, esperanza y amor», probablemente sientan la tentación de fruncir el entrecejo, temiendo que vamos a hablar de un tratado teológico de difícil comprensión. Parecen simples palabras y no puedes imaginar que sean capaces de cambiar realmente tu vida. Pero son mucho más que eso; son preciados regalos que Dios te ha otorgado, que te ha infundido en el bautismo para que puedas llegar a conocerlo.

—Tengo la impresión de que esto va a ser tremendamente confuso—te estarás diciendo.

Pero si me brindas la oportunidad de hacerlo, te enseñaré cómo la fe, la esperanza y el amor acabarán por llenar el vacío de tu vida. Y por fin podrás vivir en paz.

En primer lugar, hablemos de la fe. ¿Qué significa la fe para nosotros? A nivel natural, significa una especie de crédito o confianza. Tenemos fe en nuestra capacidad de realizar ciertas funciones. Pedimos a nuestro consorte que deposite su fe en nosotros. Nos basamos en la buena fe cuando hacemos un préstamo. La fe natural se basa en los actos propios y en los de los demás, y está plagada de imperfecciones y decepciones.

Sin embargo, la fe en Dios, que denominamos fe sobrenatural y que se implanta en nuestra alma en el acto del bautismo, está basada en Dios más que en nosotros mismos. La fe sobrenatural nos ayuda a comprender que lo que Dios nos ha revelado es verdad. A este tipo de fe la acompaña una actitud de aceptación. Esto no significa que lo sepamos todo acerca de Dios o de lo que nos ha revelado. Lo que sí significa es que estamos seguros de su existencia, sin tener que recurrir a pruebas científicas o materiales, de su amor y de sus mejores intenciones para nosotros, por muy desesperantes o confusas que puedan ser las circunstancias. Es la fe sobrenatural lo que nos permite ver su obra en la oscuridad.

Un buen amigo nos habló en una ocasión de un debate que había tenido con un ateo. Previsiblemente, su discusión se había centrado en la existencia de Dios.

—Demuéstreme que Dios existe y me convertiré en cristiano— dijo el ateo.

—De ningún modo—respondió el sacerdote. Usted es quien forma parte de la minoría en este mundo. Demuéstreme que Dios no existe y me convertiré en ateo.

—No puedo—replicó el ateo.

—¿Cómo?—preguntó el cura. ¿Cree en algo que no puede demostrar? Amigo mío, esto significa que usted tiene fe. Tener fe equivale a creer en algo que no se puede demostrar. Y en el supuesto de que tenga razón, de que Dios no exista, jamás lo sabrá. Pero si soy yo quien está en lo cierto y Dios existe, llegará un momento en que lo sabrá por los siglos de los siglos.

Tuve que soltar una carcajada cuando el sacerdote nos contó la anécdota, pero no se trataba de querer ser astuto. La fe sobrenatural, como aclaró el cura, consiste en ver en la oscuridad lo que algún día veremos a la luz. Qué duda cabe de que en esta vida andaremos mucho a tientas. Mientras avanzamos por nuestro camino espiritual, nuestra fe sufrirá altibajos. Pero no importa. Incluso la duda puede contribuir a nuestro crecimiento y aumentar nuestra fe en Dios. Si seguimos guiándonos por la fe cuando tenemos dudas, ésta tendrá la oportunidad de acercarse a Dios a grandes zancadas. Algunos días nos sentiremos llenos de una enorme convicción. En otras ocasiones no estaremos tan seguros. El caso es no dejar de intentarlo.—Madre, cuando veo a alguien que sufre, sólo veo a la persona y su dolor. ¿Cómo puedo saber que Dios está presente?—me preguntan.

Es la fe la que te responde que está presente. Evidentemente se tarda cierto tiempo. A veces la razón humana te indica que algo es absurdo, injusto o simplemente que carece de sentido. Por ejemplo, la trágica muerte de un hijo, la pérdida del trabajo o la ruptura de las relaciones matrimoniales. En momentos como éstos, se necesita fe para saber que Dios está contigo, incluso ante tales terribles circunstancias. Que existe algún propósito en la tragedia, por muy dolorosa que ésta sea. Que la permite para alcanzar un bien mayor, del que puede que no seas consciente hasta después de transcurridos muchos años.

Por ejemplo, imaginémonos a un hombre—que llamaremos José— que está sin trabajo y recibe una oferta de empleo con un saldo muy lucrativo. Sale de su casa una hora mas temprano para asistir a la última entrevista. Va conduciendo por una cuesta, cuando por el otro lado de la colina circula un conductor borracho, que se le cruza en la carretera por donde circula José en el momento de su llegada. En aquel preciso momento, el vehículo de José comienza a ir de un lado para otro, con un neumático reventado. Logra detener el coche en la orilla de la carretera, pero se siente angustiado. No lleva rueda de recambio y no se ve ningún coche por la carretera. Espera durante mucho rato en vano, no llega a tiempo a la entrevista y pierde el trabajo. Todo a causa de un pinchazo. Está sumamente enojado. De haber conseguido el trabajo, habría podido cuidar de sus ancianos padres, pagar sus deudas y vivir con más tranquilidad. No logra ver lógica alguna en el incidente. Pero en lo que José no piensa es en que ha salvado su propia vida al evitar un choque frontal. Su razón sólo puede entender lo que perciben sus sentidos; no tiene forma de conocer todos los factores que han intervenido. Cree que lo ocurrido ha sido un acto de crueldad por parte de Dios.

Aquí es donde interviene la fe. Existe en Dios una voluntad permisiva y una voluntad ordenadora. A veces su voluntad permisiva deja que la adversidad se cruce en nuestras vidas, pero desembocando siempre en un bien mayor. Podemos ver que el bien mayor en nuestra anécdota consiste en que Dios le evita a José un accidente fatal. Pero José tiene que confiar en la fe.

Si piensas en que Dios opera desde la perspectiva de la eternidad y que su plan no sólo concierne a tu vida en este mundo sino también en el próximo, te será más fácil comprenderlo. Entonces tu humildad te permitirá rezar. Podrás decirle: «No te conozco, no puedo hallarte, pero te quiero.»

Y entonces, de pronto, en el seno de una situación dolorosa o desagradable, tu fe experimentará un gran crecimiento y aumentará tu deseo de hallar a Dios. Puede que el incidente doloroso no cambie, pero tendrás el valor de afrontarlo sin amargura. En mi propia experiencia, si hubiéramos pensado en la «realidad» de doce monjas que apenas sabían cómo ajustar el color en un aparato de televisión, jamás habríamos fundado nuestro primer estudio. Si hubiéramos pensado en la «realidad» de que una antena para la transmisión por satélite cuesta mucho dinero (y de que sólo disponíamos de doscientos dólares), nuestra cadena no existiría. Lo que Dios puede conseguir no tiene límites. Ésa es la realidad. Y cuando pedimos algo que se ajusta a su voluntad, siempre se nos concede. No estoy sugiriendo que debas esperar que Dios te facilite un Cadillac cuando lo único que puedes permitirte son unos patines. Tengamos en cuenta que Dios no nos otorga todo lo que deseamos por el simple hecho de tener fe. La fe sólo sirve para conseguir lo que forma parte del plan de Dios, sólo lo que sea para nuestro bien.

La esperanza es la segunda virtud extraordinaria que recibimos en el bautismo. No es el tipo de esperanza natural del que hablamos habitualmente, como en el caso de «espero que me toque la lotería» o «espero que mi hijo apruebe el examen». Éstos son ejemplos de esperanza a nivel natural, que siempre contiene un elemento de duda. No estamos seguros de conseguir lo que esperamos. Sin embargo, la fe sobrenatural se refiere a unas expectativas futuras todavía no alcanzadas; se basa en el conocimiento firme y sólido que tenemos de la bondad de Dios y de su poder en el momento presente. La esperanza sobrenatural es el espíritu de valor y de fuerza. Nos asegura que nuestro Dios, que es invisible, es real y cumple sus promesas.

La esperanza sobrenatural nos asegura que poseemos a Dios en la actualidad; no tenemos que esperar hasta llegar al cielo para poseer a aquel a quien amamos, deseamos y queremos. Esta seguridad nos da fuerza, poder y gracia para soportar todo lo que ocurra en nuestra vida, sean cuales fueren las circunstancias.

Tomemos como ejemplo el caso de una mujer, a quien llamaremos Edna, que cuida de su marido aquejado de una enfermedad terminal. De manera natural, espera fervientemente que recupere plenamente la salud. Sin embargo, consciente del diagnóstico, sabe que la probabilidad de que esto ocurra es sumamente remota. A lo largo de meses de sufrimiento puede sentirse abatida por el resentimiento, la amargura y por fin la desesperación. La esperanza natural no le ofrece ninguna base en que apoyarse.

Sin la esperanza sobrenatural, Edna sólo puede ver la situación a nivel humano. En su situación tiene una gran necesidad de esperanza sobrenatural, que le permita ser consciente de la presencia de Dios en medio de tanto dolor. Sabría que no está sola. Tendría la habilidad de rezar con la confianza de que Dios devolvería la salud a su marido. Pero también gozaría de la libertad de aceptar las largas horas de sufrimiento, y de su posible muerte, sin desmoronarse. Puede que esto parezca contradictorio, pero la esperanza sobrenatural es el equilibrio entre la expectativa de un milagro y la aceptación de la voluntad de Dios, aunque las consecuencias sean el dolor y la muerte. Hay una cierta serenidad que viene de la esperanza sobrenatural, una serenidad que nos permite perseverar con la seguridad del amor de Dios.

La esperanza nos indica que avancemos, que vamos por el camino correcto, que Dios está a nuestro lado y que independientemente de las apariencias, a pesar de no poder verlo ni oírlo, está allí, en este momento, con nosotros y en nosotros. Cuando rezamos pidiendo esperanza, se nos otorga en grandes cantidades para darnos fuerza en las tragedias, injusticias e incertidumbres. La esperanza nos aporta alegría en el dolor y paz en la turbulencia de la vida cotidiana. En cierto modo, creo que es la virtud que más necesitamos.

Por fin, tenemos el amor. Todos sabemos lo que el amor es a nivel natural; en la mayoría de los casos está relacionado con los sentidos. Un chico y una chica se conocen, sé enamoran y se casan porque ella era tranquila y agradable y él tenía un gran sentido del humor. Al cabo de un año, ella se ha convertido en una persona sumamente aburrida y él en un chistoso de vía estrecha. El amor a nivel natural puede convertirse en muy egoísta, puesto que lo único que desea es conservar y recibir. Sin embargo, el amor a nivel sobrenatural, cuando procede de Dios, sólo pide que se dé y se comparta.

El amor sobrenatural es el amor de Dios en nuestra alma. La persona que posee amor sobrenatural es capaz de seguir amando cuando la razón indica que ha llegado el momento de abandonarlo. Es lo que nos permite perdonar y seguir perdonando, cuando en realidad lo que deseamos hacer es darnos por vencidos y odiar para siempre a la persona que no deja de lastimarnos. Cuando Jesucristo ordenó que amáramos a nuestros enemigos, sabía que para ello tendríamos que poseer amor sobrenatural. Sabía que para amar a nuestros enemigos hay que ir más allá de lo que nuestros sentimientos nos indican, de lo que parecería «justificable», y estar dotados de una gran compasión y comprensión.

A un nivel más práctico, el amor sobrenatural es lo que te permite seguir queriendo a tu esposo o esposa, a tus hijos o a tu mejor amigo, en los momentos en que es difícil ver algo en ellos que sea digno de ser amado. Te recuerda que esas molestias cotidianas que te enfurecen (la cama sin hacer, el coche sin gasolina, el tubo de pasta dental doblado por la mitad, el monopolio del control remoto del televisor) no son más que pequeñeces en el transcurso de la vida. ¿Cómo? Despertando tu conciencia al hecho de que el amor es una decisión, no sólo un sentimiento, y que puedes decidir amar como lo hace Dios, de un modo libre y permanente.

El amor sobrenatural es el que mantiene vibrantes a los matrimonios, sólidas a las familias y fuertes a las amistades. Es el tipo de amor que inspira a los cristianos los verdaderos actos de compasión y de caridad. El amor sobrenatural no juzga ni hace preguntas. Simplemente da.

El amor es la base de la cristiandad, porque Dios es amor. El Nuevo Testamento es un libro de amor, ya que amor fue de lo que Jesucristo habló a lo largo de su estancia en la tierra. Para el creyente, el mandamiento «que se amen unos a otros como yo los he amado a ustedes» (Juan 15:12) es la medida de todas las cosas. Es el amor lo que nos hace verdaderamente cristianos. Si no estás seguro de ser un buen cristiano, pregúntate: «¿He sido amable en el día de hoy?» «¿He sido compasivo en el día de hoy?» «¿He sabido perdonar en el día de hoy?»

La fe, la esperanza y el amor tienen mucho que ver en el proceso de conocimiento de Dios. Se nos otorgan en forma germinal para que nosotros los cultivemos y los ayudemos a crecer en nuestra vida cotidiana. No obstante, para muchos de nosotros no son más que nociones vagas. Quedan sepultados, al igual que los tesoros maravillosos, bajo enormes montones de preocupaciones mundanas. Es importante recordar que la fe, la esperanza y el amor son virtudes transformadoras. Nos moldean y destruyen nuestras debilidades, hasta que recrearnos a la imagen de Dios. No son fórmulas mágicas, sino misterios. No convierten a nadie en un «auténtico creyente» o en una «buena persona» de un día para otro, pero nos dan la fortaleza y la gracia que nos permiten experimentar lenta y deliberadamente a Dios y reflejar esta experiencia en nuestra vida cotidiana. La razón por la que es tan difícil creer es el hecho de que el Dios invisible deba convertirse en el centro de nuestra vida. Creer en Dios significa tomar una serie de decisiones a lo largo de toda una vida a favor de Dios. No basta con conocer su existencia, hay que querer ser como Él.

Auténticos creyentes

Si decidiéramos hacer una encuesta entre nuestros compatriotas norteamericanos, la mayoría afirmaría que cree en Dios. Sin embargo, lo que querrían decir en realidad es que creen en la existencia de Dios. Estoy segura de que Dios aprecia su voto de confianza. Pero a partir de allí es donde el creyente y el observador espiritual siguen caminos distintos. Limitarse a creer en la existencia de Dios no es exactamente lo que yo denominaría un compromiso. Después de todo, hasta el demonio cree en la existencia de Dios. *Creer debe cambiar nuestra forma de vivir.*

Mucha gente me dice que desea creer. Sin embargo, lo que realmente quieren es una cura rápida para todos sus males. Imaginan que el cristianismo los convierte en sanos, ricos y sabios, y que cuando se hayan convertido en creyentes desaparecerán todos sus problemas. Pero ¿qué ocurre cuando Dios dice «no»? ¿Qué ocurre cuando se ven atrapados por las injusticias y quebraderos de cabeza de la vida, y sus problemas parecen no tener solución? Entonces es cuando necesitan la fe para ver a Dios, la esperanza para mantenerse junto a Él y el amor que asegure la paz del alma.

Nunca olvidaré una tarde en que una amiga llegó a los estudios con la intención de charlar un rato. Rebeca es una buena conversadora y una notable abogada, que siempre tiene a mano las preguntas adecuadas y las mejores soluciones. Por ello me sorprendió que se sentara frente a mí sin decir palabra. Miró alrededor de mi despacho y acabó fijándose en mi biblioteca. No parecía el momento adecuado para andarse con cumplidos, por lo que yo también guardé silencio.

—Madre—dijo finalmente, usted sabe que he sido practicante toda la vida, pero en realidad no sé lo que significa creer en Dios.

Me produce un auténtico pánico la idea de que si me entrego realmente a Él, me pedirá que lo abandone todo.

—¿Como por ejemplo?—le pregunté con ternura, toda vía ligeramente confundida por su problema.

—Mi nueva casa ...—respondió, horrorizada ante tal perspectiva.

Debo aclarar que Rebeca dirige un bufete altamente respetable, con todos los elementos propios del éxito, como una moderna casa, un coche último modelo y ropa elegante. No obstante, no pude evitar soltar una carcajada.

—Dios no desea apoderarse de su casa; ésta ni siquiera tiene cortinas todavía—exclamé.

Entonces se relajó un poco y pudimos deducir lo que le preocupaba. Rebeca, al igual que mucha gente, había pasado la vida entera buscando el amor y la estabilidad dé Dios en la existencia material. Su intensa búsqueda la había conducido a un éxito extraordinario en su vida profesional y en lugar de ofrecer a Dios el amor que deseaba brindarle, lo había depositado en sus posesiones. Cuando finalmente comenzó a conocer a Dios, se halló en un dilema entre su viejo amor por sus posesiones y su nuevo amor por Dios. Le horrorizaba la perspectiva de perderlo todo.

Sin embargo, no tenía nada que temer. Dios no quería sus posesiones; la quería a ella. Es cierto que a algunos se les pide que lo abandonen todo, pero indudablemente la pobreza no es un requisito del cristianismo. Han existido santos ricos, menos ricos y pobres. La salvación es para todos, no sólo para un puñado de elegidos.

En ese caso, ¿por qué son tantos los que se resisten al don de la fe? Hay tantas razones para resistirse a la fe y a la entrega como gente a quien Dios ama. Pero lo más importante que se interpone en el camino de la alegría es nuestro miedo de lo desconocido.

No sabemos lo que nos ocurrirá.

Nos atemoriza la idea de ceder el control de nuestra vida.

Nos asusta la perspectiva de lo que Dios pueda pedirnos.

Nunca les diré que creer en Dios sea fácil, y si en estos momentos están al borde de la duda, pensando en si dar o no el gran paso, sé exactamente cómo se sienten, porque yo también he tenido que tomar un sinfín de veces esa decisión, la decisión de entregarme. Te llegará la fe, porque Dios desea que la poseas. Si cuando yo era una desgraciada adolescente en Canton, Ohio, fui capaz de aceptar finalmente su don, tú también puedes hacerlo. No tienes por qué hacerte monja ni abrazar el catolicismo, a pesar de que la Iglesia es una fuente de fortaleza que no hallarás en ningún otro lugar. Lo único que debes hacer es entregarte a Dios, cuyo amor por ti es superior al que cualquier otro ser haya podido o pueda ofrecerte, con humildad en tu corazón. Descubrirás que la fe no es una decisión que se tome en un momento dado, sino una serie inacabable de fascinantes oportunidades de decirle «sí» a Dios, de abandonarte una y otra vez en esos brazos místicos cuya existencia conoces gracias a la fe. Supone, evidentemente, un riesgo. Pero cuanto con mayor frecuencia respondas «sí» a Dios, más fácil te será tomarlo.

Dios te quiere

Dios quiere otorgarte el don de la fe, aunque te asuste la idea de una relación personal con Él. Incluso puede que a pesar de haber sido educado como cristiano, de haber sido bautizado y de ser todavía un practicante asiduo, te sientas muy alejado de Dios. Te gustaría experimentarlo en tu vida, pero no sabes cómo y a veces ni siquiera estás seguro de creer en Él. Pero Dios te quiere. Te persigue con mayor empeño que tú a Él. Puede que te preguntes:

«¿Por qué me busca?» En algún momento todos nos preguntamos «por qué» nos quiere y «qué» espera de nosotros.

El poeta Francis Thompson, que era drogadicto, constituye un buen ejemplo de estas preguntas y estos temores. Era un individuo con muchos problemas. Pero incluso cuando estaba muy débil y enfermo, Dios manifestó su presencia. En aquellos momentos, Francis compuso unos versos hechizantes.

En "El duende celeste" escribió:

Hui de Él, de noche y de día;
hui de Él, a lo largo de los años;
hui de Él, a lo largo del laberinto
de mi propia mente;
y en medio de las lágrimas
me oculté de Él.

Francis Thompson cometió un error tras otro. Sin embargo, Dios lo persiguió hasta lo más hondo de su adicción a las drogas. Un alma nunca cae tan baja como para que Dios no pueda levantarla, a condición de que se arrepienta. Sean cuales fueran tus circunstancias, Dios siempre anhela tu amor. Cuando dices «quiero conocer a Dios» empiezas ya a sentir su mano sobre tu hombro. Está constantemente contigo, aunque tú puedas pensar que te ha olvidado.

Al final del poema, la voz de Dios dice:

Todo lo que he tomado de ti me he limitado a tomarlo,
no para lastimarte,
sino sólo para que lo busques
en mis brazos.

Sé que esta realidad es difícil de comprender. No me fue fácil en la infancia creer que Dios me anhelaba y me quería. Durante mi juventud mis padres se divorciaron y nuestra vida era muy triste. En aquella época, muchos feligreses y conciudadanos condenaban el divorcio, y de niña tuve que llevar aquella carga. De joven, lo último que uno desea es sentirse marginado. Uno quiere tener amigos. Ser aceptado. Yo era la única alumna de la escuela cuyos padres estaban divorciados, por lo que me sentía siempre discriminada como «alguien diferente».

Algunas veces me preguntaba si existiría Dios, y en tal caso no podía comprender por qué no me permitía tener una familia como todos los demás. Veía cómo se dirigían a sus respectivas casas por la noche, para compartir una buena cena y una alegre conversación con su familia, y me preguntaba por qué mi madre y yo teníamos que preocuparnos de cómo conseguiríamos nuestra próxima comida. Era demasiado joven para comprenderlo. Sólo tenía ocho o nueve años. Por consiguiente no era capaz de comprender que esto pudiera formar parte de un plan más amplio o incluso parte del amor que Dios sentía por mí.

Tuvo que transcurrir algún tiempo, pero finalmente comprendí que Dios me andaba buscando. Se convirtió en el primer y último resorte de mi vida. Se sirvió incluso de mi temperamento italiano para acercarme a Él. De noche solía rezar: «Dios mío, estoy furiosa. Me duele por dentro. ¿Por qué tengo que soportar todo esto? Deseo quererte, pero no sé cómo hacerlo.»

Con el transcurso del tiempo vi que Dios me acercaba a Él y me ayudaba a conocerle. Mi madre me quería, pero había sufrido mucho, había sido rechazada y humillada. Nos aferrábamos la una a la otra sin nadie en el mundo con quien compartir nuestra desesperación. Pero Dios estaba con nosotras; oculto; silencioso. Observando y esperando. Sólo más adelante estaría dispuesta a escucharlo y a entregarle libremente el control de mi alma.

La entrega

Dios jamás dejará de perseguirte hasta el último suspiro. No olvides nunca que Dios te ha elegido, del mismo modo que me eligió a mí. Cuando aceptes este don de su amor, lo experimentarás en tu vida. Jamás querrás volver a separarte de Él. Con su presencia habrá llenado aquel vacío en tu corazón.

Sólo Él podrá apaciguar tu sed.

Evidentemente, puedes intentar eludir a Dios. Puedes huir de Él refugiándote en las drogas, en la bebida, en el sexo, en el trabajo o lo que sea que hayas metido en tu alma. Pero siempre fallará algo. Si tu alma está llena de cualquier cosa que no sea Dios, será como si hubieras metido agua en el depósito de gasolina de tu carro. Simplemente no funcionará. Podrás decir que eres feliz, pero siempre sabrás que falta algo.

San Marcos nos habla en el evangelio de un hombre que dudaba de su fe. Le dijo a Nuestro Señor: «Yo creo. Ayúdame a creer más» (Marcos 9: 24). Si por lo menos le pides a Dios que te ayude a creer, tus compañeros espirituales, que son la fe, la esperanza y el amor, no tardarán en mostrarte un mundo muy diferente. Conforme te vayas ajustando a la realidad de la existencia y el amor de Dios, comenzarás a ver el mundo como lo ve Él. Y con su gracia, comenzarás a abrazar la santidad.

Dios te ha elegido. Cree en su amor.

CAPÍTULO DOS

¿QUÉ ESPERA DIOS DE MÍ?

Al principio de ser monja acostumbraba leer las vidas de los santos, con la esperanza de hallar alguno que se pareciera a mí. Alguien que tuviera que comer seis veces al día, dormir nueve horas y que no fuera lo bastante robusto para realizar los sacrificios de los que los santos «comunes» parecían ser capaces. Leí sobre santos que habían pasado noches enteras rezando y varios días sin comer. Cuanto más investigaba, más desalentada me sentía, al comprender que la santidad debía ser una cuestión los más especiales.

Hojeando las biografías piadosas y frecuentemente aburridas, tuve la impresión de que los santos nacían santos; que eran seres como los ángeles, distintos de cualquiera de nosotros desde el primer momento. Las estatuas de yeso en nuestras iglesias contribuían a mi confusión. Las mujeres eran elegantes y con ojos grandes, mientras que los hombres tenían un aspecto amable y encantador. No había estatuas gordas, ni santos con la nariz desproporcionadamente grande. Ningún santo mostraba sueño ni parecía estar cansado.

Entre los biógrafos y los artistas, me resultaba sumamente difícil imaginar la vida de un santo sin ni siquiera pensar en sentir alguna afinidad con la misma.

No tardé en hartarme. Deseaba y sigo deseando que condenaran a los biógrafos de los santos a cuarenta años de purgatorio. Hacían que los santos parecieran irreales. Los convertían en seres perfectos. Siempre amables. Siempre pacientes. Siempre capaces de resistirse a la tentación.

Lo que pasaba inadvertido a los biógrafos era que la mayoría de los santos eran personas ordinarias, que luchaban con sus tentaciones, sus pecados, sus flaquezas y sus debilidades. Como cualquiera de nosotros.

Tomemos como ejemplo a los apóstoles. Los hombres a quien Jesucristo eligió como discípulos, para que lo siguieran e inspiraran a los demás a seguirlo, eran sumamente imperfectos. (¿Sabías que según las Escrituras los apóstoles jamás capturaron ningún pez por sí solos?) A veces les dominaban los celos, la envidia. Tenían ataques de mal genio, se enojaban, y en momentos difíciles podían ser obsesivamente depresivos y miedosos. Huían en tiempos de crisis y llegaron a sentirse muy orgullosos de formar parte del grupo «íntimo». Tampoco eran excesivamente inteligentes, como lo demuestra el hecho de que no comprendieran una parábola tan simple como la del sembrador y la semilla, que insistieron en que Jesucristo les aclarara altas horas de la noche. Esa parábola que hoy en día está al alcance de cualquier adolescente, escapó a la comprensión de los hombres que Jesucristo había elegido para dirigir su nueva Iglesia.

El hecho de leer sobre los apóstoles me infundió mucho valor. Pude comprender que no habían empezado siendo perfectos. Quedó claro para mí que los santos no nacían, sino que se hacían. De allí aprendí que existen grandes esperanzas para todos nosotros. Cuando nos preguntamos «¿Qué espera Dios de mí?», existe una simple y hermosa respuesta, que en algunos casos puede asombrarnos.

La respuesta es: *Dios quiere que seamos santos*.

Dios nos ha dotado a todos de cuanto necesitamos para ser santos: la fuerza y la debilidad, la felicidad y los problemas, los defectos y la habilidad de superarlos por medios absolutamente heroicos. Por ello, si estás atrapado en el pecado, o sumido en la soledad o la depresión, o simplemente inquieto y aburrido, debes levantar la cabeza y prestar atención a la misión que Dios te ha encomendado en esta vida.

¡Dios quiere que tú seas un santo!

No lo digo por dramatismo, para alentarte ni desanimarte, ni por ninguna otra razón. No me lo he inventado, y hay días en los que preferiría que no fuera cierto. Pero lo es. El novelista francés, Léon Bloy dijo que la única tragedia en esta vida es la de no haber sido un santo. En el momento en que descubras esta verdad, tu vida habrá cambiado para siempre, convirtiéndose en un camino extraordinario hacia la santidad.

¡Sí, Tú!

Cuando hablo de la posibilidad de que todos nosotros podamos ser santos, la gente comienza a negar con la cabeza. Al igual que yo solía hacer hace muchos años, imaginan a los santos como estatuas eminentemente románticas de hombres y mujeres con una mirada lejana en sus ojos. Se absorben más en sus coronas y visiones. Al examinar sus roperos, no descubren largas capas ni elegantes túnicas. En su vida cotidiana no hay guillotinas ni inquisidores. De algún modo, la vida mundana de la actualidad, por agradable o desagradable que sea, no parece brindar las oportunidades adecuadas para convertirse en santo.

Pero no son sólo las trampas de la santidad lo que hace que nos parezca tan remota. La materia prima, como son nuestros corazones, nuestras mentes y nuestras almas, también parecen presentar un problema. La gente se aferra a la falsa idea de su propia mediocridad, como si al eludir la santidad se sintieran más seguros y más cómodos en su existencia. Prefieren hacer lo mínimo indispensable para seguir adelante. Es como si su objetivo fuera el purgatorio. Insisten en que «les falta bondad», o «no son lo suficientemente amables», o «no están hechos para eso».

¡Tonterías! Dios busca a los pecadores, a los débiles y a la gente corriente como todos nosotros. Sólo porque vivamos en una zona residencial, tomemos bebidas sofisticadas, o nos preocupemos de los vecinos, no significa que no podamos ser santos. Las amas de casa, los ejecutivos, los obreros y las camareras pueden alcanzar la santidad. No olvidemos que San Mateo era recaudador de impuestos y que San Pablo, antes de «cambiar de carrera», se dedicaba a perseguir a los cristianos. A lo largo de la historia, los santos han procedido de distintas condiciones y clases sociales. En muchos casos era tal el peso de sus pecados, que nosotros a su lado parecemos inofensivos. Con frecuencia la lucha por la santidad les ocupó la vida entera.

Pero ¿qué era lo que tenían en común esos asombrosos seres humanos? ¿Qué fue lo que, a fin de cuentas, los convirtió en seres amantes, virtuosos y profundamente santos, a imagen y semejanza de Dios? ¿Cómo pudo Dios realizar su maravillosa labor, valiéndose de ellos en lugar de otros?

La respuesta es muy simple. Los santos, con perdón por la abreviatura teológica, son «marionetas» de Dios.

—¡Pero, madre!—parece que los oigo decir—. ¿Santo Tomás de Aquino una marioneta? ¿Es eso lo que nos dice?

Lo que les digo es que, en la vida espiritual, Dios ama particularmente a los que enloquecen por su amor, ya que éstos tienen el valor de entregarse plenamente al servicio de Nuestro Señor. No digo que por el hecho de ser «marionetas» sean estúpidos. En realidad, algunos de los amigos más inteligentes que tengo son marionetas. Las marionetas son simplemente gente que no sabe lo que son capaces de realizar. Sólo comprenden que deben ser duros, humildes y tener una confianza absoluta en Nuestro Señor. Y saben que si cumplen estas condiciones, o aunque sólo lo intenten, y lo hacen en nombre del Padre, del Hijo y del Espíritu Santo, complacerán con toda seguridad a Dios y generarán santidad en el mundo entero.

Y eso es lo que Dios espera de nosotros.

Haciendo lo absurdo

Puede que convirtiéndose en «marionetas» de Dios no fuera lo que tendrías previsto. Pero ¿es muy importante lo que estás haciendo ahora? No pretendo ofenderlos, pero pasarse la vida viendo seriales o partidos de fútbol por la televisión no es exactamente la forma de alcanzar el cielo. Comprendo que el crucero haya sido divertido, pero ¿son las vacaciones la gran compensación de la vida? ¿Es su trabajo realmente el principio y fin de la existencia humana? No digo que haya nada de malo en disfrutar del trabajo o de las diversiones. Es en el momento en que se convierten en su principal objetivo, cuando comienzan a tener problemas.

Dios espera mucho más de ti que una existencia parcelada, dependiente de los demás, de los sucesos y otros acaecimientos, a cambio de pequeñas migas de felicidad. Dios quiere que alcances la santidad. Ésta es la razón por la que ser una «marioneta» de Dios constituye un estilo de vida. Significa unir tu voluntad a la de Dios en todo lo que hagas. Para descifrar la voluntad de Dios se necesita algo de práctica y cierta prudencia, pero de ello hablaremos más adelante. Primero quiero que sepan que el hecho de servir a Dios y de unirse a su voluntad produce una gran alegría.

Algunas veces, el hecho de unir tu voluntad a la de Dios te conduce en una dirección totalmente inesperada. Tomemos como ejemplo mis inicios en la televisión. Jamás olvidaré aquella primera sesión de grabación, en 1978. Después de una breve búsqueda, descubrimos una pequeña empresa de producción donde las tarifas de alquiler de los estudios eran relativamente módicas. Todo comenzó un sábado, cuando las monjas y una buena amiga llamada Jean Morris me instalaron en una mecedora.

—Comience hablando de Dios—me aconsejaron.

Bien, ¿podrán imaginarse cómo me sentía con una cámara ante las narices y alguien que me decía que me limitara a hablar de Dios? Tenía el aspecto de la abuela de Moisés, la barbilla de doña Urraca y la voz del ratón Mickey. Fue horrible.

Sin embargo, la voluntad de las monjas se impuso a la mía, partidaria de abandonarlo, y volvimos a intentarlo una y otra vez, hasta que por fin logramos grabar una cinta de la que creíamos que Nuestro Señor no se avergonzaría. Pero teníamos un problema. Era como cuando uno se viste sin tener a donde ir. Habíamos olvidado que cuando tuviéramos la cinta, necesitaríamos un lugar desde donde transmitirla. Entonces tuvimos que enfrentarnos a la preocupante cuestión de quién estaría dispuesto a transmitir una cinta de una monja de clausura en la que se hablaba de las Sagradas Escrituras. La lista de posibilidades, evidentemente, era muy reducida. Le pedí a Jean que llevara la cinta en mano a la *Christian Broadcasting Network* de Virginia Beach en Virginia.

Resultó que la CBN había estado buscando programación católica y cuando el director me llamó para pedirme otros seis programas de media hora, estuve a punto de caerme de la silla.

—¡Hecho!—exclamé sin dudarlo, mirando a las monjas rebosante de alegría.

Sin embargo, después de la improvisada celebración con galletas y ponche de fruta, de pronto nos dimos cuenta, horrorizadas, de que la serie nos costaría más de 25,000 dólares. ¡Veinticinco mil dólares! Era una suma astronómica, que no teníamos ni la más remota idea de cómo conseguir.

Pero Dios nos ayudó a través de amigos generosos, voluntarios y entusiastas. Nuestro Señor nos abrió muchas puertas, a pesar de que también hubo momentos en los que nos las cerró. Sin embargo hasta en las desviaciones había algún propósito, ya que a veces era necesario esperar a que Dios nos mostrara su voluntad para poder seguir en la dirección correcta. Siempre que estuvimos dispuestas a confiar en Él, incluso cuando mucha gente nos decía que lo que hacíamos era impracticable, irracional e imposible, Nuestro Señor se ocupó de nosotras.

Y así fue como empezamos en la televisión. Supongo que mucha gente habría actuado con mayor precaución, de un modo más sistemático y organizado. Probablemente habrían organizado un presupuesto, quizá habrían llevado a cabo un estudio de posibilidades, formado un equipo de directores profesionales y, después de dieciocho meses, habrían decidido que el proyecto era básicamente irrealizable. Es allí la ventaja de ser una marioneta. Porque, mediante nuestro sistema, que dependía principalmente del poder de la oración, lo conseguimos. Jamás se nos ocurrió que no pudiéramos alcanzarlo; ni siquiera pensamos en ello. Lo único que sabíamos era que, al parecer, en aquel momento aquello era lo que Dios deseaba. Y a lo largo de aquellos meses en los que intentábamos lanzar la EWTN, comprendí algo muy importante con respecto a la forma de actuar de Dios. Hay momentos en los que, a no ser que estemos dispuestos a hacer lo que humanamente parece absurdo, Dios no realizará el milagro.

Hacer lo absurdo se ha convertido en una especie de lema en la EWTN. Al decir «absurdo» no me refiero a actuar locamente o sin premeditación. A lo que me refiero es a seguir la inspiración del Señor y estar dispuesto a fracasar. Hemos intentado muchos proyectos en la EWTN; algunos han tenido éxito y otros han fracasado. Pero Dios nos pide que nos arriesguemos en su nombre y que superemos el miedo al fracaso. Hemos descubierto que sólo estando dispuestas a arriesgarnos hemos logrado proclamar la palabra del Señor, llegando realmente al corazón de la gente. Nuestra cadena de televisión constituye una prueba tangible de la bondad de Dios en la práctica, aunque ésta no sea la única forma en que le servimos, ni la única manifestación de su bondad.

Hay muchas historias milagrosas en la EWTN. Pero algunas de las más milagrosas proceden de televidentes, personas que nos llaman por teléfono y otros amigos de los estudios. Esa gente ha visto a Dios otorgar cosas tan extraordinarias como la inversión de terribles condiciones médicas, una muerte pacífica y asombrosas conversiones. Estoy asombrada ante la cantidad de santos entre nuestros televidentes. Muchos son los que han unido perfectamente su voluntad a la de Dios, que se contentan con obedecer sus deseos y que cuando al rezar el padrenuestro dicen «hágase tu voluntad» lo sienten realmente. Son personas que probablemente jamás serán canonizadas como santos. Pero eso no es lo que importa. Lo importante es que han alcanzado una santidad con la que me hacen partícipe—a mí y a todos aquellos con quienes entran en contacto— de la bondad de Dios.

¿Es fácil? En absoluto. La santidad supone en realidad un trabajo sumamente duro, puesto que la mayor parte del tiempo no estamos en paz con nosotros mismos. Existen pequeñas voces en nuestro interior que nos dicen: «es imposible», «no soy lo suficientemente bueno», «no tengo bastante fuerza», o «no soy lo bastante inteligente». Pero el caso es que Dios es lo suficientemente bueno, fuerte e inteligente para hacer cualquier cosa. Si te tomas en serio la santidad, doblegarás tu voluntad ante la suya. Hallarás una paz extraordinaria incluso en pleno sufrimiento, porque sabrás que lo que ocurre en tu vida es realmente la voluntad de Dios.

Ayuda ser una marioneta. Pero no es sólo cuestión de confiar en Dios y de estar dispuesto a arriesgarse; no basta simplemente con saltar de lo alto de un edificio espiritual. Honrar la voluntad de Dios significa librar su batalla contra el pecado y contra el mal. Y el lugar del primer combate es el campo de batalla de tu propio corazón.

Debes obedecer

Nunca olvidaré un pequeño incidente que tuvo lugar en Canton, en Ohio. Uno de mis primeros grandes proyectos como monja fue la construcción de una gruta para Nuestra Señora. Como de costumbre, no disponía de dinero para mi misión. Esto significaba que tenía que recoger donativos entre los miembros de la comunidad. No tuve mucho éxito y acabé acudiendo a los jóvenes del lugar, en busca de alguien que dispusiera de «tiempo libre» para ayudarme.

Por suerte me encontré con un chico llamado Sam, a quien conocía desde que era niño. Le encantó ofrecerme su ayuda y la de sus amigos.

—Por supuesto, hermana. A mí y a mis amigos nos encantará echarle una mano.

En un tiempo sorprendentemente breve construimos una hermosa gruta y en la misma enterramos un pergamino con los nombres de quienes la habían convertido en realidad.

Faltaban todavía algunos días para la bendición de la misma. Sam y yo estábamos admirando nuestra labor, cuando de pronto se le ocurrió la excelente idea de plantar unos árboles alrededor de la gruta.

—Magnífico—exclamé. Pero ¿no son algo caros?

—No se preocupe—respondió. Hay un individuo en la montaña qué tiene una auténtica plantación. No se dará cuenta si le faltan algunos.

—Pero, Sam, eso es un robo—le dije.

—No, no lo es, hermana. Esos árboles pertenecen a Dios, ¿no es cierto?

No suelo quedarme sin palabras, pero la respuesta de Sam me dejó perpleja. Era evidente que su conciencia necesitaba ser enderezada. Los árboles pertenecían efectivamente a Dios, pero también al hombre en cuya propiedad crecían. Mi amigo Sam estaba algo confundido con relación a lo que Dios esperaba de él. Con el fin de ayudarme estaba dispuesto a «suspender» el mandamiento «no robarás». Lo que le interesaba no era descubrir la verdad, sino hacerse con los árboles abetos.

Sam tuvo un disgusto cuando me negué a aceptar los árboles «gratuitos». Y no estoy segura de que comprendiera qué había de malo en ello.

Si bien la mayoría de la gente no estamos acostumbrados a hurtar árboles, con frecuencia nos vemos atrapados en un juego de racionalización de lo que sea que deseemos hacer. Adaptamos nuestra ética a la situación en la que nos encontramos, en lugar de hacer lo que sabemos que es correcto. Es allí donde intervienen las Escrituras y la Iglesia. Todos necesitamos direcciones inalterables y verdades a las que podamos ajustar nuestra vida. Como católica, agradezco a la Iglesia que me proporcione una comprensión clara de lo que Dios espera de mí. Respeto la autoridad de los líderes de mi Iglesia y he hecho voto de obediencia a Dios y a las enseñanzas de la Iglesia.

La necesidad de obedecer no se limita a los católicos. Dios nos llama a todos a obedecer sus mandamientos y a respetar a las autoridades. Soy consciente de que, en la actualidad, obediencia no es un término popular. Sin embargo es un elemento crítico en una vida de santidad, puesto que cuando obedecemos, reconocemos la soberanía de Dios sobre nosotros. Tiene derecho a decir lo que podemos y lo que no podemos hacer.

Sé que mucha gente se retrae ante la palabra «obediencia». Suena a algo sumamente represivo, como si sugiriéramos que debemos convertirnos en entes pasivos o actuar como robots. Pero en lugar de sentirme limitada por mi voto de obediencia, el hecho de comprender que no estoy sola a la hora de enfrentarme a mis dificultades supone para mí un gran consuelo. Ya es bastante difícil tener que resolver los numerosos dilemas que se nos presentan todos los días, sin tener que depender exclusivamente de nuestros limitados conocimientos. Los dos mil años de sabiduría y de experiencia de la Iglesia me sirven de apoyo y me ayudan a discernir lo bueno de lo malo.

La obediencia no es fácil y no siempre nos resulta agradable, pero es imprescindible que nos esforcemos. Nuestra santidad nace de la obediencia a las leyes de Dios, ya que sus leyes son la manifestación de su voluntad. La obediencia significa sacrificio, en algunos casos extraordinario. Generalmente pensamos que sacrificio equivale a privarse de algo, ya sea tiempo, dinero, comida, deseos, o lo que sea.

Sin embargo, el verdadero significado de sacrificio procede de la raíz latina sacer, que significa sagrado. El sacrificio santifica. El objeto de hacer régimen no es el hecho en sí de privarse de comida, sino el de mejorar la salud del cuerpo. El que cuida de su familia, no lo hace por el hecho en sí de privarse de su libertad, sino para mejorar la calidad de la vida familiar. El sacrificio, en sentido espiritual, no es un fin en sí mismo, sino el camino de la santidad. La Iglesia no representa y administra la ley de Dios por afán legislativo, sino porque su mandato es el de conservar la verdad de modo que podamos utilizarla para conocer a Dios y alcanzar la santidad.

La necesidad de la contrición

Si acabas de iniciarte en la vida espiritual, aprenderás muy rápidamente que la obediencia es un concepto maravilloso durante los primeros diez minutos y a continuación, antes de darte cuenta, te habrás descarriado. Nadie ha afirmado jamás que fuera un lecho de rosas. A muchas personas les horroriza descubrir que por mucho que deseen obedecer a Dios, quererlo y ser como Él, sus debilidades se lo impiden una y otra vez.

Los más afortunados son conscientes de ello. Saben exactamente el momento y el lugar en que han errado, ya que han sido dotados de la gracia que les permite reconocer el mal y, en el mejor de los casos, piden inmediatamente perdón a Dios. Se arrepienten de sus pecados.

La contrición es indispensable para alcanzar la santidad. En términos simples significa decirle a Dios, con absoluta sinceridad, que uno lo lamenta. Cualquiera puede mirar al cielo y decir: «Señor, lo siento.» Pero se tarda algún tiempo en llegar al punto en que se sepa exactamente que se le ha ofendido y lamentar sinceramente haberle infligido dolor. La mayor dificultad estriba en que en el cincuenta por ciento de los casos ni siquiera somos conscientes de haber ofendido a Dios. En primer lugar, la idea de infligir dolor a Dios parece extraña; nos preguntamos cómo es posible que podamos infligirle dolor a alguien tan sabio y poderoso, o cómo nuestros actos insignificantes pueden afectar al Creador del universo.

Y sin embargo así es. Todos infligimos dolor a Dios todos los días, debido a la fuerza de su amor por cada uno de nosotros.

Ésta es la razón por la que es muy importante saber que cuando pecamos, no sólo cometemos un error o hacemos algo «malo», sino que infligimos dolor a alguien que nos ama profundamente. Cuando nos arrepentimos, nos acercamos a nuestro dolorido Señor y le ofrecemos nuestra verdadera contrición; lamentamos nuestra ofensa y nos proponemos no repetirla.

El arrepentimiento significa manifestar que uno lo lamenta, pero no que uno deba sentirse agobiado por la culpabilidad y la vergüenza, o que deba flagelarse por haber cometido algún pecado. Imagínense a tres personas: una buena persona, una mala persona y un santo. Las tres caen en un pegajoso charco de barro, que representa el pecado.

¿Qué hace la buena persona? Imagina que ha llegado el mismo fin del universo. Le cuesta creer que ha metido la pata. Observa el barro que cubre todo su cuerpo y se pregunta cuánta gente se dará cuenta de ello. Permanece en el charco lamentándose y apiadándose de sí mismo. Por fin, se dirige a Dios para pedirle perdón:

—Lo siento, Señor. Tenía que haberme dado cuenta. Soy lo peor de lo peor. Me odio a mí mismo. No existe castigo lo suficientemente severo para mí.

Y así prosigue la buena persona, mientras la reacción de la mala es igualmente previsible. No cayó accidentalmente en el charco de barro, sino que se tiró de cabeza. Permanece allí sentado, divirtiéndose. Disfruta cubriéndose el cuerpo de barro; le encanta.

Ahora observemos al santo. Recordemos que no es perfecto, pero es santo. Comete errores, pero su reacción es lo que lo diferencia de los demás. Cuando el santo cae en el charco de barro, se pone de pie inmediatamente, dirige su mirada a Dios y en aquel mismo instante le pide que lo perdone, con auténtica contrición. No se explaya en su error retorciendo las manos, preguntándose lo que los demás pensarán de él, ni concentrándose en sí mismo. Se dirige a Dios con humildad sin perder un instante y sigue su camino, decidido a no volver a cometer aquel mismo error. Cuando dejamos de obedecer los mandamientos, cuando caemos en el pecado o cuando sucumbimos a la tentación, lo primero que debemos hacer es arrepentirnos. Dios, en su merced, aceptará nuestras súplicas. Nos otorgará su perdón y entonces debemos seguir nuestro camino. Evidentemente, Dios sabe todo lo que hacemos. Sabe cuándo superamos heroicamente el pecado y cuándo caemos en él. Cuanto mayor sea la frecuencia con que le pidamos perdón, más próximos estaremos de Él y, como santos, más nos pareceremos a Él.

Debemos amar

Llega un momento en la vida de un santo cuando Dios está tan presente, cuando su amor por Él es tan intenso, que la obediencia y el arrepentimiento se convierten en hábitos. Esto no ocurre de un día para otro. Se dice que las malas costumbres se adquieren en un par de semanas, pero para los buenos hábitos se necesita más tiempo. Sin embargo, el amor puede acelerar el proceso. Además, cuando nos vemos alentados por el amor de Dios, el poder que recibimos es tan fuerte que incluso el más egoísta puede actuar con altruismo y el mayor de los pecadores puede arrepentirse.

Como puede comprenderse, un amor tan fuerte no es el que se encuentra en las novelas. De lo que estamos hablando es del amor de Dios, y sí existe un secreto en la santidad, es precisamente dicho amor, esa fuente poderosa e inagotable de bondad. El amor de Dios es importante por el hecho de ser eterno. Cuando se agota el amor humano, Dios está allí con sus reservas de ese amor que le permite a uno reaccionar con paciencia y compasión, ante la gente más irritante y las situaciones más difíciles de la vida.

A mi entender existe un camino para la comprensión y uso de dicho amor, que por lo menos ha funcionado siempre para mí, y que consiste en intentar ver a la gente como Dios probablemente los ve.

En una ocasión, por ejemplo, una empleada de la EWTN llegó veinte minutos tarde al aeropuerto, donde debía encontrar a un obispo; ¡la pesadilla de una monja! Al principio pensé en aquella pobre chica con la mente de Angélica, que en aquel momento estaba verdaderamente furiosa. Pero entonces reaccioné e intenté verla con los ojos de Dios, con paciencia, amor y caridad. Dios exigía que le concediera el beneficio de la duda y escuchara las razones de su retraso. Mientras que Angélica sólo veía el error o la incompetencia y no deseaba escuchar ningún pretexto, Dios sabía que había recibido información errónea. Dios sabía que aquella chica no tenía culpa alguna; y también que veinte minutos comparados con la eternidad no es algo de lo que valga la pena preocuparse. Incluso es más probable que Dios tuviera a alguien en el aeropuerto a quien el obispo pudiera ayudar, o puede que deseara que el clérigo dispusiera de unos momentos de paz y meditación, y que hubiera aprovechado maravillosamente aquellos veinte minutos.

En el mundo de Dios hay mucho más de lo que se ve a primera vista y es precisamente al ajustarnos a su visión cuando aprendemos a amar como Él ama. Como italiana propensa al mal genio, les puedo asegurar que si bien esto parece sencillo sobre el papel, no tiene nada de fácil en la práctica. Todos tenemos algunas personas en nuestra vida a quienes nos es muy difícil amar.

Creo que una de las mayores barreras que nos impide amar verdaderamente, tal como lo hace Dios, es que somos propensos a juzgar a la persona a quien intentamos amar. Esto supone particularmente un problema cuando el objeto de nuestro amor nos ha lastimado de algún modo, ya sea en forma de una traición, una promesa quebrantada o una decepción. Solemos olvidar que no somos exactamente ejemplos perfectos de la conducta humana y que de no haber sido por la gracia de Dios, la ofensa podía fácilmente haber salido de nosotros. No es fácil responder con amor a un marido infiel, a una esposa que se ha jugado el dinero de la familia, o a un hijo que utilice permanentemente a sus padres apoyándose excesivamente en ellos, o que no deje de intentar que se sientan culpables por no quererlo bastante. Pero si intentan no juzgar demasiado a los seres queridos y tratan de verlos con los ojos de Dios, hallarán la fuerza y los recursos necesarios en el amor inagotable de Dios para soportar lo inmutable.

Recuerdo el caso de una buena amiga espiritual llamada Marie, que en una ocasión me hizo partícipe de sus impresiones acerca de su descarriado hermano

—Estaba en las últimas, madre—me dijo una tarde en mi despacho. Comenzaba el día con *bloody marys*, se tomaba tres martinis con el almuerzo y acababa el día tomando unas copas en el bar de la esquina. No sé cómo se las arreglaba, pero lograba mantener las apariencias de cara al mundo exterior. Sólo su esposa y los parientes cercanos sabíamos lo que estaba ocurriendo, y estábamos sumamente preocupados y enojados con él.

Bien, se trataba de mi hermano y por alguna razón su debilidad me afectaba personalmente. Me sentía verdaderamente agraviada. Me molestaba el hecho de que habiendo recibido tanto, una maravillosa educación y una encantadora familia, hubiera decidido ridiculizarlo de aquel modo. No concebía que pudiera dolerle el corazón o tener alguna necesidad. Sólo lo veía como a un ser inferior a mí, que disfrutaba de ser excesivamente condescendiente consigo mismo.

Opté por rezar. Una mañana le pedí a Dios que me otorgara la paciencia, la sabiduría o lo que fuera necesario para amar a mi hermano y ayudarle. Me encontré con unos amigos a la hora del almuerzo y Dios me dio una pequeña lección acerca de mí misma. Cuando estaba encendiendo mi cuarto cigarrillo y le pedía a la camarera la tercera taza de café, de pronto me di perfecta cuenta de que yo también era una adicta. Por alguna razón, probablemente el hecho de que el café y los cigarrillos son más aceptables socialmente, nunca se me había ocurrido que yo también tenía una debilidad para el exceso. Es absurdo, madre, ¿no le parece? Había pasado años enojada con mi hermano por mi propia debilidad. Al poco tiempo logré hablar largo y tendido con él y compartir su problema con verdadera compasión.

Marie había alcanzado una comprensión muy amplía y humilde. Creo que muchos de nosotros, al igual que Marie, sentimos una especie de indignación para con los pecados socialmente ofensivos, como la bebida y las drogas, sin examinar jamás nuestros propios excesos, como la cafeína, la glotonería, el descontento o el chismorreo. Cuando la luz nos permite darnos cuenta de que tampoco somos perfectos y que sólo por la gracia de Dios no nos encontramos en la situación de esa persona, crece nuestra humildad. Podemos ser más compasivos. Podemos amar como lo hace Dios, sin juzgar a los demás.

Todos tenemos debilidades y el conocimiento de las mismas es esencial para alcanzar la santidad. El hecho de saber que no somos perfectos nos ayuda a amar a los demás, que tampoco lo son; nos dota de un sentido importante de la humildad y del poder para no juzgar. Amar como lo hace Dios es el mayor logro de la santidad. Es la clave de la cristiandad.

Al avanzar en tu camino espiritual, descubrirás algo muy importante: la reacción cristiana ante las situaciones de la vida cotidiana no es una reacción fácil. Va contra la naturaleza humana amar a alguien que nos lastima, obedecer una ley que nos invita al sacrificio o ser pacientes y amables con los desconocidos.

El cristianismo eleva nuestra naturaleza humana al combinarla con lo sobrenatural. Esta combinación nos permite reaccionar ante los problemas y tribulaciones de la vida cotidiana. Logramos aguantar a unos niños insoportables, a un esposo o esposa exigente, a un jefe mal educado y a unos amigos chismosos, con la mirada fija en una realidad superior. Puedes elevarte por encima de la naturaleza humana y unir tu mente y tu voluntad a la de Dios. Esto es lo que convierte a los santos en seres distintos a los demás. Y mientras esto ocurre lentamente en tu vida y vas cumpliendo el propósito que Dios te ha designado, comienza a tener lugar una transformación extraordinaria.

La gente verá a Dios en ti

Los primeros cristianos eran distintos de nosotros. Tanto si estaban en un mercado como en un peregrinaje, u ocultándose de sus perseguidores, todo el mundo sabía que eran cristianos porque compartían todo lo que tenían. Eran compasivos, caritativos y amables. Creo que uno de los mayores escándalos de nuestra época es el hecho de que no irradiemos el amor de Dios como lo hacían hace dos mil años. A un cristiano primitivo se le conocía por su ejemplo. No tenía por qué mencionar el nombre de Nuestro Señor para que todo el mundo se diera cuenta de que lo llevaba en su corazón.

En un santo, uno puede ver el amor de Dios.

En el evangelio de San Juan, Nuestro Señor dice las siguientes palabras: «Sigan unidos a mí, como yo sigo unido a ustedes. Así como una rama no puede dar uvas de sí misma, si no esta unida a la vid; de igual manera ustedes no pueden dar fruto si no permanecen unidos a mí. Yo soy el frutal y ustedes las ramas. Quien permanezca en mí y yo en él, dará frutos en abundancia» (Juan 15:4-5).

Ahora bien, ¿a qué se refiere Nuestro Señor cuando dice que «produciremos frutos»? Lo que quiere decir es que seremos portadores de los signos del amor de Dios, a condición de que depositemos nuestra confianza en Él. ¿Una aceptación heroica del sufrimiento? Efectivamente. ¿Paciencia ante una persona irritante? Así es. ¿Amabilidad con quienes nos infligen dolor? Sí, también.

Ésta es la razón por la que es tan importante para nosotros buscar y abrazar la voluntad de Dios.

Hace algunos años me llamaron para que visitara en un hospital próximo a una mujer que estaba muriendo de cáncer de los huesos. Suzanne estaba en la cama de una habitación privada, con un ramo de margaritas marchitas sobre la mesa de noche. Al verme entrar levantó la cabeza y me brindó una sonrisa asombrosamente pacifica y tranquila.

—¿Cómo estás, Suzanne?—le pregunte.

—Bien, gracias a Dios—respondió.

Como probablemente sepan, el cáncer óseo puede producir una muerte extremadamente prolongada y dolorosa. En visitas posteriores, supe que el marido de Suzanne la había abandonado en el momento en que se supo el diagnóstico del cáncer que padecía. Aquella misma tarde había firmado los documentos necesarios para otorgar a su hermana la custodia de su hija, lo único que poseía en el mundo.

Fue una lección de humildad para mí. Cuando caminaba por el pasillo, se me acercaban las enfermeras y los médicos para saludarme y pedirme ayuda y oraciones, viéndome como una persona de fe y devota. Pero había bastante fe y devoción en la tierna sonrisa de Suzanne en su lecho de muerte como para avergonzarme a mí y al resto del mundo para siempre. No mostraba indicación alguna de amargura ni de enojo. De ella emanaba el convencimiento de que fuera cual fuera su dolor y su sufrimiento, de algún modo Dios convertiría en un bien su trágico fin. Su testimonio me causó un profundo impacto, porque en el momento en que miré en sus ojos supe que estaba viendo a Jesucristo.

Si eres portador de buenos frutos, tu vecino sabrá leer el evangelio en tu vida, aunque jamás se haya interesado por las Sagradas Escrituras o tenga un mal concepto de la religión o de Dios. Sabrá que hay algo en ti que es diferente, aunque no reconozca que ese «algo» es Dios. Nada nos da tanta fuerza como ver a una persona imperfecta y grosera esforzándose por alcanzar la santidad. Y ésa es precisamente la clase de gente a quien Dios llama a ser santos.

El camino de la santidad

Una vez celebrábamos el cumpleaños de una monja, cuando entre las festividades me di cuenta de que una de las hermanas estaba sentada sola, con aspecto meditabundo.

—¿Demasiada emoción, hermana?—bromeé sentándome junto a ella.

—No, madre—respondió con una sonrisa. Sólo estaba contando el número de oportunidades que Nuestro Señor me ha dado hoy para ser santa.

Cada día recibimos nuevas oportunidades para confiar en la providencia de Dios y proyectar su amor. Lo que diferencia al camino espiritual de cualquier otro es el hecho de que cuando no avanzamos, retrocedemos. No es sólo cuestión de decir «bien, ahora voy a amar a Dios», y a continuación tumbarse a descansar. El amor de Dios no es algo intermitente. Es un camino sin interrupción. Es más importante que todo lo demás en tu vida. Para avanzar por este camino has de comprometerte con una vida de santidad.

Todos crecemos de modo distinto en el camino de la santidad; cada uno tenemos nuestro propio sendero, distinto del de los demás. Pero, por muy individuales que sean nuestros caminos, creo que todos hallamos las mismas señales:

- Debemos respetar y obedecer las leyes de Dios.
- Debemos arrepentirnos de nuestros pecados y pedir el perdón de Dios con absoluta sinceridad.
- Debemos amar como lo hace Dios.
- Debemos proyectar la bondad de Dios.

Es mucho lo que Dios desea que alcances y lo que puedes alcanzar para Él. Sabiendo que Dios está presente, operando en tu vida cada instante de todos los días, puedes avanzar sin temor, con el valor de los santos, para cumplir la misión que te ha encomendado.

Puede que seas el único Jesucristo a quien tu vecino conocerá. Puede que seas el único ejemplo de merced y compasión con quien tus colegas en el trabajo lleguen a encontrarse. Puede que tu valor sea el único signo de santidad para otro paciente. Tu paciencia en el matrimonio puede ser el único testimonio de la fortaleza y la fuerza sobrenatural de Dios que tus amigos lleguen a presenciar.

Dios ha pensado en algo muy especial para ti. Quiere que seas un santo.

CAPITULO TRES

¿POR QUÉ SUFRIMOS?

Hace algunos años, una mujer cariñosa y elegante, con unos enormes ojos y un corazón todavía mayor, llegó a nuestro convento preguntando por la madre Angélica. Como de costumbre, estábamos en plena crisis y tardé unos treinta minutos antes de recibir a una de las personas más encantadoras y sinceras que he conocido en la vida.

—Madre—me dijo con una sonrisa, me llamo Rosalie Jones y hay algo que perturba mi mente.

El mundo es un pañuelo, pensé, invitándola a entrar en mi despacho.

—¿Qué es lo que te preocupa, Rosalie?—le pregunté cuando nos sentamos, dispuesta a escuchar una tragedia personal o una crisis familiar.

—Se trata de lo siguiente—respondió: mi hermano es el pastor de nuestra iglesia. Hace cinco años que discutimos sobre el sufrimiento y me parece que ha llegado el momento de que alguien como usted tome cartas en el asunto. Según él, el sufrimiento sólo ocurre a causa del pecado. Lo equipara a un rayo que nos manda el cielo, advirtiéndonos que modifiquemos nuestra conducta.

—Sin embargo, madre, yo estoy firmemente convencida de que existe una razón para el sufrimiento y de que esta razón es para que nos parezcamos a Jesucristo. A mi parecer, cuando Dios nos manda tribulaciones, espera que «atribulemos».

Como puedes imaginar, estaba encantada. Rosalie y yo charlamos durante unos veinte minutos, y cuando terminamos me sentí vivificada e inspirada como no me sentía desde hacía mucho tiempo. No fue por casualidad que Rosalie llegara a nuestro convento una mañana, cuando estábamos en medio de una de nuestras mayores crisis.

Cuando se marchó, me reuní con las monjas y les dije:

¡Hermanas, ha llegado el momento de «sufrir»!

Creo que uno de los grandes problemas en este país es el hecho de que mucha gente sufre sin saber por qué, como si se tratara de algún accidente cósmico. Ninguno de nosotros sabe realmente cómo «atribular» y sin embargo nuestras ideas están llenas de tribulaciones. Además, el sufrimiento es una experiencia muy democrática. Nadie puede eludir por completo las enfermedades o los accidentes. Todo el dinero del mundo no basta para salvar un matrimonio moribundo o resolver un conflicto espiritual. La vida no es fácil, y aquí en Estados Unidos, donde se nada en la abundancia, nos cuesta reconocerlo.

Si se están preguntando «¿por qué sufrimos?» debo suponer que están atravesando un momento difícil. Puede que los últimos años hayan sido duros, o que algún suceso reciente haya alterado su vida. No puedo modificar su sentimiento, pero puedo ayudarlos a cambiar su forma de pensar. Y esta nueva forma de pensar contribuirá a aclarar lo que está ocurriendo en su vida y por qué.

Tengan en cuenta que Dios nos ha dotado de una mente extraordinaria, pero que raramente la utilizamos para analizar los problemas de la vida cotidiana. No es preciso ser un sabio para saber que Dios existe. Pero tenemos necesidad de ser más astutos en asuntos espirituales y esto es lo que nos proponemos. La mayoría de nosotros navegamos por la superficie de la vida sin hacernos demasiadas preguntas, hasta que algo nos perturba realmente. Habitualmente se trata de una tragedia. A veces es el hecho de darnos cuenta de que desde hace muchos años estamos atrapados en una mala situación. De pronto nos sentimos incapaces de seguir soportándola y caemos en la tristeza o en la autocompasión. Deseamos cambiar. Deseamos convencernos de que existe una razón para toda la locura, el dolor y el hastío de nuestra vida, así como el sufrimiento que nos rodea.

Queremos estar seguros de que, de algún modo, todo tiene sentido.

Buscando peras en un nogal

Si buscas en el mundo la respuesta a la cuestión de por qué sufrimos, volverás con las manos vacías. El mundo no puede darte ninguna razón para nuestro sufrimiento. Por ello nos contentamos compadeciéndonos de nosotros mismos, dando puñetazos contra las paredes o desahogándonos con nuestros vecinos. Como grupo, no llevamos muy bien nuestro sufrimiento.

En la mayoría de los casos intentamos culpar a otro: «mi mujer me impulsó a la bebida», «mi hijo me metió en el asilo», «me echaron del trabajo a causa de mis compañeros», «nací demasiado tarde». Incluso he oído a algunos que acusan a Adán y Eva de sus problemas.

Si se fijan atentamente en todos estos pretextos, descubrirán muchas cosas sobre los demás, la sociedad, la historia y el diablo, pero ni una sola palabra sobre Dios. Es allí donde cometemos un error, de proporciones gigantescas. Si realmente deseamos conocer la verdad, no podemos negarnos a enfrentarnos a la misma tal como es. Si intentamos eludir la realidad del sufrimiento, perdemos de vista una de las verdades más elementales y poderosas de nuestra fe: el hecho de que es el propio Dios quien lo permite.

El misterio

Dios permite todo el sufrimiento.

Te quiere tanto, que está al corriente de hasta la última lágrima que has derramado. Sin embargo, también ha permitido los acontecimientos que las han causado. ¿Significa esto que Dios no te quiere de un modo profundo y personal? En absoluto. ¿Significa que Dios es insensible, que está enojado contigo o que es vengativo? Sabemos que esto no puede ser cierto. Dios no está sentado en su trono dictando arbitrariamente: «que se produzca un deslizamiento de tierras en Wyoming», «esta mañana démosle un cáncer de pulmón a Jim Bell», o «asegurémonos de que Mary Evans pase la noche sin dormir».

Pero todos y cada uno de los días nuestro Dios omnipotente, que controla todas las cosas, permite que haya sufrimiento en nuestras vidas. Lo hace porque quiere más para ti que una existencia superficial y sin dificultades. No quiere limitarse a ser un refugio al que acudes cada vez que lo necesitas. Su voluntad es la de que seas perfecto. En el proceso de la perfección es necesario que a veces permita que sufras dolores y dificultades extraordinarias.

Dios manifiesta su voluntad de dos modos distintos: ordenando o permitiendo lo que nos esté ocurriendo en el momento actual. Su voluntad ordenadora es su voluntad perfecta. Ordenó que nacieras. Lo hizo con toda su imaginación, inteligencia y poder, porque amaba la idea de tu existencia. Pero a lo largo de tu vida, millones de factores (los actos de los demás, circunstancias externas, la economía, la naturaleza, la voluntad satánica) te exponen a un sinfín de posibilidades. Estas posibilidades, en las que pueden incluirse tu propio dolor y sufrimiento, están permitidas por Dios.

Con frecuencia rezamos a Nuestro Señor cuando queremos que cambie algo en nuestra vida. Pero la voluntad autorizadora de Dios ve más allá del momento presente en que vivimos, hasta los confines de la eternidad. Si las cosas no cambian, es porque Dios comprende, como nunca haremos nosotros, la necesidad de que vivamos una determinada situación.

Las almas no sólo se forjan con risas y facilidades, sino con dolor y dificultad. Es tu alma lo que Dios aprecia. Su aprecio por tu alma es mayor que el tuyo propio. Sabe que nuestras pérdidas en este mundo preparan nuestras almas para el otro. Sabe que el dolor que sufres en tu corazón pasará. Sabe que lo que estés experimentando en este momento servirá para un bien superior.

Ésta es la razón por la que, por difícil o absurdo que parezca, debemos intentar comprender que, en un sentido profundo, el sufrimiento es un don de Dios.

Nuestro sufrimiento es un don

Dios permite nuestro sufrimiento porque tiene un propósito. Sé que esto es difícil de aceptar. Ha de transcurrir el tiempo, a veces muchos años, para descubrir realmente algo de bueno en lo que en la actualidad pueda ser un terrible sufrimiento.

Si han visto mi programa de televisión, se han dado cuenta de que uso un soporte metálico en la pierna izquierda. No crean que ando disimulando. Tanto la pierna como la espalda me duelen casi permanentemente. Se podría suponer que después de más de treinta años me habría acostumbrado a ello, pero no es así. Y no obstante, cada día le doy gracias a Dios precisamente por ese dolor, que a veces me deja totalmente agotada.

Es probable que esto les parezca excesivo.

Lo es. Sólo que como monja contemplativa dedico mi vida a la oración. A lo largo de los años, al rezar sobre mi dolor, que a veces puede llegar a ser tan severo como para obligarme a pedirle a Dios que lo alivie, me he sentido transportada a otra dimensión, más allá de mí misma y de mi cuerpo imperfecto. En esa dimensión impera la paz.

¿Podía haberla alcanzado sin esos años de dolor?

Jamás lo sabré. Puede que otros lo consigan simplemente arrodillándose en la iglesia o contemplando las estrellas del firmamento. Pero a mí esta dimensión sólo se me abrió después de cruzar las barreras del dolor; de no haber existido dichas barreras, no sé si habría realizado el esfuerzo necesario para descubrirla.

Sí, estoy agradecida por el dolor, pero esto no significa que espere que ustedes den gracias a Dios por su divorcio, o por tener la presión excesivamente alta. Se necesita tiempo para comprender que pueda haber algo de bueno en lo que en el presente pueda producirles un terrible dolor.

A pesar de que no les aliviara el sufrimiento de un modo inmediato, pueden hacer algo que cambiara la naturaleza de su dolor y el efecto en su vida. Pueden confiar en Dios.

Confiamos en Dios

La mayoría de nosotros, si se nos presiona, afirmaremos que confiamos en Dios, incluso según los valores de nuestra época. Pero confiar en Dios en aquellos momentos deprimentes en que todo parece escapársenos de las manos no es cosa fácil. Entonces probablemente descubrirás que la confianza en Dios es tan esquiva como la satisfacción que persigues.

La verdad es que no podemos confiar plenamente en Dios sin la ayuda de nuestros compañeros espirituales, que son la fe, la esperanza y el amor. Si estás sufriendo en estos momentos, lo mejor que le puedes pedir a Dios es que refuerce dichas virtudes teológicas. Necesitas la ayuda de estas virtudes para comprender claramente que Dios te ayuda a través de tus dificultades, por mucho que sea el dolor que padezcas. Necesitas la humildad necesaria para reconocer que nuestra mente es limitada y que la mente de Dios es tan vasta que ni siquiera podemos comenzar a ahondar en ella. En realidad, entre la sabiduría de Dios y la nuestra existe una distancia descomunal. Pero cuando logramos confiar en la sabiduría de Dios, hallamos la paz, e incluso la alegría, en nuestro sufrimiento.

No voy a eliminar su dolor, porque no soy capaz de hacerlo. Sin embargo, puedo ayudarles a que lo comprendan, examinando en primer lugar la realidad del mismo y a continuación ayudando a discernir la participación de Dios.

Pero debemos comenzar comprendiendo algo muy importante. Debemos ser plenamente conscientes de que vivimos una existencia completamente ordenada, en la que a fin de cuentas Dios permite todas las fuerzas del bien y del mal. Dios acaba siempre por convertir en bueno todo lo que ocurre en esta vida. Sabe lo que estás viviendo en estos momentos y está allí para ofrecerles lo que necesiten a fin de superarlo. Por difícil que parezca, deben comprender que Dios los ama más que ustedes mismos. Y comprendiendo lo mucho que los ama, pueden aceptar, con absoluta confianza, que existe un santo propósito, un propósito de exaltación, en todo lo que ordena o permite.

Por consiguiente, podemos comprender que simplemente desear que desaparezca el dolor o la tristeza equivale a oponernos a la voluntad de Dios. Los pensadores positivos, que intentan ayudarnos a superar nuestra depresión diciéndonos que estamos bien cuando no lo estamos, nos dirigen hacia un camino totalmente erróneo. Nos hacen suponer que en nuestra vida existe algún tipo de botón de la felicidad y que al presionarlo hará que todo funcione de maravilla. Sugieren que la vida es simplemente una cuestión de adoptar la actitud correcta, y que deberíamos ser capaces de saltar alegremente de la cama todas las mañanas, con una enorme sonrisa, dispuestos a enfrentarnos a nuestras obligaciones, aunque nos hayamos quedado sin empleo, estemos disgustados con la familia o acabemos de descubrir que padecemos una enfermedad mortal.

No sé lo que les ocurre a ustedes, pero, incluso en un día perfectamente normal, cuando suena el despertador no me siento emocionada, sino cansada. Tengo la sensación de que me sobran mil kilos de peso. Si viera a alguien con una enorme sonrisa a las cinco de la madrugada, llamaría inmediatamente al médico. Por consiguiente, comencemos por aceptar tácitamente que «no hay nada de malo» en el sufrimiento, ni en el dolor.

Pero en lo que sí «habría algo de malo» sería en pretender que el dolor y el sufrimiento no existen porque ambos cumplen un propósito. No estoy sugiriendo que deberían de vivir en el sufrimiento, o convertirlo en una vocación, sino que se enfrenten al mismo con mayor fuerza y santidad. Como cristianos, hemos sido llamados para emular a Jesucristo. Jesucristo no eludió su sufrimiento; no pretendió que todo fuera correcto cuando todo el mundo lo criticaba. Tampoco cuestionó los motivos del Padre para permitir que experimentara aquella humillación. Jesucristo era un realista, un realista santo, que sabía que Dios permitía su sufrimiento con un propósito superior. Jesucristo no negó su sufrimiento, porque sabía que era la voluntad de Dios.

La reacción cristiana

Independientemente de las causas de tu sufrimiento y de las circunstancias que te hayan llevado hasta este punto en la vida, Dios espera tu respuesta.

Aunque en la actualidad te sientas agobiado por los acontecimientos, ¿dejarás que te aniquilen? ¿Permitirás que te paralicen de modo que no vuelvas a ser capaz de moverte, de actuar, o de reírte? Por supuesto que no. Dios desea que adquieras fuerzas en tu sufrimiento. Quiere que te conviertas en santo.

—Pero ¿cómo puedo adquirir fuerza cuando tengo los ojos hinchados de tanto llorar y ni siquiera soy capaz de ver?—te preguntarás. ¿Cómo puedo convertirme en santo cuando me siento tan solo y deprimido que apenas soy capaz de llegar al fin del día?

Puedes observar el ejemplo de Jesucristo.

Si efectivamente aceptamos cada situación, por difícil que sea, y reaccionamos ante la misma como Jesucristo lo habría hecho, experimentaremos una gran paz. ¿Será fácil? Sin duda que no. En realidad, frecuentemente la reacción cristiana lo contradice todo en nuestra naturaleza. Ésta es la razón por la que debemos prestar una atención particular a los evangelios, ya que nos ofrecen las respuestas definitivas al «cómo lograrlo» para cada situación, en la vida de Jesucristo.

Ser cristiano significa seguir el ejemplo de Jesucristo. Cuando estás afligido por la muerte de un ser querido, eres como Jesucristo cuando lloraba por la de Lázaro. Cuando se te acusa injustamente, eres como Jesucristo ante Pilatos. Cuando perdonas a un enemigo, eres como Jesucristo crucificado.

Dios te permite que sufras para que puedas emular la vida de su hijo. Allí esta el propósito del sufrimiento en tu vida. Si lo aceptas a Él, debes aceptar su sufrimiento.

Y será la forma en que aceptes tu sufrimiento lo que te convertirá en santo.

Sé que es duro, pero también lo fue para Él.

Hace varios años, nuestra cadena de televisión estaba experimentando un auténtico declive económico. Nuestros acreedores nos amenazaban con el cierre de la empresa. Yo estaba muy apenada. Ni siquiera nuestros supuestos amigos nos ayudaban. Había llegado el fin. Como sabrán, soy monja de clausura y mi primera vocación es la adoración perpetua de Jesucristo en el Santísimo Sacramento (la Santa Eucaristía). Todas las monjas del convento custodiamos permanentemente a Nuestro Señor en nuestra capilla. Nos dedicamos a la contemplación, que significa servir a Dios a través de la oración y de la meditación.

Explico esto para aclarar que cuando Dios nos condujo por el camino de la televisión vía satélite, tuve que depositar una profunda confianza en su voluntad. No fue nada fácil. Pero cuando parecía que todo se derrumbaba, reaccioné con enojo. Estaba furiosa. Recuerdo una mañana, cuando irrumpí en la capilla, me acerqué al sagrado Sacramento y dije:

—Hoy no estamos para problemas, Señor. Estoy muy dolorida y ya no puedo soportar más dolor.

Durante un rato guardé silencio. Nuestro Señor también.

—¿Por qué yo, Señor?—exclamé finalmente. ¿Por qué yo?

Entonces me limité a contemplarle, con la mirada fija en la sagrada Eucaristía, como diciendo: «¡Bien, respóndeme!» Se hizo un extraño silencio.

Al cabo de unos momentos, oí una voz muy suave.

—Sí, Angélica—dijo. ¿Y por qué yo?

No hace falta que les diga que me sentí como un gusano; caí inmediatamente de rodillas, lloré y dije:

—Dios mío, por favor olvida lo que acabo de decirte. No era mi intención. Si deseas que sigamos con los estudios, cargaremos con todos los problemas.

Le pedí que me perdonara y jamás volví a hablar del tema. Desde aquella mañana, hemos tenido momentos mejores y peores.

Y la única razón por la que lo menciono ahora es porque puede que tú también te preguntes: «¿Por qué yo?»

Aceptar con elegancia los problemas, el dolor y el sufrimiento es lo más difícil de la vida. El hecho de saber que Dios está contigo en todo momento y convirtiéndolo todo en algo bueno, requiere una infusión permanente de fe, esperanza y amor. Seguir los pasos de Jesucristo no es cosa fácil; es el camino más difícil que uno puede elegir. Pero es el camino que conduce a la santidad. Y la santidad conduce a Dios. Por ello, a pesar de las dificultades, limitaciones y exigencias que supone, debemos hacernos fuertes ante el sufrimiento.

Cada uno tenemos nuestro propio camino que conduce a la santidad. Pero a lo largo de nuestras vidas existen ciertos tipos de sufrimiento que todos nosotros, de modos distintos, podemos llegar a experimentar. Vale la pena explorarlos, ya que veremos el bien que Dios obtiene en cada uno de ellos de nuestro dolor y de nuestra incertidumbre.

Tomemos algunos tipos de sufrimiento que más ampliamente se experimentan en esta vida.

Sufrimiento preventivo

El primer tipo de sufrimiento, el preventivo, es en muchos sentidos el más interesante. Esto ocurre cuando Dios permite un tropiezo, un retraso, o incluso un período doloroso en tu vida, porque a la larga tiene pensado algo mucho mejor para ti.

Por ejemplo, probablemente conozcas a alguna persona que fue desgraciada en la juventud por no encontrar la pareja adecuada, pero que un buen día halló la compañera o compañero perfecto y formaron un matrimonio maravilloso. La soledad y fracasos sufridos a lo largo de tantos años se desvanecieron en el momento de hallar al perfecto compañero.

Esto es el sufrimiento preventivo. Dios les impidió que realizaran una elección con la que no habrían podido vivir, porque sabía que a la larga aparecería alguien mejor en su vida. Evidentemente, el sufrimiento preventivo adopta muchas formas distintas y a veces la mano de Dios no es tan visible. Pero en esta área del sufrimiento, Dios adopta el ya tradicional papel de padre.

Puede que cuando éramos jóvenes nos molestara que nuestros padres nos prohibieran asistir a alguna fiesta o tomar vino con los adultos. En aquellos momentos, probablemente creíamos que la vida era una injusticia permanente y que nuestros padres eran unos dictadores. De un modo curioso, seguimos portándonos como niños impacientes cuando Dios nos permite sufrir un tropiezo temporal o cualquier otro inconveniente. Nunca se nos ocurre pensar que pueda haber una razón, una razón excelente, que justifique el sufrimiento de aquel momento.

Me acuerdo haber conocido en Florida a un joven encantador, que trabajaba con los hijos recién nacidos de madres drogadictas, principalmente adictas a cocaína. Kevin no debía tener más de veinticuatro años. Me contó que había pasado casi dos años buscando trabajo, después de terminar sus estudios en uno de los mejores colegios de la costa Este. Había asistido a cuarenta entrevistas y por alguna razón habían sido todas desastrosas. En algunos casos se había perdido por el camino, se había presentado en un día equivocado, o los nervios le habían impedido hablar. Un día reaccionó de un modo inexplicablemente grosero ante el vicepresidente de una importante empresa.

A Kevin lo dejaba perplejo su propia conducta. Era un encantador joven irlandés, que no había tenido una infancia difícil, excelente estudiante, emprendedor, y ahora resultaba ser incapaz de tener éxito en una sola entrevista. Al principio había intentado tomárselo a broma. A continuación comenzó a pensar que era «desdichado».

Allí estaba, el joven en quien toda la familia había depositado sus esperanzas, y a los veintiún años me había convertido ya en un perdedor. Estaba arruinado, deprimido y no sentía ningún respeto por mí mismo. Incluso mi madre perdió su fe en mí. Me echó de casa con veinte dólares en el bolsillo y una palmada en la espalda. Manejé hasta Florida y acabé en la cafetería de este hospital, en busca de una comida barata. Aquí sigo desde entonces.

Kevin no es una persona particularmente religiosa, pero reconoce que no fue accidental el hecho de que acabara cuidando a madres drogadictas y a sus hijos.

—Es muy extraño. Casi he empezado a pensar que fue Dios quien permitió que me pusiera en Wall Street. Pero aquí es donde claramente pertenezco—me dijo, de camino a la enfermería. ¿Puede imaginarme trabajando en una empresa?—preguntó, con un niño de cuatro días en los brazos.

No pude imaginarlo negociando contratos, pero comprendí que la pérdida de Wall Street había supuesto una ganancia para Dios.

Se necesita fe, esperanza y amor para darse cuenta de que incluso cuando sufrimos, Dios nos conduce hacia cosas mejores. Kevin lo llama «extraño». Otros lo llaman suerte. Pero los cristianos comprendemos que es Dios. Esto no elimina el dolor, pero nos permite perseverar con valor e incluso con alegría en pleno sufrimiento.

El sufrimiento preventivo nos brinda la oportunidad de crecer en nuestra fe. Tu santidad emanará cuando cambies tu la situación y aceptes con alegría y convicción lo que no puedas cambiar.

Sufrimiento correctivo

Éste no les gustará. A nadie le gusta. Sin embargo, el sufrimiento correctivo existe y me refiero precisamente a lo que preferirías que no me refiriera. En el Libro de las Revelaciones, el Mesías dice: «Soy aquel que reprueba y disciplina a todos a quienes ama» (Revelaciones 3:19). Comprendo que en el momento de leer estas palabras se les disparen todas las alarmas, porque no les gusta la idea de que un ser sobrenatural ande fastidiando a los meros mortales. Pero el nuestro es un gran Dios. No necesita fastidiar a nadie. Por consiguiente, cuando nos corrige, lo hace inspirado por el amor y la justicia. No se debe a su despreocupación, sino todo lo contrario.

El sufrimiento correctivo surte un efecto muy poderoso en nuestras almas. Conozco a un ejecutivo de los medios de información de la ciudad de Nueva York que en los años ochenta tuvo graves problemas económicos. Su empresa subía y bajaba, y cada vez que parecía haber elaborado un plan genial, algún evento inesperado desbarataba todo. Escribió lo siguiente:

> Comenzaba a estar aterrorizado, porque todo andaba por mal camino. Soy bastante bueno en mi profesión, o por lo menos eso creía, pero durante cierto tiempo parecía que todo el mundo se había puesto contra mí.
>
> Un día fui a la catedral de San Patricio. Sólo estuve unos minutos y le pedí a San Patricio que me ayudara en mi empresa. Su respuesta fue contundente: «Para tus pequeños problemas dirige tus oraciones directamente a Dios. Tengo cosas más importantes por las que rezar que las finanzas de tu empresa. Ahora y siempre rezo por tu alma inmortal.»
>
> Esto no es exactamente lo que un hombre desesperado desea oír, pero cambió mi vida. Comprendí que Dios

había permitido aquellos eventos para que recuperara mi perspectiva de lo que es importante en la vida. El año 1985 fue el peor de mi vida financiera, del que todavía nos estamos recuperando, pero se lo agradezco a Dios todos los días.

El sufrimiento correctivo es más difícil que todas las demás formas de sufrimiento. Sin embargo, recuerda que Dios conoce exactamente el resultado. Dios sabía que aquel ejecutivo ganaría años en santidad si reconocía su dependencia de Dios. Ésta fue una corrección nacida de un amor profundo y personal, como el que inspiró a Santa Teresa de Ávila: «Dios mío, si así es como tratas a tus amigos, no me sorprende que tengas tan pocos.» Pero también existen correcciones nacidas de la justicia de Dios, que algunas veces, debido a lo limitado de nuestros conocimientos, resultan difíciles de manejar.

Jean, una viuda de sesenta y siete años, de Texas, llamó una noche a nuestros estudios desde el hospital, donde estaba viendo la EWTN por el circuito cerrado de televisión. Se estaba muriendo de cáncer de pulmón.

—Madre, durante casi toda mi vida he fumado tres paquetes de cigarrillos diarios, incluso a sabiendas del daño que causaban— me dijo con un fuerte acento tejano—. Mi vida ha sido en todo momento un acto de desafío. Primero quería atormentar a mi madre. Más adelante, mi objetivo era el de enojar a mi marido, con quien me sentía resentida sin saber por qué, puesto que era muy tierno y cariñoso. Ahora lo estoy pagando y permítame que le diga que me siento muy feliz. Dios me permite saldar la deuda por todos los errores cometidos en mi vida.

Comprendo que mientras me resigno a que la última palabra esté en boca de Dios y acepte este cáncer de pulmón como una especie de don, permaneceré en paz. Dios me ha dado la oportunidad de saldar mis deudas. No tenía por qué haberlo hecho. Mi única esperanza es la de poder hacer honor a la muerte que me ofrece.

A las tres semanas, cuando Jean falleció, recibimos una nota de una de sus hijas. Nos decía que Jean había adquirido un aspecto curiosamente juvenil en sus últimos días y que irradiaba una tranquilidad y una serenidad inusuales. «Era como si se hubiera liberado de la rebeldía de toda su vida, para morir con felicidad.»

A Dios, por el hecho de serlo, sólo le interesa una cosa: tu alma. La corrección se ocupa de las necesidades de nuestras almas, tanto si estamos demasiado apegadas a este mundo, como aquel ejecutivo de los medios de información, como si debemos purgar nuestro odio antes de entrar en el otro mundo, como en el caso de Jean. El sufrimiento correctivo no es una cuestión de que uno engañe al físico un día y al día siguiente le parta un rayo. Es algo mucho más serio y mucho más sutil.

En su carta a los Hebreos, San Pablo dice: «Cuando el Señor te corrija, no lo trates a la ligera; pero no te desalientes cuando te riña» (Hebreos 12:5). Debes comprender que habrá ciertas tragedias y decepciones en tu vida, que servirán para purificarte. Debes aceptar que la vida no es sólo cuestión de risa y diversión. Jamás he recibido una reprimenda que fuera dulce y agradable, o una corrección que no causara dolor. Avanzando por tu camino espiritual, comprenderás que la razón de este dolor y de este sufrimiento es la de asegurar tu dependencia, de mantenerte cerca de Dios. «Pues Dios se ocupa de la formación de aquellos a quienes ama, y castiga a aquellos a quienes reconoce como hijos suyos» (Hebreos 12:6).

Sufrimiento penitente

Algunas veces, Dios nos permite experimentar el trauma y el dolor que causan nuestras propias elecciones pecaminosas, para que aprendamos a ser humildes y por consiguiente a estar más cerca de Él. Esto es lo que denomino sufrimiento penitente.

Por ejemplo, si una mujer decide tener relaciones extramatrimoniales y queda embarazada, su inevitable sufrimiento será consecuencia directa del acto con el que ha violado uno de los diez mandamientos de la ley de Dios. Especialmente si el hombre la abandona, puede que crea que es desgraciada en el amor, que siempre atrae al tipo inadecuado de personas y que los hombres no dejan de aprovecharse de ella. Sin embargo, no reconoce que la causa de su dolor ha sido su propia elección pecaminosa. Su relación extramatrimonial ha convertido en desorden el orden divino y la consecuencia natural de su pecado es la culpa y la desgracia.

Les ruego que intenten comprender lo que trato de decirles, porque es fundamental. En la actualidad se acostumbra creer que el pecado es el fruto del embarazo. La gente suele creer erróneamente que la «tragedia» consiste en que la mujer «haya sido víctima» de un embarazo inesperado. Creen que su error ha consistido en ser irresponsable y en no «protegerse» debidamente para evitar aquella situación.

Pero esto supone un grave error de prioridades. El hijo no es el pecado. El pecado es la relación. Y la relación sería pecaminosa independientemente de la posible concepción de un hijo.

Lo que la mujer necesita es recibir el sacramento de la reconciliación (es decir, confesarse, sí es católica), decirle a Nuestro Señor que se arrepiente y pedir su ayuda para perseverar en los tiempos difíciles que atraviesa. Debemos saber que, cuando nos arrepentimos, Dios está cerca de nosotros para consolarnos, guiarnos y conducirnos hacia la gran santidad. Debemos comprender que las cosas no cambiarán necesariamente. Pero nuestra habilidad para soportarlas, sabiendo que Dios producirá grandes frutos en nuestras almas, ciertamente aliviará la carga.

Éste es el momento en el que la mujer puede reaccionar ante el perdón de Dios, acercándose más a Él, lo que jamás había creído posible. Ahora se enfrenta a la terrible decisión de qué hacer con su hijo. Con la gracia de Dios, puede resistir la tentación de abortar, aunque esto signifique que tenga que ocuparse sola del niño o permitir que lo adopten. El aborto no sería más que la continuación del pecado, aumentando la ofensa original contra Dios y abriendo las compuertas de una vida de culpa y lamentación.

Deseo dedicar unas palabras al hombre que ha participado en la relación, para que no crean que lo he olvidado. Aunque parezca que ha resuelto su situación abandonando a la mujer, éste no es en absoluto el caso. En realidad, el hombre es mucho más culpable ante Dios, no sólo por su participación en la relación, sino por negarse a aceptar la responsabilidad del niño. A no ser que el hombre reconozca su pecado y pida el perdón de Dios, permanecerá separado de Dios.

Otro ejemplo de sufrimiento penitente es el de San Pablo. Como saben—y a él le gusta recordarnos—, San Pablo fue perseguidor de cristianos antes de su conversión. Presumía de sus capturas de cristianos, a quienes llevaba ante las autoridades para ser exiliados o ejecutados. De camino a Damasco, algo le precipitó de pronto del caballo, vio una luz muy brillante y oyó una voz que le decía: «Saulo, Saulo, ¿por qué me persigues?» Desde aquel momento Saulo quedó ciego y no recuperó la visión hasta que un cristiano llamado Ananías rezó para él.

Saulo, conocido desde entonces como Pablo, jamás olvidó lo que había hecho. Su arrepentimiento fue algo que llevó consigo el resto de su vida. Si han elegido erróneamente, es perfectamente posible que el resultado de su pecado sea el sufrimiento. Si reconocen el pecado, lo admiten ante Dios (para los católicos, mediante la confesión) y piden perdón, el resultado de su sufrimiento será el bien. Puede que durante muchos años vivamos con las consecuencias de nuestros actos. Pero incluso en estas circunstancias dolorosas, podemos estar en paz con Dios por medio de la contrición. Siento auténtica admiración por los individuos que con la gracia de Dios se han servido de sus errores para ayudar a los demás. Miembros de grupos de apoyo para alcohólicos, drogadictos y mujeres después del aborto, por ejemplo, han compartido su lucha y su arrepentimiento con los demás, procurando evitar que cometan sus mismos errores. La continuidad de sus esfuerzos demuestra la gracia de Dios, al mismo tiempo que aumenta su santidad.

Sufrimiento redentor

Una noche, una anciana llamó con voz débil y temblorosa a nuestro programa para formular una pregunta muy difícil.

—Madre—dijo—, soy una viuda de setenta y ocho años y estoy casi ciega. Me cuesta mucho moverme de un lado para otro y cada día estoy peor. Me paso el día entero rezando por la Iglesia y por el Papa Juan Pablo II, sin hacer prácticamente otra cosa. Ni siquiera como debidamente. ¿Es correcto pedirle a Dios que me libere de mi sufrimiento?

Silencio. Tuve que pensar unos momentos, puesto que mi respuesta fue afirmativa. Podemos y debemos rezar para ser aliviados de nuestro sufrimiento; debemos rezar para todo lo que necesitemos a Nuestro Padre que está en los cielos, porque siempre se alegra de que nos dirijamos a Él. Siempre y cuando nos mantengamos unidos a sus «negativas» al igual que a sus «afirmaciones», podemos pedirle cualquier cosa. Pero en este caso, con esa mujer, Dios estaba haciendo algo asombroso.

Ella aceptaba pacíficamente y con valor su sufrimiento. Todos los días dedicaba la energía que le sobraba a rezar por la Iglesia, que siempre necesita nuestras oraciones, y como consecuencia de ello su sufrimiento adquiría una cualidad muy redentora. Había perdido la vista, pero sus oraciones ayudaban a otros a ver. Le dije que era correcto rogar a Dios para que le aliviara el sufrimiento, pero que supiera que ya estaba más cerca del Señor de lo que la mayoría de nosotros ni siquiera llegamos a proponernos. Le pedí que rezara por nuestra cadena y le di gracias a Dios por permitir que esa extraordinaria mujer siguiera con nosotros, aunque sólo fuera por poco tiempo.

San Pablo dice: «Puede que ésta sea una época de perversión, pero nuestras vidas podrán redimirla» (Efesios 5:16). La palabra «redimir» significa rescatar, liberar, pagar la culpa de otro. Solemos olvidar la definición de «liberar» y pasamos por alto las oportunidades en las que sufrimos por otros. Al ver a una mujer como ésta, débil y ciega, crece nuestro valor. Cuando vemos a un cristiano que se dirige a Dios aun cuando está profundamente apenado, despierta nuestra esperanza. Cuando un amigo que ha sufrido una terrible tragedia empieza de nuevo con confianza y con amor, hallamos fuerza para seguir nuestro camino.

El sufrimiento como testigo

Algunas veces, si somos lo suficientemente afortunados, puede que Dios ponga en nuestro camino a una persona muy especial.

Una persona tan serena y con una confianza tan completa en Dios, que tardamos algún tiempo en asimilar plenamente su bondad. Habitualmente sólo nos encontramos este tipo de personajes en los libros, las películas o la televisión, porque en la mayoría de los casos son casi demasiado buenos para ser ciertos. La vida los golpea y se defienden con dignidad. Aunque puedan tener momentos de curiosidad y de duda, jamás pierden la fe. Raramente pierden la esperanza. Y jamás dejan de amar. Para los cristianos, esas personas son auténticos héroes.

Una noche tuve el honor de tener a una mujer de este calibre en nuestro programa. Gail tiene una hermosa hija, llamada Joya, que es discapacitada mental. Cada palabra que Joya pronuncia y cada acción que realiza constituye un milagro para Gail.

Según nos contó Gail, nunca despertaba por la mañana con una sensación de paz con respecto al problema de su hija. Por lo contrario, Gail pasaba largas noches de angustia y enojo. Su matrimonio había fracasado al aumentar las exigencias que suponía cuidar a una niña tan difícil como Joya. Sin embargo, Gail daba todos los días gracias a Dios por el don de su hija. Además, ella es la primera en afirmar que el hecho de tener a Joya le ha proporcionado una alegría que jamás había conocido, una alegría que nadie puede arrebatarle.

A primera vista, puede que piensen que esa mujer no es más que un personaje pasivo, que simplemente se ha resignado a lo inevitable. Puede que algunos afirmen que no se enfrenta a la realidad. La mayoría de nosotros nos preguntaremos cómo soporta tanto dolor y sigue creyendo en la «bondad» de Dios por otorgarle el don que supone su hija.

La respuesta estriba en que Dios confía en esa mujer más que en la mayoría de nosotros. Siempre pensamos en tener fe en Dios, pero nunca consideramos que Dios pueda tener cierta fe en nosotros. Una mujer que ha sido abandonada y que ha cuidado sola de una hija disminuida, y que sigue queriendo a Dios con todo su corazón, constituye uno de los testimonios más poderosos de la realidad de otro mundo. Si una sonriente pareja con niños perfectos y un hogar feliz afirma que «Dios es bueno», no nos sorprenderá. Pero si una mujer con una cruz tan pesada dice que «Dios es bueno», hallamos inspiración.

Puede que algunos de ustedes se estén diciendo: «Espero que Dios no me utilice como testigo.» Pero Dios nunca les dará más de lo que son capaces de soportar. Nunca les infligirá un sufrimiento o un dolor que no les permita sobrevivir. «Pueden confiar en que Dios no los pondrá a prueba más allá de sus fuerzas» (I Corintios 10:13). Dios evidentemente sabía que Gail era capaz de dirigirse con una voz fuerte y poderosa a la belleza de su amor. Y al hacerlo, esa humilde mujer se parecía a Jesucristo, a quien Dios ama sobre todas las cosas.

Sufrimiento personal

El sufrimiento personal puede ser el que más dolor nos cause, pero también el que nos permita alcanzar una mayor santidad e iluminación. Nos da a conocer nuestros defectos y debilidades. Si examinas tu propia vida, comprobarás que el egoísmo puede destruir relaciones, familias e incluso almas. Si padeces algún tipo de sufrimiento personal, debes preguntarte honradamente si es algo de tu propia elaboración o de algún aspecto de tu temperamento sobre el que tendrás que trabajar.

Algunas veces nos infligimos nosotros mismos el sufrimiento personal. Una señora de Arizona, que se encontraba entre el público en uno de nuestros programas, me preguntó si podría hablar conmigo después del programa.

—Estoy muy apenada por mis dos hijas y no sé a dónde dirigirme—confesó—. Siempre se han peleado y hace dos años que no se dirigen la palabra. Están logrando que toda la familia se divida con sus diferencias.

—¿Sobre qué empezaron a pelear?—pregunté cautelosamente, imaginando toda clase de terribles posibilidades.

—Sobre el tocador—respondió.

—¿El tocador?—pregunté—. ¿El tocador?

—En este caso se trata de un artefacto precioso, incrustado en oro.

—Quiero estar segura de que comprendo lo que me está diciendo—le dije, mirándola con cierta incredulidad—. Estamos hablando de un lavabo, ¿no es cierto?

—Sí, madre, supongo que podemos llamarlo lavabo. Pero en casa acostumbramos llamarlo tocador; se trata de un tocador antiguo. Cada una asegura que su abuela le prometió que sería para ella.

No podía creer lo que estaba oyendo.

—Vuelva a su casa—le respondí sin rodeos— y diga a esas muchachas de mi parte que hagan turnos para utilizar ese absurdo lavabo.

Esto constituye un ejemplo de cómo la avaricia y la tacañería puede causar sufrimiento. En muchos casos, el sufrimiento personal deriva de nuestra personalidad o de nuestro temperamento. Un buen ejemplo lo constituyen las personas sensibles que son incapaces de aceptar una palabra de crítica. O la persona excesivamente severa que condena sistemáticamente a los demás y después se arrepiente. La persona vengativa que se consume por «dar lo merecido» es también portadora de esta cruz.

Podrán identificar que se trata de una situación que ustedes mismos han elaborado cuando:

- No perdonan a los demás por orgullo u obstinación, amargando su vida y la de los que los rodean.
- Sienten envidia del talento de alguien, por lo que constantemente lo acusan o menosprecian de un modo u otro, y luego lo lamentan.
- Se consideran víctimas de abusos, por lo que actúan permanentemente como mártires, en lugar de intentar hablar del tema o corregir la situación.
- Tanto se quejan de sus problemas, que se aburren a ustedes mismos y a todos los que los rodean.

Si algo de lo dicho les suena familiar, significa que están experimentando algún tipo de sufrimiento personal elaborado por ustedes mismos. Lo sabes mejor que nadie. Puedes hacerlo mejor que cualquiera. Eres capaz de salirte de la condición en la que tú mismo te has metido, luchar con todo tu intelecto y llamar a voluntad una reacción santa a la vida cotidiana. Si ésta es tu situación, Dios sólo la permite como expresión de tu libre albedrío. Eres libre de equivocarte, y eso es lo que estás haciendo. Reza para alcanzar la fuerza y la orientación que te permitan salir del pozo en el que te has metido. Reza para averiguar cómo respondería Jesucristo en esta situación y para disponer de la fuerza necesaria para emular su respuesta. No siempre será fácil y puede que te veas obligado a tragarte tu orgullo. Pero puedes hacerlo y Dios te ayudará si se lo pides.

Existe, sin embargo, otro tipo de sufrimiento personal—que algunos experimentamos— que emana de las debilidades de nuestro propio temperamento. Este tipo de sufrimiento es más difícil de resolver porque luchamos con características innatas que no son fáciles de superar:

- Puede que seas una persona melancólica propensa a llorar, hasta el punto de ser incapaz de enfrentarte a las dificultades de la vida cotidiana y negarte a comunicar con tus seres más queridos.

☞ Puede que te sientas inseguro y tu inseguridad te convierta en paranoico, de modo que a veces imagines cosas que simplemente no son ciertas.

☞ Tal vez tengas muy mal genio, que te induce a criticar y a ofender a los demás innecesariamente.

Hasta cierto punto, éste es un tipo de sufrimiento con el que uno debe acostumbrarse a vivir. Dios te lo ha dado para que desarrolles una especie de humildad. Sin embargo, no desea que te dejes aplastar por el mismo, sino que sirva para desarrollar tu santidad. No te menosprecies si hay algo en tu personalidad o en tu temperamento que te induzca a cometer errores, a disgustarte o incluso a disgustar a los demás. Reza para controlarlo. Reza para obtener la gracia que te permita actuar en todo momento como Jesucristo y ataca esta debilidad con el mismo empeño con que emprenderías un régimen alimentario o un programa para dejar de fumar. Ésta será para ti una batalla constante, en la que debes luchar día a día. Puede que no ganes todas las batallas, pero lo que sí debes ganar es la guerra. Persevera.

Sufrimiento interno

El sufrimiento interno es difícil de articular y mucho menos hablar de él con un amigo mientras toman café. Le podrás hablar a un amigo de los problemas que te causa la artritis, o a un banquero de tus dificultades económicas. Pero en el momento en que comiences a hablar del dolor de tu alma, la gente se pondrá nerviosa. Prefieren hablar de fútbol, de recetas de cocina o de cualquier tema inofensivo. Ésta es la razón por la que sólo debes hablar de tu sufrimiento interno con un cura o pastor que sea profundamente espiritual, o con algún amigo de reconocidas dotes espirituales.

Hablamos de «sequedad espiritual» refiriéndonos a los momentos en que te resulta difícil rezar. En general este dolor es propio de aquellos que aman a Dios profundamente. Algunas veces parecen presa de una condición que les impide estar en su presencia. Es un dolor casi insoportable. Aquellos a quienes les ocurre intentan dirigirse a Dios, el único que puede ayudarles, pero se sienten totalmente incapaces de rezar. Experimentan cansancio y vacío espiritual.

El sufrimiento interno es como enamorarse profundamente de alguien y á continuación descubrir que ese alguien ha desaparecido. No se puede hablar de él. Rezar parece perder el tiempo. La sensación de pérdida que uno acarrea es semejante al dolor que experimentamos ante la muerte de un ser querido y uno se siente envuelto en una soledad y un aislamiento absolutos.

La razón por la que Dios lo permite es para que uno se dé cuenta de que hay que depender de Él para todas las cosas. El sufrimiento interno perfecciona nuestro amor, a Dios, de modo que podamos amarlo por sí mismo en lugar de hacerlo por lo que nos da. San Juan de la Cruz denominó esta sequedad «oscura noche del alma». Aunque se trate de una experiencia dolorosa, nos permite vivir con Dios en pura fe.

El sufrimiento que no procede de ningún lugar

Finalmente, existe el sufrimiento que parece no proceder de ningún lugar. Por ejemplo, un deterioro hereditario del nervio óptico causa la ceguera de una alegre joven el verano antes de ingresar en la universidad. Un padre ejemplar en los mejores momentos de su vida descubre que padece un cáncer terminal; su familia observa su deterioro gradual. Las aguas torrenciales inundan un pacífico valle, deja a una familia sin hogar y destruye en un solo momento lo que habían construido a lo largo de muchos años. Todo aquel que haya experimentado alguna tragedia está familiarizado con la desesperación que emana de lo inesperado. De pronto, Dios parece estar a millones de kilómetros de distancia, con una despreocupación absoluta por la vida humana. Estos sentimientos no son síntomas de una fe débil o moribunda. Son sentimientos que vienen y van. En realidad, Dios puede utilizarlos para aumentar nuestra confianza y nuestra fe. Es preciso que impidamos que nos agobien, hasta el punto de que no veamos ningún propósito en nuestro dolor. Es precisamente cuando no vemos razón alguna, cuando no parece tener ningún valor, cuando aparentemente la situación carece de sentido, que perdemos la visión de Dios.

Dios ha permitido que la tragedia tuviera lugar. ¿Eres capaz de aceptarlo? ¿Eres capaz de aceptar que Dios lo ha permitido, aun siendo perfectamente consciente del dolor que te infligiría? ¿Puedes aceptarlo aun conociendo tu dolor, a sabiendas de que Dios lo ha permitido por el amor que siente por ti?

No te entristezcas ni te sientas confundido si no puedes responder afirmativamente. Limítate a esperar y a escuchar. El momento llegará, entre los dolorosos latidos de tu corazón, cuando la ausencia de angustia y de pesar indicará la presencia de Dios dentro de ti. Cuando dichos momentos se repitan, reza a Dios para que te ayude a prolongarlos. Con el tiempo y la oración, sentirás que Dios los va llenando. Podrás alcanzar de nuevo la paz, una paz como quizá nunca hayas conocido, si aceptas su voluntad sobre tu vida.

El sufrimiento no es un fin en sí

Como seres humanos experimentamos muchos tipos de sufrimiento y como cristianos comprendemos que todo sufrimiento es permitido por Dios. Entendemos que el sufrimiento puede contribuir a moldear, dar forma y purificar nuestras almas, si reaccionamos ante él como lo hizo Jesús. Pero no debemos perseguir el sufrimiento en sí ni abandonarnos al mismo sin razón alguna.

Dios no quiere que te enfrentes con una bandera blanca a las dificultades de la vida o que te conviertas por abandono en un falso mártir. Sólo Dios elige a los mártires y cometerás un pecado de orgullo creyendo que te ha elegido a ti. Existe una diferencia muy importante entre el auténtico sufrimiento y el falso martirio.

Recuerdo a una niña de once años que llamó una noche a nuestro programa y me dijo que padecía fuertes jaquecas.

—Mi mamá me dice que las aguante y las ofrezca a Jesús. Pero me duele terriblemente la cabeza, madre Angélica. ¿No quiere Jesús que me sienta mejor?

En todas las circunstancias, Dios desea que usemos nuestro esfuerzo para sanar. Nuestra primera reacción ante la aflicción no debe ser la de tumbarnos y esperar la muerte. La Biblia nos habla en un pasaje tras otro de las curaciones milagrosas de Jesús tanto en creyentes como en no creyentes. El Antiguo Testamento está lleno de recetas para la salud y directrices para controlar la enfermedad. El Nuevo Testamento es prácticamente un manual de bienestar espiritual y psicológico. Con toda seguridad Dios ha creado las vendas, los ungüentos y las medicinas, al igual que ha creado los océanos y el firmamento.

No quiere que la gente sufra innecesariamente.

Mi respuesta a la niña de once años fue aconsejarle que se tome una aspirina. Le dije que al día siguiente hablara con la enfermera de la escuela y que le pidiera a su madre que la ayudara a librarse de sus jaquecas. Si no se puede evitar ni aliviar el sufrimiento, entonces hay que unirlo con alegría al sufrimiento de

Jesús. Sin embargo Dios desea que siempre utilicemos primero la razón y el intelecto para intentar curarnos.

- Si eres una esposa maltratada, Dios no desea que permanezcas pasiva y soportes la agresión. Desea que cambies la situación.

- Si no puedes valerte por ti mismo ni moverte de la cama, Dios no quiere que vivas con dolor. Quiere que reces para los demás y que trates con alegría a quienes te cuiden.

- Si eres una persona solitaria, no desea que te deleites en tu soledad con el pretexto de que es «la voluntad de Dios». Quiere que despiertes y hagas algo para ayudar a los demás. Que reces por ellos. Que les des de comer. Que hables con ellos. Que dejes de sentir pena de ti mismo.

- Si padeces alguna enfermedad o has sufrido un accidente, Dios no quiere que no intentes curarte ni que te amargues. Quiere que luches por la recuperación y que procures obtener la mejor atención médica.

El sufrimiento en sí no te conduce a la santidad, por lo tanto no lo busques. Pero si te enfrentas a una situación dolorosa, tu reacción puede conducir a la soledad. Nuestra actitud puede acercarnos o alejarnos de Dios. Si sufrimos como falsos mártires, nos alejamos de Dios. Si actuamos de acuerdo con los recursos que Él nos ha otorgado, nos acercamos a Dios. Explorados todos los caminos, si nos vemos obligados a aceptar nuestro sufrimiento, podemos hacerlo con la convicción de Jesús porque sabemos que Dios lo ha permitido por un bien mayor para nosotros. Dejamos de sentir que somos víctimas de alguna circunstancia cósmica o de la mala suerte. Podemos cambiar nuestra actitud de autocompasión.

No tenemos por qué preguntarnos: «¿Por qué yo?» Podemos intentar hallar la mano de Dios en todas las personas, aconte-cimientos, crisis o celebraciones en nuestra vida.

La unión de tu voluntad con la de Jesucristo

A los católicos siempre se nos enseña a «ofrecer» nuestro su-frimiento a Jesucristo. Muchos de mis amigos protestantes me preguntan: «¿Qué diantre es eso de "ofrecer"?» Y muchos de mis amigos católicos han oído la frase con tanta frecuencia, que han perdido de vista su significado. Ésta es la razón por la que deseo hablar de ello desde una perspectiva ligeramente distinta. Deseo alentar a los cristianos a que unan su sufrimiento al de Jesucristo.

Evidentemente, nada de esto tiene sentido alguno a no ser que crean que Jesús bajó del cielo, nació de la Virgen María, sufrió, murió y resucitó para la salvación de todos nosotros. Pero si aceptan esto, la aceptación de su propio sufrimiento es sólo cosa de fe, esperanza y amor. Una vez aceptada esta dura realidad, podrán utilizar su sufrimiento para el crecimiento de su santidad y para parecerse cada día más a Jesucristo.

Dios quiere de un modo especial a los que más se parecen a su Hijo. Jesucristo estuvo en sus mejores momentos desde que comenzó a agonizar hasta su muerte. Nos enseñó que podía llorar y seguir teniendo valor. Nos enseñó que podía sufrir y seguir unido a la voluntad de Dios.

Si te hallas en una situación en la que no sepas qué hacer o a dónde dirigirte, piensa: ¿Qué haría Jesucristo en mi lugar? No estamos hablando de un héroe de la antigüedad, que se haya limitado a darnos un sentido de la ética o una lista de «preceptos» morales. Jesucristo, Hijo de Dios, nos ha dado una forma de vida, para ahora y para siempre. En el sufrimiento dispondrás de una oportunidad única para imitar su conducta.

Dos caminos a seguir

Nada complace tanto a Satanás como el hecho de ver a los hijos de Dios confundidos y con resentimiento por la presencia del sufrimiento en su vida. Satanás no quiere que alcances la gracia y la transformación a partir del sufrimiento; quiere que, derrotado, te reveles contra Dios, te rindas y abandones tu potencial para la santidad.

Pero tienes otra alternativa. Cada vez que te cruces con el sufrimiento, tienes dos caminos a seguir. Puedes ponerte en manos de Satanás, desatando el odio y la amargura en tu sufrimiento, o crecer en santidad a imitación de Jesucristo. Tú lo sabes; todos conocemos la frase «nada que valga la pena se obtiene con facilidad». Esto nos parece perfectamente lógico cuando nos preparamos para un maratón, trabajamos en el huerto, educamos a nuestros hijos o luchamos por nuestra carrera. Pero cuando se trata de nuestra alma, pensamos que nos ocuparemos de ella cuando llegue el momento, como si pudiéramos hacer un trato con San Pedro en las puertas del paraíso. ¿A quién estamos engañando?

En mi despacho tengo un hermoso cristal de cuarzo para sostener las obras de mis autores espirituales predilectos. Lo tengo porque me recuerda todos los días que Angélica necesita mucha purificación. Se trata de un cristal tallado de la roca. Estoy segura de que ustedes han visto otros parecidos. Tiene una cara rugosa, oscura y fea, como cualquier piedra común al que se daría una patada. En la otra cara, uno puede contemplar cara tras cara de ininterrumpida belleza, en todos los matices dorados y plateados.

Dios sabe que puedes ser pasto de las llamas, destruido, formado y moldeado en un alma de extraordinaria belleza. Para ello tendrás que sufrir con valor. Si te pones en sus manos, si depositas tu corazón y tu alma a su merced, superarás tus dificultades presentes o futuras con una paz y una serenidad que darán sentido eterno a tu vida.

El momento de trabajar para la santidad es ahora. A veces la vida es muy penosa y Dios lo permite. En todos los casos, desde la fractura de un brazo hasta un corazón roto, obtendrá un bien de la situación. Pero si reaccionas ante el sufrimiento con determinación, valor y amor a Jesucristo, podrás obtener un bien todavía mayor.

Aguanta. ¡Dios te quiere!

CAPÍTULO CUATRO

¿POR QUÉ NO RESPONDE DIOS A MIS PLEGARIAS?

Siempre he sido la «arréglalotodo» de nuestra comunidad, lo que significa que cuando, por ejemplo, la cortadora de papel deja de funcionar, abandono lo que esté haciendo y me convierto en mecánico. Era uno de esos días. Acababa de ajustar la navaja de la cortadora cuando se estropeó el selector de papel y en el momento que acabé de repararlo dejó de funcionar el motor. Después de una detallada inspección, se confirmaron mis peores sospechas al comprobar que faltaba el tornillo tipo Allen.

Ahora estoy convencida de que la persona que inventó dichos tornillos no sabía lo que se hacía, porque es totalmente imposible lograr meter una cosa tan pequeña en su orificio correspondiente, con una llave inglesa en una mano, el tornillo en la otra, manipulando a tientas una rueda grasienta. Ésta era exactamente la situación en la que me hallaba. Estaba a punto de intentarlo por enésima vez, cuando una de las monjas entró en la sala de prensa y me dijo con suma ternura:

—Madre, la llaman por teléfono.

En aquel momento, la llave, el tornillo y mi paciencia cayeron por los suelos.

Podría decirse que estaba enojada. Recuerdo vagamente que le pregunté que querían de mí, y a los pocos segundos fui a contestar la llamada. Se trataba de una mujer que me pidió que rezara por el novio de su hija. Nuestra conversación fue breve y lo único que me preocupaba era volver a encontrar el tornillo que se me había caído.

Transcurrido más o menos un mes, teníamos un problema en el convento (tener sólo 73 dólares en el banco es grave). Las perspectivas eran sombrías, hasta que una tarde la hermana David abrió el correo y halló un cheque de 1,000 dólares de una fundación. Las hermanas estaban locas de alegría, pero a mí me preocupaba. Jamás había oído hablar de aquella fundación. Me esforcé por recordar, pero nada. Las otras monjas tampoco la conocían.

—Debe tratarse de un error—le dije a la hermana David—.

Tal vez se proponían mandarlo a la iglesia de Nuestra Señora de los Dolores, en lugar de al convento de Nuestra Señora de los Ángeles.

—En tal caso—agregó la hermana David—, mantenga la boca cerrada, necesitamos el dinero.

Pero me sentí obligada a llamar al donante misterioso.

—Soy la madre Angélica y me gustaría aclarar el asunto de un cheque de 1,000 dólares recibido esta mañana por error en el convento—le dije a la directora, con poca convicción.

—No ha habido ningún error—me respondió—. ¿No se acuerda de mí?

Tuve que admitir que no la recordaba.

—Llamé hace unas seis semanas—me dijo— para pedirle que rezara por el novio de mi hija. Se había golpeado la cabeza con una roca al caerse y estaba en coma.

Claro, se trataba de la mujer que me había llamado el día que había perdido el tornillo de la máquina.

—La recuerdo, ahora que lo menciona—confesé algo avergonzada.

—Le pedí que rezara por la recuperación de Jerry—prosiguió—. ¿Recuerda que los médicos habían dicho que no tenía ninguna posibilidad de recuperarse?

Lo único que recordaba era que había tenido un día fatal y que en plena frustración le había suplicado a Nuestro Señor: «Te lo ruego, saca a ese chico del mundo de los sueños.»

Naturalmente no quise ofender a aquella señora con los detalles de mi breve oración, pero me interesé por los resultados.

—Es allí lo maravilloso del caso—respondió—. Jerry despertó aquella misma noche a las dos de la madrugada, comió y ahora ha reanudado su vida estudiantil.

Comparto esta historia porque indica lo misteriosa que puede ser la oración. Evidentemente, mi plegaria, por agitada que fuera, era una de las muchas que se rezaron por Jerry, lo que da extraordinario testimonio del poder de la oración. La oración es el instrumento más poderoso del que disponemos los seres humanos. Puedes conseguir más con la plegaria que con un millón de hombres y mujeres o con mil millones de dólares. Esto no debe sorprendernos. La oración es nuestra forma de hablar con Dios, Creador del universo y de todas las cosas. Sólo hay que dar un pequeño paso lógico para comprender que si Dios oye nuestras plegarías, el hecho de hablar con Él es una de las cosas más importantes que podemos hacer en esta vida.

El problema estriba en que estamos tan obsesionados con que Dios es invisible, que al no poder ver sus orejas suponemos que no es capaz de oír nuestras plegarias. Pensamos en la oración como en un ejercicio individual y cuando Dios no responde a nuestro monólogo otorgándonos todo lo que le pedimos, exactamente en el momento preciso, lo acusamos de no escuchar, de no interesarse o incluso de no existir.

En realidad sabemos que Dios existe, y sabemos que se interesa por nosotros de un modo muy profundo y personal. Las Escrituras nos dicen que conoce incluso el número de pelos que tenemos en la cabeza, y evidentemente nuestro Creador, que tiene un conocimiento tan minucioso de nosotros, escucha cada una de las palabras que le decimos. No sólo oye todas las palabras y todas las oraciones, sino que no deja una sola sin respuesta.

—¿Por qué no responde Dios a mis plegarias?

El caso es que lo hace. Y para oír sus respuestas lo único que se necesita es voluntad y humildad en el corazón.

Hablando con el corazón en la mano

Antes de empezar a examinar las respuestas de Dios, vale la pena reflexionar sobre algunas de nuestras preguntas. ¿Cómo hablamos con el Dios de toda la creación? Por supuesto no lo hacemos como con el vecino de la esquina. Pero ¿sabemos realmente lo que hacemos cuando rezamos?

En el caso de la mayoría de nosotros, la respuesta es negativa.

Existen muchos errores que la gente comete al intentar dirigir sus oraciones a Dios. Cuando deseamos hablarle de las realidades de nuestra vida cotidiana, no sabemos qué decirle. Nos perdemos la alegría de hablarle al Señor de nuestras preocupaciones y del extraordinario amor que sentimos por Él. Muchos nos limitamos a repetir las oraciones que memorizamos de pequeños. Son oraciones hermosas, que pueden conducirnos a una gran santidad. Sin embargo, a veces olvidamos que la conversación simple, por ejemplo agradeciendo a Dios la amistad de nuestros compañeros o alabándole por la buena salud de nuestros hijos, tiene también su importancia. No logramos darnos cuenta de que Dios anhela oír, en nuestras propias palabras, exactamente lo que pensamos.

También existen quienes rezan a fuerzas. Éstos son los que acuden a Dios cuando están verdaderamente furiosos o auténticamente desesperados. Por lo general se dirigen a Él porque no tienen a quién hacerlo. Sus lamentos nunca dejan de hundirse en el corazón de Dios y Él siempre les responde con amor. Pero Dios no es simplemente un número para casos de urgencia. Quiere saber de nosotros de vez en cuándo y no sólo cuando nos tocan las de perder.

Luego están los simplemente vergonzosos. He visto a hombres y mujeres de negocios, que son elocuentes, empalidecer cuando les he pedido que bendigan la mesa antes de comer. Se mueven con inseguridad y tosen nerviosamente como si fueran a meter la pata. Lo único que necesitan es práctica y saber en lo más hondo de su corazón que Dios los ama pase lo que pase. Cuando se den cuenta de que es Dios con quien están hablando y no un espacio vacío, más a gusto se sentirán en su vida de oración.

La verdad es que la mayoría de la gente está desorientada con respecto a la oración.

- Pensamos que se trata de un rito vacío, en lugar de una verdadera comunicación con Dios.
- Sólo nos acordamos de rezar en los momentos difíciles.
- Nos sentimos alejados o indignos, como si Dios no tuviera tiempo de ocuparse de las pequeñeces importantes para nosotros.
- No sabemos qué decirle.

La oración no consiste sólo en un puñado de frases elocuentes o versos sagrados. No es sólo cuestión de pedir ayuda o implorar perdón. La oración consiste en levantar nuestro corazón y nuestra mente hacia Dios. Ya que, con independencia de lo que digamos, lo que preguntamos es: «¿Me quieres?» E independientemente de lo que Dios responda, lo que está diciendo es: «Sí, te quiero.»

Pero ¿por qué molestarse en rezar?

Una niña con pecas en la cara, llamada Beth, que tenía ocho años, me preguntó una vez por qué rezamos a Dios por nuestras necesidades.

—Si todo lo sabe, también sabe que necesito un diez en mi examen de matemáticas, ¿qué falta hace que se lo pida?

El caso es que a Dios le gusta que nos pongamos en contacto con Él, como lo desea cualquiera que nos ame. En un caso extremo, casi todos los padres serían capaces de anticipar las necesidades de sus hijos, prácticamente en su totalidad. Pero a veces les gusta que los niños se lo pidan. Asimismo, puede que una mujer sepa que su esposo la ama, pero de vez en cuando prefiere oír en voz alta: «Te quiero.»

Recuerdo a una pareja que acudió a mí con un problema. Sheila se quejaba de que su marido era poco comunicativo. Hacía diez años que estaban casados y Jack raramente le decía que la quería. Cuando hablé de ello con Jack, éste me respondió:

—Me casé con ella, ¿no es cierto? Por supuesto que la quiero. ¿Qué falta hace que se lo repita constantemente?

Lo que Jack necesitaba recordar era que cuando se está enamorado de alguien y se desea que el amor perdure, es preciso comunicarse con la persona en cuestión. Al principio es casi instintivo. Uno no puede dejar de mirarla. Se piensa permanentemente en ella. Se anhela su compañía. Pero cuando se asienta la familiaridad, el amor se eleva a un nuevo nivel, acarreando otra profundidad de conocimiento y de compromiso, a condición de que uno siga fomentando la comunicación.

El amor que experimentamos con respecto a Dios no es diferente. Para algunos existe un período de bienaventuranza, durante el que nos damos cuenta de que amar a Dios da sentido al mundo y a nuestra vida. A pesar de que estamos a una distancia sideral de una existencia auténticamente espiritual, damos el primer paso con gran entusiasmo. Gradualmente descubrimos que conocer a Dios y amarlo no siempre es fácil. A veces es muy duro. Y éste es el momento en que, o bien nuestra vida de oración se desarrolla y nos mantiene cerca de Dios, o fracasa y nos aleja de Él.

Es como cualquier otra relación, ¿no les parece? Un hombre y una mujer se enamoran, pero sigue habiendo elementos desconocidos del uno con respecto al otro. Al contraer matrimonio y formar un hogar, aunque su vida pasa a ser más compleja, aumenta de calidad, ya que los sacrificios cotidianos hacen que crezca su amor. Pero deben permanecer en contacto entre sí. No deben dejar de hablarse aun cuando estén abrumados por el desaliento y la frustración, para evitar que su amor comience a disiparse.

Asimismo, tienes una relación con Dios que puedes ignorar o cultivar, rechazar o abrazar. Dios no va a ninguna parte. Pero si deseas experimentar una transformación verdaderamente cristiana, debes empezar a rezar y seguir rezando.

Recurre a Dios como primera alternativa

Triste pero cierto es el hecho de que muchos recurren a Dios como última alternativa, después de que médicos, psicólogos, filósofos o científicos hayan sido incapaces de darles una respuesta. Recordarán, del evangelio de San Marcos, la historia del padre de un epiléptico endemoniado que se acercó a los apóstoles para que curaran a su hijo. Cuando éstos fueron incapaces de curarle, se acercó a Jesús y le dijo:

—Si puedes hacer algo, apiádate de nosotros y ayúdanos.

—¿Si puedo?—replicó Jesús—. Todo es posible cuando se tiene fe.

—Tengo fe—respondió apresuradamente el padre—. ¡Ayuda la poca fe que tengo! (Marcos 9:23-25).

Es allí un grito de auxilio, la apelación a la última alternativa. En nuestros momentos de desesperación, cuando única y exclusivamente nos queda Dios, cuando ya no queda nadie que pueda ayudarnos ni salvarnos, siempre solemos pedirle a Dios su ayuda en un tono carente de fe. Sin embargo, lo que deberíamos hacer sería dirigirnos a Nuestro Señor, como, según el evangelio de San Mateo, lo hizo el leproso:

—Señor, si quieres, puedes curarme—dijo, esperando humildemente su respuesta.

—¡Claro que quiero!—respondió Jesús extendiendo la mano—. ¡Estás curado! (Mateo 8:2-3).

La diferencia entre esos dos hombres consiste en que uno se preguntaba si Jesús podía y el otro si quería. El padre del endemoniado buscaba la curación por doquier. Se había dirigido ya a los apóstoles y Jesús no era sino otra posibilidad.

Sin embargo, el leproso sabía que quien tenía delante era el Hijo de Dios y que Jesús podía curarle. Pero por humildad sólo le pidió si quería hacerlo. El hombre de poca fe exigía la curación, mientras que el leproso, que era realmente creyente, se limitaba a pedirla humildemente y a esperar.

La actitud de humildad del leproso es fundamental en nuestro amor a Dios, especialmente cuando le pedimos algo o cuando rezamos. Gracias a nuestra humildad, nuestro corazón y nuestra mente deben saber que podemos confiar en las respuestas de Dios, aunque no sean las que deseábamos escuchar. Nuestra humildad también acepta, e incluso abraza, la realidad del poder y de la justicia de Dios. Nos ayuda a permanecer cerca de Él, a hablarle a menudo y, en todas las circunstancias, a dirigirnos primero a Dios con todos nuestros deseos y necesidades. Ésta es la razón por la que debemos recurrir a Dios en todas y cada una de las circunstancias, en cada momento del día.

El hábito de la oración

Dios quiere saber de nosotros y desea ser nuestra primera alternativa en todas nuestras necesidades. En teoría, esto parece muy sencillo, pero a no ser que introduzcamos en nuestra vida el hábito de rezar, esta teoría, como tantas otras, no pasará de engrosar el caudal de buenas intenciones que jamás se realizan.

Debo hacerles algunas recomendaciones.

En primer lugar, si quieres mejorar tu relación con Dios, debes tomar ciertas medidas para ser consciente de su presencia a lo largo del día. El problema no es de Dios; Él sabe que estás allí. El problema es nuestro, que siempre olvidamos su presencia. Aparte de la cuestión de modales, esto limita enormemente nuestro camino espiritual, por lo cual sugiero que uno empiece esta misma mañana dedicando el día entero a Nuestro Señor.

No es preciso descorchar ninguna botella de champán ni pronunciar ningún discurso. Lo único que debes hacer es dar gracias a Dios por haber despertado. Bastará con una breve oración de alabanza, agradeciéndole el nuevo día y dedicándoselo para alegrarle el corazón: «Buenos días, Señor. Bendigo tu santo nombre y te ofrezco este día con amor y agradecimiento.»

A lo largo del día puedes rezar constantemente. Una vez más, no creas que hay que darle mucha importancia. Limítate a recurrir a Él con breves peticiones rápidas, desde la curación de un amigo enfermo hasta el valor para tomar una decisión en los negocios. Gradualmente comenzarás a sentir su presencia constante en tu vida y empezarás a comprender tu dependencia absoluta de Él.

El poder de estas pequeñas oraciones te asombrará.

Con el transcurso del día y el incremento de la tensión, tu santidad podrá progresar teniendo siempre presente la presencia de Dios. Recurre a Él: «Señor, ayúdame a realizar esto tal como Tú deseas que lo haga.» «Dame paciencia.» Consúltale incluso los sucesos más insignificantes.

El encanto de este tipo de oración casi permanente es el hecho de que refuerza en nosotros la presencia de Dios. Y llega un momento en el que somos transformados por Dios, permitiendo que sea Él quien actúe en las pequeñeces de nuestra vida. En lugar de arrasar el día guiados por nuestros instintos «viscerales», lo primero que nos viene a la mente es «¿qué quiere Dios que haga en este caso?» Con el transcurso del tiempo, su voluntad se convierte para nosotros en una segunda naturaleza.

Discerniendo su voluntad

Con el desarrollo de nuestra vida de oración, adquirimos mayor conciencia de la amorosa presencia de Dios y de nuestra dependencia de Él. Hablamos con Él de las cosas importantes y de las pequeñeces, de nuestros sueños y de nuestras decepciones. Comenzamos a ver la voluntad de Dios operando activamente en nuestra vida.

Volviendo a nuestra pregunta inicial: «¿Por qué no responde Dios a mis plegarias?» Todos los que hemos pedido la intervención o la guía específica de Dios, hemos experimentado la sensación de hablar al desierto. Puede que pidamos una curación, un nuevo empleo, o paz mental, pero a nuestro modo de ver no recibimos nada. Seguimos en el mismo trabajo, con un amigo enfermo, o angustiados hasta la coronilla. En lo que a nosotros concierne, Dios no nos ha respondido y nos preguntamos por qué guarda silencio.

Allí es donde debemos controlar nuestra tendencia natural a la impaciencia e intentar discernir la voluntad de Dios, o su respuesta a nuestras oraciones, desde la perspectiva de una realidad superior. Debemos intentar vernos a nosotros mismos tal como nos ve Dios.

En primer lugar, debemos entender que Dios responde a todas y cada una de nuestras oraciones. Pero también debemos comprender que a veces responde «no», que en otras ocasiones dice «espera» y que sólo cuando nuestra petición se ajusta a su voluntad la respuesta es «sí». Dados estos tres tipos generales de respuestas, también debemos comprender que la forma de responder de Dios suele consistir en un proceso. Su «sí» puede tardar años. Su «no» puede también tardar años e interpretarse como un «espera». Existen infinidad de posibilidades, pero si de una cosa podemos estar seguros es de que las respuestas de Dios no serán nunca categóricas.

En tal caso, ¿cómo sabremos qué espera de nosotros?

¿Cómo descifrar el significado de sus respuestas?

Podemos empezar con el momento presente.

Discernir la voluntad de Dios es cuestión de observar nuestra situación en el momento presente e intentar ver la mano de Dios. Y no cabe suponer, ni remotamente, que sea cosa fácil.

En la EWTN nos enfrentábamos a este reto casi a diario, especialmente en el principio estábamos casi siempre creciendo casi constantemente sin los medios económicos para apoyar ese crecimiento. Después de mucho rezar, puede que lleguemos a discernir que Dios desea que emprendamos un proyecto monumental determinado. Le decimos «de acuerdo» a Nuestro Señor y seguimos adelante. Al día siguiente aparecen un sinfín de contratiempos y todo parece imposible. Entonces le decimos: «Señor, ayúdanos», y nos abre algunas puertas. Le damos las gracias, pero resulta que nos encontramos en callejones sin salida. Al cabo de un par de meses cae todo por la borda ante nuestras propias narices y nos damos cuenta de que Dios sólo ha querido ganar tiempo, antes de que emprendiéramos el proyecto que finalmente refleja su voluntad, su verdadera voluntad, distinto a la inicial. Pero la desviación que supuso emprender el primer proyecto ha servido en realidad para preparar el terreno para el proyecto definitivo, sin que nosotras nos diéramos cuenta de ello.

Recuerden que Dios opera en un universo completamente libre y no entorpecerá el libre albedrío que nos ha otorgado. Por consiguiente, fuera cual fuese la intención de Dios en aquel momento, si los negocios de la EWTN eran objeto de modificación y frustración por parte de otros, Dios respetaría su derecho a elegir, aunque fuera contra su voluntad. Soy incapaz de imaginar lo difícil que debe ser elaborar una respuesta a una oración que afecte a numerosas personas, dotada cada una de su libre albedrío.

Ahora comprenderás por qué a veces hay que esperar.

Y en algunos casos la respuesta consistirá en un categórico «no». Una vez más, necesitaremos una confianza extraordinaria para aceptar esos temibles «noes». Cuando rezamos por la curación de un niño enfermo y el niño muere, preferiríamos pensar que Dios no nos había oído antes de creer que su respuesta había sido «no». Pero si has rezado dirigiéndote a Él, Dios te ha oído, y por trágica y dolorosa que sea, la verdad—aunque incomprensible— es que ha permitido lo ocurrido, porque sabe que de ello puede obtener un bien mayor.

En momentos como éstos tendremos que apelar de nuevo a nuestros compañeros espirituales—la fe, la esperanza y el amor— que son esenciales para que crezca nuestra confianza y la paz de nuestra mente. Nuestra enorme invalidez intelectual se debe a que no somos capaces de ver el mundo como lo ve Dios y no podemos saber por qué las cosas ocurren como lo hacen. Somos como los niños a quienes los padres que los quieren tienen que decirles que «no» algunas veces. Debemos aceptar que no todo lo que pedimos es por nuestro bien y que por ello, cuando Dios nos responda «no», lo hace porque desea ofrecemos algo distinto y mejor.

Es importante que disciernas pacientemente su voluntad en el momento actual. No olvides jamás que la respuesta de Dios no depende de lo que digas, de cómo lo digas, ni de lo mucho que reces.

Dios responde a todas las oraciones, sin «peros ni condiciones».

La oración no es un lenguaje secreto

No hay atajos para conseguir lo que uno espere de Dios. Tampoco existe ningún lenguaje ni código especial para obtener la respuesta deseada.

Menciono esto porque muchos parece que creamos que existe algún tipo de garantía escrita de que Dios «concede» lo que deseemos por el simple hecho de pedírselo en «su nombre». Mucha gente nos llama furiosa a los estudios porque ha leído aquella declaración de Nuestro Señor que dice: «Lo que pidan en mi nombre les concederé» (Juan 14:13). Después de pedir curaciones, nuevos cargos, Cadillacs y todo lo demás «en el nombre de Jesucristo» y de que Dios no lo haya «otorgado», están espiritualmente ofendidos.

Pedir en el nombre de Jesús no es sólo cuestión de mencionar su nombre. Dios no tiene consignas, ninguna forma especial de estrechar la mano, ni oraciones secretas. Cuando Jesús dice «lo que pidan en mi nombre», se refiere a aquello que se pida en unión absoluta con la voluntad del Padre. San Juan lo aclara en su primera carta: «Tenemos la seguridad de que si le pedimos cualquier cosa y lo hacemos de acuerdo con su voluntad, Dios nos oirá» (I Juan 5:14).

Si en las Sagradas Escrituras hay dos oraciones perfectas, éstas son el padrenuestro y la oración de Jesús agonizante en el calvario. En ambas se suplica al Padre Eterno, pero siempre a condición de que la respuesta se ajuste a la voluntad de Dios. En el padrenuestro decimos «hágase tu voluntad». Y Jesús, en su oración, hizo esta dolorosa súplica: «Aparta de mí este cáliz», y agregó: «No obstante, no se haga lo que yo quiero, sino lo que Tú quieres» (Marcos 14:36).

Cuando unes tu voluntad a la voluntad de Dios, entonces y sólo entonces rezas en «su nombre».

Hablando de errores, existe la idea equivocada y peligrosa de que se necesita una enorme fe para obtener una respuesta positiva de Dios. No olvidemos que el hecho de obtener de Dios la respuesta que uno desea depende exclusivamente de su voluntad para con nosotros en aquel momento. Si Dios, en su sabiduría, decide que la mejor acción o inacción corresponde a nuestra petición, su respuesta será positiva. Si hay que superar obstáculos para dicho fin, se ocupará de ello. Si considera que la respuesta apropiada es un «no» o «espera», así se manifestará.

El hecho de haberte dirigido a Dios, incluso en un caso de desesperación, demuestra por lo menos un vestigio de fe. Jesús dijo que bastaba con una fe del tamaño de un grano de mostaza. Y tampoco debemos olvidar que a lo largo de su vida Jesús curó tanto a los que tenían fe como a los que no la tenían.

La fe no es una llave que abra la puerta mágica de la curación inmediata o de la riqueza instantánea. Tener fe significa creer que Dios nos ha respondido con tanto amor al decir «no» como al decir «sí».

Saber lo que se pide

Cuando nos dirigimos al Señor con una súplica, podemos hacerlo con absoluta sinceridad. Si lo que le pedimos que nos alivie, es un dolor, por pequeño que sea, se lo podemos plantear sin ningún recato. Si alguien nos resulta molesto, podemos pedir a Dios la fuerza necesaria para tratar a dicha persona con paciencia. Pero cuanto más llegamos a conocer a Dios, mejor comprendemos su forma de actuar y lo que desea para nosotros en nuestra vida. Aprendemos que hay ciertas realidades a las que quiere que nos enfrentemos, no necesariamente solos ya que siempre está con nosotros, pero sí por nuestra cuenta. Comenzamos a ver el mundo a través de sus ojos, no sólo de los nuestros, y con el transcurso del tiempo nuestras oraciones son más como conversaciones que peticiones, ya que comenzamos a saber qué es lo que debemos preguntar.

Recibo muchas cartas y llamadas de personas que han sido víctimas de alguna traición, especialmente de mujeres casadas con maridos adúlteros, o viceversa. Un día por la mañana llegó al convento un hombre de cuarenta y cinco años hecho un auténtico desastre. Su ropa estaba arrugada, sus ojos, irritados e hinchados, y hacía pedazos un pañuelo de papel que tenía en las manos. Cuando empezó a hablar, fue incapaz de contener las lágrimas y de sus ojos brotaron muchos meses de agonía.

Era la historia de siempre. Su esposa de veintitrés años le había abandonado por otro hombre: Estaba «enamorada». Todavía sentía «afecto» por él y por los hijos, pero tenía que vivir «su propia vida». Muchos son los matrimonios que sufren la indignidad, el trauma y el dolor del adulterio, pero en cada caso la tragedia es completamente nueva. En esta ocasión, la esposa había abandonado periódicamente el hogar a lo largo de cinco años y hacía sólo unas semanas que había pedido el divorcio a su marido.

—Madre, hace cinco años que rezo pidiendo un milagro, con la esperanza de que Dios haga cambiar a mi esposa de opinión y se quede en casa. ¿He estado pidiendo lo que no debía? ¿Por qué no me ayuda Dios? ¿Qué es lo que debería pedirle?

En una situación como ésta es sumamente difícil saber a ciencia cierta lo que ocurre, y desde luego no estaba dispuesta a emitir ningún juicio en favor de uno ni de otro. Pero lo que sí podía hacer era ayudar a aquel hombre a refinar sus oraciones y a usarlas como medio para afrontar la realidad y asimilar lo que realmente ocurría en su corazón.

Depositaba claramente toda su esperanza en un milagro, pero hasta entonces su esposa había decidido seguir siéndole infiel. No había nada de malo en que rezara por un milagro, pero debía resignarse ante la posibilidad de que su esposa nunca regresara. Creo que Dios le estaba mostrando la dureza del corazón de su mujer y preparándolo para que depositara su confianza exclusivamente en Dios.

Le hice algunas preguntas:

—¿Qué ocurriría si su esposa no volviera nunca? ¿Cree que sobreviviría?

—Sí, pero con mucha amargura.

—¿Se sentiría peor que ahora?

—No lo sé. Supongo que no.

—¿Estaría dispuesto a rezar por la luz que le permitiera aceptar su destino, fuera cual fuese, tanto si se trataba del milagro del regreso de su esposa como de comenzar una nueva vida sin ella?

—Supongo que sí.

—¿Ha llegado al punto de poder rezar por sus hijos y para que la amargura que le produce esta situación no los perjudique?

—No, madre Angélica, no he llegado a este punto, y esto es lo que realmente me preocupa. ¡Ha dado en el clavo!

A veces la oración puede ayudarnos a establecer contacto con la realidad. Mientras aquel hombre rezara única y exclusivamente por un milagro, no tenía que enfrentarse a lo que ocurría realmente en su vida. Era incapaz de afrontar su amargura, le faltaban las fuerzas para hacerlo. Los cristianos debemos ser realistas. Tenemos que poder discernir lo que realmente ocurre en una situación determinada y ver la mano de Dios en todas las cosas, incluso en el dolor.

Se tarda tiempo en realizar este tipo de transformación en la forma de rezar, y suele ser muy dolorosa. Nuestra oración deja de ser una exigencia, insistiendo en que Dios haga las cosas a nuestro estilo, para convertirse en una oración resignada por la que aceptamos que Dios nos ama más que nosotros mismos y que sólo desea lo mejor para nosotros. Nos conduce a un punto en el que podemos vivir con la respuesta que recibamos.

Nunca dejes de insistir

Todos pertenecemos a la generación del «ahora», y si no obtenemos una respuesta inmediata a nuestras oraciones, tendemos a descartar a Dios. Éste es uno de los grandes defectos de nuestra naturaleza humana. Santa Mónica era la perseverante madre de San Agustín, que fue uno de los juerguistas más empedernidos del siglo iv, antes de convertirse en santo. Cuando su hijo era joven, se dirigió al obispo para preguntarle qué debía decirle a Agustín.

—¿Cómo puedo decirle que Dios es bueno? ¿Cómo puedo persuadirle de que cambie su conducta?

—Habla más con Dios de tu hijo, que con tu hijo de Dios—le respondió el obispo con gran sensatez.

Santa Mónica se pasó treinta años rezando antes de que Agustín se convirtiera. Más adelante se le nombró doctor de la Iglesia y es uno de los autores cristianos más importantes de la historia.

Existe la perseverancia en la oración y quiero mencionarlo ahora para que se saquen de la cabeza esa mentalidad de «dámelo ahora» con respecto a Dios. No estoy diciendo que «no le pidan cosas concretas». Simplemente pretendo aclararles que tal vez tengan que pedírselo muchas veces y puede que ésta sea su forma de acercarnos a Él o de aumentar su fe o de incrementar su santidad.

Una mujer de Luisiana llamó una noche a nuestro programa, cuando nuestra invitada era la hermana Breige McKenna, cuya vocación es la de practicar curaciones. Aquella mujer tenía un hijo de once años, con el cuerpo paralizado a partir del cuello.

—Madre, hace cinco años que rezo para que se recupere y para tener el valor que me permita perseverar. He recibido más fuerza de la que creía posible, y en mi corazón sé y creo que mi hijo es un ser humano perfecto. Pero, ¿debo seguir rezando por su recuperación?

La hermana Breige le respondió con un relato. Le habló de una familia de siete miembros, del Medio Oeste, cuyo hijo menor tenía un tumor cerebral.

—Los médicos se habían dado por vencidos—explicó con su encantador acento irlandés—. «No hay esperanza alguna», le habían dicho. Pero la familia siguió rezando por la recuperación del niño.

«Todas las noches, antes de acostarse, se reunían en la habitación de Tommy y rezaban juntos por él. Transcurrieron dos años y el niño empeoró. «Dios ha decidido», dijo el padre, dejando por completo de rezar. Sin embargo, la madre y los demás hijos

perseveraron. Lentamente, Tommy comenzó a mejorar. Día tras
día se iba recuperando. Y en la actualidad es un niño tan normal
y sano como los demás.»

Fue el padre quien me lo contó—prosiguió la hermana
Breige—. «Si la curación de Tommy hubiera sido instantánea»,
me dijo, «mis demás hijos jamás habrían descubierto el poder de
la oración y la necesidad de perseverar. Ni yo tampoco».

Dios permitió la curación de aquel niño, sólo porque sabía
que su familia, con sus siete componentes, sufriría una transformación gracias a la misma. Por consiguiente, no dejes nunca de
rezar por sus necesidades, sean cuales fueren las circunstancias.
No dejes nunca de pedirle a Dios su intervención y su merced.

Su relación con Dios es única. Tiene una misión reservada
para cada uno, que sólo la persona en cuestión puede desempeñar. Todo lo que te ocurra constituye una oportunidad para
desempeñar dicha misión, que probablemente no comprenderás
plenamente hasta llegar al cielo. Para empezar a comprender tu
misión, sin embargo, es importante que escuches a Dios cuando
te habla todos los días.

¿Te estoy sugiriendo que busques a Dios en un sueño profético
o en una visión? No. Por consiguiente te suplico que no te pases
la vida a la espera de una gran experiencia mística, ya que esto
tiene mucha menos importancia que la forma en que Dios te
habla todos los días. No se te aparecerá en tu casa para charlar
un rato contigo, pero lo hallarás tanto a Él como su voluntad
para ti en las cosas insignificantes, en susurros, en los demás y en
los acontecimientos. Te está hablando constantemente y oírlo
es cuestión de práctica.

Si lo que le pides es la curación de una enfermedad, su respuesta será perfectamente evidente. Si la curación es inmediata,
su respuesta habrá sido «sí». Si el paciente empeora, su respuesta

en cuanto a la curación física puede haber sido «no». Pero ¿qué ocurre en el caso de que permanezca estacionario y la enfermedad se prolongue sin empeorar? ¿Qué te estará diciendo Dios en este caso? Podemos estar seguros de que aunque el paciente no se haya curado físicamente, estará experimentando una enorme curación espiritual y emocional. Además, esto también puede beneficiar a sus seres queridos, preparándolos para lo que la voluntad de Dios tenga previsto en esta situación.

A todos nos conciernen y nos preocupan los demás y nosotros mismos. En presencia del dolor, especialmente el de otro, aspiramos á una solución inmediata y sólo vemos una forma aceptable de alcanzarla. «Elimina el dolor.» «Ayúdame a encontrar trabajo.» «Devuélveme a mi esposa.» «Libra a mi hijo de su drogadicción.» Pero Dios responde a tu oración de muchos modos distintos, por medio de muchas voces, e incluso a través de su silencio. Préstale atención. Puede que su respuesta no sea la que deseas o esperas en este momento, pero te está diciendo algo. Ábrele el corazón y permítele que entre.

La lucha feliz

Es una verdadera lucha, ¿no es cierto? Uno lucha para saber lo que uno quiere, lucha por lo que pide y finalmente lucha por lo que obtiene.

Hemos dicho que la oración eleva nuestros corazones y nuestras mentes hacia Dios. Es una carta de amor, una confesión, el momento de nuestra vida en que nos sentimos privilegiados de estar de rodillas con tristeza y humildad, pidiendo la ayuda de Dios. Nuestra aceptación de las respuestas de Dios es una de las cosas que nos caracteriza como cristianos, diminutas almas humanas en busca de nuestro Dios.

Dios te oye. Oye tus gritos en la noche, sabe lo abrumado y fatigado que estás, y siente el peso de tu carga. Sabe que cuando eres feliz te preocupa que cese la felicidad. Sabe que cuando sufres, tu soledad te paraliza. Sabe lo que ocurre en tu corazón.

Ésta es la razón por la que debes mantenerte cerca de Él y hablarle con frecuencia. Cuando comprendas que es tan real como la persona sentada junto a ti podrás abrir el corazón a este Amigo divino.

Es una verdadera lucha. Pero luchas junto a un Padre que la comprende y junto a su Hijo, cuya lucha fue como la tuya, y junto al Espíritu Santo, que te otorgará todo lo que realmente necesites para perseverar en la lucha.

Dios está de tu parte.

Háblale y presta atención a su respuesta.

Segunda Parte

Vida y Amor

CAPÍTULO CINCO

¿CÓMO PUEDO SUPERAR LA LUJURIA?

Hace muchos años, recibí una carta que estaba escrita a mano con bolígrafo en papel timbrado; supongo que por ello de entrada me llamó la atención. Era del jefe ejecutivo de un conglomerado del Medio Oeste, que evidentemente no quería que su secretaria la viera.

> Querida madre Angélica:
>
> En realidad no la conozco, pero aunque la conociera, el simple hecho de dirigirme a usted, una monja franciscana, me sorprende. Descubrí la existencia de la EWTN hace unos seis meses, cuando me compré una antena parabólica. Tengo una casa en el campo y compré la antena para obtener mejor recepción.
>
> A decir verdad, esto es sólo cierto a medias. La recepción que más me interesaba era la de películas eróticas y pornográficas. Apenas acababan de instalarme los nuevos equipos cuando la descubrí a usted, una monja con un hábito anticuado. Hacía veinte años que no iba a misa y todavía no comprendo por qué pasé más de un segundo mirando su programa. Digamos simplemente que atrajo mi atención.
>
> Desde entonces he sintonizado asiduamente su canal y jamás he vuelto a sentir la tentación de ver películas

pornográficas. Mi vida no es perfecta pero ha mejorado porque la EWTN me ha ayudado a volver a la iglesia. Es curioso, ¿no le parece? Compré la antena parabólica para ver pornografía y he acabado mirando a una monja de sesenta años. Usted es la mejor que jamás he visto por televisión. ¿Es Dios siempre tan astuto?

Como pueden imaginar, hubo aclamaciones en el convento cuando leí la carta en voz alta a las monjas, pero no eran aclamaciones de sorpresa. A lo largo de los años hemos observado la conducta más curiosa y astuta imaginable por parte de Dios. A lo largo de los años, hemos recibido muchas cartas y llamadas de personas que buscaban películas «para adultos» y acabaron viendo los programas de la EWTN. Y por lo menos en una docena de ocasiones hemos recibido llamadas de hombres furiosos que nos piden que «saquemos a esa monja de su televisor». Siempre nos preguntamos por qué sencillamente no cambian de canal.

Respondiendo a la pregunta de nuestro amigo, Dios se sirve de la astucia cuando se trata de ayudar a la gente a superar sus problemas morales, porque sabe que no son capaces de hacerlo solos. Necesitas la gracia de Dios para superar las tentaciones sexuales, y con la misma puedes desencadenar una batalla sagrada contra tus debilidades. Quiero que sepas que si este tipo de tentación te causa un problema, no estás solo. La lujuria es uno de los siete pecados capitales[1] que ha traído a mucha gente a nuestro programa en busca de orientación. En algunos casos llegan «accidentalmente», como el hombre que buscaba películas pornográficas y acabó viendo nuestro canal. Pero habitualmente lo hacen porque han sufrido

---

[1] Los otros seis pecados capitales son: avaricia, ira, soberbia, gula, envidia y pereza. Todas las demás formas de pecado se derivan de estas categorías.

las consecuencias de la lujuria. Adulterio. Aborto. Descontento en el matrimonio. Obsesión ... La lista sería muy larga.

Siempre hay algunos incrédulos en el público y si les preguntas con qué autoridad puede hablar una monja, que se parece a su abuela, de un tema como la lujuria, permítanme que les haga una advertencia: conozco muy bien el tema, porque he visto muchas vidas destrozadas por la lujuria. Si les parezco «caprichosa» y «anticuada», ¿qué vamos a hacer? Pero háganme el favor de leer este capítulo de cabo a rabo. Porque si se enfrentan con una debilidad relacionada con la lujuria, les espera una enorme lucha para la que tengan que utilizar su intelecto, rezan para que Dios les de su gracia para vivir en el momento presente.

—¿Cómo puedo superar la lujuria?—me preguntarán.

Empezarán por apreciar auténticamente el don de la sexualidad que Dios les ha otorgado.

El don

No me tomo el tema de la lujuria a la ligera, porque tampoco tomo a la ligera la unión sexual de dos seres humanos. Creo que la unión sexual en el sacramento del matrimonio es una de las expresiones más elocuentes y sagradas de amor cristiano.

Cuando te ves atrapado en el torbellino de la lujuria, dejas de ver la unión sexual como un don de Dios. Ya no lo ves como algo hermoso o sacramental. Para ti se convierte simplemente en una emoción básica o en una sensación física, en un símbolo de conquista o en un parche para la soledad, sin mayor significado que cualquier otro apetito animal.

—Pero, madre, soy sólo un ser humano—me dirías—. Tengo deseos y apetitos sexuales. ¿Se supone que debo pretender que no existen?

No, no se trata de eso. El caso es que no eres «sólo un humano». Cuando dices «sólo humano» te refieres realmente a «sólo animal». Hoy en día es común justificar todas nuestras debilidades e infidelidades con el hecho de que somos «sólo humanos». Ésta es una forma cómoda de eludir nuestra responsabilidad para con nosotros mismos, nuestros vecinos, nuestro marido y nuestro Dios.

—He estado viendo una película pornográfica cuando mi esposa estaba ausente, ¿qué quiere que le diga?, soy sólo humano.

—Anoche regresé con aquella rubia encantadora, pero ¿qué podía hacer? Todo el mundo lo hace. Las cosas son diferentes hoy en día.

—Me cayó una revista pornográfica en las manos y me dediqué a mirar algunas fotos. Bueno, soy sólo humano.

¿Qué espera de mí?

Si eres cristiano, debes esperar más de ti mismo. Dios te exige algo mejor. Dios te exige algo mejor porque eres mejor. Estás hecho a su imagen y semejanza. Eres portador de su espíritu en tu alma. No eres sólo un animal. Estás dotado de un intelecto. Tienes tu libre albedrío. Y en cuanto a tu cuerpo, tienes el don extraordinario y maravilloso de la sexualidad, que Dios te ha otorgado no para mancillarlo, abusar de él y degradarlo, sino para celebrarlo, glorificarlo y fomentarlo. Y una de las formas de hacerlo es uniéndote a tu esposa en el acto sacramental de la unión sexual.

Como seres humanos, somos una maravilla. David dijo en los Salmos (139:13-14):

Fuiste Tú quien creó mi esencia
y me puso en el útero de mi madre;
por todos estos misterios te doy las gracias:
por la maravilla de mi ser, por la maravilla de tu obra.

Nuestros cuerpos son milagros por y para sí mismos, y albergan el gran don de nuestro corazón y de nuestra mente. Pero eso no es todo. San Pablo también nos dice que somos «templos del Espíritu Santo» (I Corintios 6:19). Y ésta es precisamente la razón por la que no somos «animales».

Los que reciben el sacramento del matrimonio deben aceptar la dignidad de la sexualidad humana con toda seriedad. Deben comprender que cuando dos personas contraen matrimonio no equivale sólo a compartir una cuenta bancaria, formar un hogar o la culminación de un amor romántico. Cuando dos personas se declaran mutuamente su amor en el matrimonio, esto constituye una expresión de la Trinidad, en la que el Padre ofrece su amor al Hijo, el Hijo al Padre, y el Espíritu es el amor entre ambos.

¿Qué tiene que ver todo esto con la lujuria? Cuando dos personas están unidas por el amor y expresan dicho amor en la unión sexual, ésta constituye, en todos los sentidos, el acto perfecto de la creación. No existe otro en el dominio humano que ni remotamente se aproxime a su perfección y a su belleza. El fruto de dicho acto es el de realzar el amor y el de la procreación, de modo que su resultado sea siempre más profundo y más hermoso que antes. Para los cristianos, esta belleza es sagrada. Y ésta es la razón por la que el problema de la lujuria incontrolada no crea solamente una dificultad ética, o sea una simple cuestión de violar ciertas reglas; es un sacrilegio.

¿Estoy afirmando que el deseo sexual en sí es un sacrilegio? En absoluto. El deseo sexual para con el esposo o esposa es un acto sublime de creación. Pero la satisfacción de los deseos sexuales fuera del marco del matrimonio es un sacrilegio. Es un pecado. Y allí es donde la lujuria puede presentar auténticos problemas espirituales.

Placer sin responsabilidad

Créanme, mi vocación en la vida no es la de reprender a nadie. Tengo mucho que hacer, sin necesidad de perseguir a la gente para amonestarla. Pero si en estos momentos estás luchando con la tentación sexual, es probable que estés confundido y, a cierto nivel, incómodo. Debo admitir que la lujuria no es algo que me atormente personalmente, pero como todos los seres humanos lucho constantemente con otras tentaciones. Sé cómo se siente uno cuando quiere darse por vencido y a continuación lo lamenta. No soy perfecta y en cierto sentido comprendo exactamente su dificultad.

Si en estos momentos estás luchando con una tentación sexual, tu inquietud es lo infinito que hay en ti, que aspira a algo mejor. Supongo que mucha gente describiría tu inquietud como vergüenza victoriana, o turbación, o como algún tipo de represión, pero desde un punto de vista espiritual puedo decirte que se trata simplemente de tu alma, cuyo objetivo es el de permanecer unida a la voluntad de Dios. Por ello, los que caen en la lujuria experimentan inevitablemente una sensación de culpa o de asco. Es curioso que lo siguiente nos sorprenda:

- El deseo lujurioso fuera del marco del matrimonio conduce a una sensación de descontento y de sentirse atrapado.
- La práctica del adulterio conduce a una sensación de culpabilidad y de, pérdida del respeto por sí mismo.
- Usar la pornografía conduce al aburrimiento y al entumecimiento de la belleza del don de la sexualidad.

El problema de la complacencia sexual estriba en que después de los primeros momentos de placer puede apoderarse una sensación de inquietud. Sabes que has hecho algo indebido; Tanto si lo que has hecho ha sido engañar a tu cónyuge o ver pornografía, hay algo en ti que te dice: «Atención, acabas de entrar en un terreno bastante peligroso.» Puede que al principio te sientas descontento, culpable y degradado. Después llegarás a racionalizar lo que estés haciendo. Cuando el pecado se convierte en hábito, te alejas cada vez más de todo sentido del bien y del mal.

Conforme se distorsiona el sentido del bien y del mal, es más difícil librarse de las tentaciones sexuales. ¿Por qué? Debido a que el placer sexual aporta siempre una gratificación inmediata, aunque dicha gratificación vaya acompañada de culpabilidad o remordimiento. Ésta es la razón por la que es sumamente difícil superar la tentación de la lujuria. Pero la dificultad no debe ser un motivo para no intentarlo. La atracción no debe ser motivo para el pecado. Como cristianos, no debemos temer aspirar a la santidad. No debe desalentarnos el sacrificio. No debemos dudar en convertir una existencia superior en nuestro objetivo, por mucho que tropecemos.

El caso es que cuando antepongas el placer a la responsabilidad, sea cual sea el tipo de placer, siempre habrá un precio que pagar. Los que creen poder conseguir lo uno y lo otro se ha dejado convencer por la mayor de las mentiras. Alguien, en algún momento, tendrá que pagar por los llamados buenos tiempos.

—Tienen su merecido—dirán algunos, sentados cómodamente en su sillón.

Pero yo no comparto su actitud. Hay algo que me preocupa más que el hecho de que te pasen la cuenta por tus transgresiones. Me preocupa tu alma. Me preocupa tu santidad. Me preocupa el hecho de que el pecado no sólo te afecta a ti, sino a tu prójimo, al mundo y a Dios.

Las siguientes son algunas de las ideas populares hoy en día:

- «¿Qué es lo peor que me puede ocurrir? Si quedo embarazada y no quiere casarse conmigo, puedo tener un aborto.» Gente dispuesta a sacrificar una vida por el placer de una relación sexual.

- «Una noche de parranda no perjudica a nadie. Si mi esposa se entera, nos divorciamos.» Gente dispuesta a profanar el sacramento del matrimonió, por sexo con una desconocida.
- «Dios me ha hecho homosexual, ¿por qué no tener relaciones con otros hombres?» Alguien dispuesto a desafiar el plan divino, sólo para obtener satisfacción física.

Si examinas minuciosamente cada una de estas afirmaciones, verás una enorme insensibilidad para con la realidad del pecado y el hecho de que juegan con su vida eterna. Éstas no son las ideas de enfermos mentales, sino las de personajes perfectamente «cotidianos». Esta forma de pensar es tan descentrada, egoísta y engañosa, que resulta desconcertante. Si uno le pidiera a un filósofo que diagramara la lógica de la misma, se echaría a reír. Carece por completo de todo tipo de inteligencia espiritual. No son más que simples pretextos de gente autocomplaciente, engañada por la mentira, y que ignora el hecho de que con ello destruye su propia alma.

Lo que uno ve, se le pega

Nuestra época no es mejor ni peor que la de Sodoma y Gomorra, pero es diferente. Creo que una de las razones por las que existen tantos hombres y mujeres con problemas que emanan de la lujuria es el hecho de que a lo largo de los últimos sesenta años en nuestra sociedad ha habido un enorme incremento del sexo y de la violencia al que Joe (y Josephine) están expuestos.

Hemos perdido nuestra sensibilidad ante todas las cosas. ¿A qué me refiero al decir que hemos perdido la sensibilidad? Después de contemplar tanto sexo y violencia, sería de esperar que hubiera aumentado nuestra sensibilidad, pero no es así como funciona nuestra alma.

Les pondré un ejemplo. Cuando en 1939 se hizo famosa la película *Lo que el viento se llevó*, a los norteamericanos les escandalizó aquella famosa frase de Clark Gable: «Francamente, Escarlata, me importa un rábano.» Recuerdo que a mi madre le sorprendió que nos hubiéramos alejado tanto de los niveles de decencia y también recuerdo que pensé: «¿A qué viene tanto alboroto? He oído cosas mucho peores en casa de mi abuelo.» Ahora me doy cuenta de que mi madre estaba en lo cierto, aquello tenía «mucha importancia». Aquel «me importa un rábano» de Clark Gable no era un fin, sino un principio. Uno oye y lee tantas palabras indecentes en las películas, la radio y en los libros, que los oídos y los ojos hacen caso omiso de ellas. Esto es lo que significa haber perdido la sensibilidad. Aparecen tantos cuerpos semidesnudos en las horas de máxima audiencia, que al televidente le pasa inadvertida la realidad de que se trata de personas, no sólo de cuerpos, y de que esas personas tienen voz, ideas y alma. He allí la ausencia de sensibilidad.

La escalada de la pornografía, del lenguaje obsceno, de la exhibición de distintas partes del cuerpo y de varios grados de encuentros sexuales explícitos o sugeridos, sin mencionar la violencia, es simplemente alarmante. Y el problema estriba en que mucha gente se ha convertido en sorda y ciega ante las transgresiones que aparecen en los medios más populares. El término «ofensivo» ya no forma parte del vocabulario norteamericano. Al dejar de ser escandaloso el adulterio en la televisión y en las películas, hemos pasado a aceptarlo como posibilidad en nuestro propio matrimonio. Cuando nos reímos con los chistes de «maricas», nos resulta más fácil aceptar la conducta homosexual.

Cuando vemos familias televisivas en horas de máxima audiencia viviendo en el pecado, percibimos su estilo de vida pecaminosa como algo aceptable.

Creemos que por el hecho de que todo esto sea imaginario, carece de consecuencias. «Es sólo televisión.» «Es sólo una revista.» «No es más que una estúpida película.» Allí es donde realmente nos equivocamos. Qué duda cabe de que lo que vemos no es real, pero el efecto que causa en ti sí lo es. Piensas que el problema es de los actores, las actrices, los editores y los productores, pero tú no eres exactamente un inocente observador. Formas parte del espectáculo. Eres el personaje débil y frágil que se queda allí sentado viendo y leyendo la fruta podrida de su labor. Tú eres quien recoge la basura en tu propio corazón. Tú eres quien alimenta tus propias debilidades. Dices que es todo imaginación y que no te afecta. Eres un ser adulto. Eres capaz de asimilarlo. Pero Jesús dice: «Es desde dentro, del corazón de los hombres, de donde emergen las malas intenciones: fornicación, robo, asesinato, adulterio, indecencia, soberbia e insensatez. Todas estas cosas nocivas salen del interior y convierten al hombre en impuro» (Marcos 7:21-23). Si crees que todo esto no te afecta, te estás engañando a ti mismo.

Los frutos de la lujuria tienen un precio, para ti y para tu alma. No existe el pecado «inofensivo». A partir del momento en que sucumbes al mismo, deja de formar parte del reino de la imaginación para entrar en tu vida. Se trata ahora de tu pecado. Está en tu memoria. Es real. Ya no es algo de lo que puedas deshacerte. Ésta es la razón por la que es importante que la gente que tenga una debilidad por la lujuria tome una ducha fría, intelectualmente hablando, y despierte de los trucos y jueguecillos que practica consigo misma, al racionalizar los medios que acostumbra a ver y a leer. Dices que no tiene importancia, pero la tiene, porque es un pecado.

No me afectará a mí

Con bastante frecuencia se ponen en contacto con nosotros hombres que han tenido alguna relación extramatrimonial o de mujeres que se quejan de la falta de intimidad en su matrimonio. En la mayoría de casos parecen haber sido cosas insignificantes las que han conducido a las transgresiones sexuales y finalmente a la destrucción del matrimonio.

Una mujer de casi cuarenta años, de Nueva Inglaterra, estaba hace poco de visita en casa de sus suegros en Birmingham, y al parecer prácticamente la arrastraron a nuestros estudios, para presenciar uno de nuestros programas. Era evidente que no estaba a gusto con nosotros, puesto que no dejaba de mirar al suelo, dar fuertes suspiros y moverse sin cesar.

Se daba el caso de que esa joven estaba en medio de una gran crisis y al cabo de más o menos una semana me sorprendió con una carta. Me decía que estaba pensando en abandonar a su marido después de quince años de matrimonio y quería saber si su decisión era correcta. Según la carta, tenía cuatro hijos y se sentía totalmente desgarrada entre lo *que* le dictaba el corazón y lo que le decía la cabeza.

Su carta se parecía a muchas de las que suelo recibir, hasta pasar a compartir los detalles de su matrimonio, que según ella no funcionaba bien en aquellos momentos y había perdido su emoción.

«Mi marido ha dejado de interesarse por mí y nuestro matrimonio ya no funciona como tal. Sé qué no hay otra mujer en su vida, no se trata de eso. Es sólo que ha perdido interés por el sexo. Yo quiero un auténtico marido y para mí esto significa una vida sexual sana. ¿Cometo una equivocación queriéndome separar de él?»

Casi me desmayo al leer la carta; fui el teléfono y la llamé inmediatamente.

—¿Cuándo comenzó a preocuparse por su matrimonio?—le pregunté.

—Hace unos dieciocho meses. Sé que parece una tontería, pero estaba leyendo un libro maravilloso sobre una pareja que viaja por Europa todos los veranos y nunca dejaban de hacer cosas extraordinarias y maravillosas; entonces me di cuenta de que nuestro matrimonio se había convertido en una relación entre desconocidos. No es que no seamos felices, pero no estamos lo unidos que deberíamos estar.

¿Desconocidos? ¿Dos personas que estaban educando felizmente a cuatro hijos y que habían pasado casi media vida juntos? Tuve que hacer un esfuerzo para contenerme.

—El caso es que me encanta esta escritora y he leído todos sus libros. Además, tengo una amiga en el club de campo que supongo ha influido en mí. Me ha hecho ver que hay algo más en la vida, además de llevar los niños al colegio y preparar la comida favorita de Frank.

La amiga, la autora, parecía todo tan insignificante, como si en realidad me estuviera ocultando algo. Pero después de hablar una hora por teléfono comencé a comprender que no me ocultaba nada. Impulsada por esas dos «pequeñas» influencias, aquella mujer estaba a punto de alterar por completo su vida. Anhelaba el romance. Quería compartir la vida emocionante de su amiga, recientemente divorciada. Todo en su vida estaba ahora enfocado a la satisfacción, al estilo de una novela rosa, y estaba dispuesta a pagar el precio necesario.

Le pedí dos cosas. En primer lugar que dejara de leer aquellos libros y saliera de su mundo de ensueño. Le aclaré específicamente que debía eliminar aquella ilusión de su cabeza.

—Se está portando con sumo egoísmo—le dije—, y si cree que será más feliz abandonando un matrimonio casi perfecto, está usted loca.

También le pedí que dejara de ver a su amiga del club de campo y que dedicara más tiempo a Frank, su marido, pensando en lo amable, cariñoso e inteligente que ella misma me había dicho que era.

Admito que se trata de un ejemplo inusual, pero si un año antes le hubiera preguntado a aquella misma mujer si creía que un puñado de novelas rosas y una amiga recién divorciada podían destrozar su matrimonio, se me habría reído en las narices. El problema estriba en que es más fácil caer en la parte honda de lo que uno imagina. Hay momentos en la vida en los que uno es incapaz de controlar dichas influencias, pero ésos son pre-cisamente los momentos en los que es más probable que uno las persiga. Aquella mujer se encontraba en un momento sumamente vulnerable de su vida. No había logrado resolver la cuestión de la intimidad en su matrimonio y había permitido que el tema fermentara hasta el punto en que un puñado de libros y una nueva amiga dada a la conspiración bastaron para casi destrozar su vida.

No puedo pronosticar cuál será el pequeño incidente que los afecte, pero sé que está allí. Cuando buscas pornografía en internet y dices que puedes controlarlo, afirmo que te engañas a ti mismo. Cuando te dedicas a ver videos de pornografía y me dices que no te afectan, te respondo que te estás mintiendo a ti mismo. Cuando entras en un bar para ligar y dices que sólo buscas conversación, te digo que has acabado creyendo en tu propia mentira.

No te engañes. Estos incidentes no son en absoluto insignifi-cantes. Nadie es capaz de controlarlos. Nadie lo ha sido jamás. Sólo consigues construir una falsa sensación de seguridad. Tu autocontrol no es tan fuerte y si tienes debilidad por la lujuria estás participando en un juego sumamente peligroso.

Volviendo la espalda a Dios

Hay momentos en que toda la lógica del mundo y el sentido común son incapaces de competir con el irresistible poder de nuestros sentidos y de nuestras emociones. No deseo ni remotamente sugerir que sea fácil superar la lujuria, porque ciertamente no lo es. Si en la actualidad estás luchando con pensamientos lujuriosos, debilidades sexuales o perversiones, necesitas algo más que sentido común para salir de la situación en la que te encuentras.

Por consiguiente, voy a revelarte una verdad sumamente dura.

Cuando sabes que tienes una debilidad para este tipo de tentación, y mucha gente a un nivel u otro la tiene, puedes medir tu crecimiento espiritual por la forma de manejar la lujuria. Las reglas del juego no son las mismas para ti que para alguien que no tenga dicha inclinación a la lujuria. Tú tienes más necesidad de rezar y tendrás que librar una batalla permanente para que tu vida sea casta.

- Cada vez que resistas a la tentación de ver o leer pornografía, reforzarás tu voluntad y estarás mejor preparado para resistir a la tentación cuando se presente de nuevo.
- Evitando las ocasiones íntimas con tu compañero o compañera, te protegerás de la tentación de tener relaciones antes del matrimonio.
- Cuando dejes de ver a la persona con quien desearías tener una relación adúltera, crecerá tu relación con Dios y adquirirás mayor fuerza para alejar tus sentimientos de lujuria.

Hay que luchar para decir «no» ante dichas tentaciones. Todavía recuerdo la noche en que un seminarista del sudoeste llamó a nuestro programa. El público del estudio, formado por un grupo que se había desplazado desde Kentucky, quedó algo perplejo cuando oyó a aquel joven que decía:

—Madre, sé que mi vocación es la de ser sacerdote. Estoy seguro de ello. Pero todos los días me atormentan las ideas más terribles y lascivas. Haga lo que haga, no parezco ser capaz de alejarlas de mi mente. ¿Qué puedo hacer para que no se repitan?

Le expliqué a aquel joven que se le estaba poniendo claramente a prueba, pero no de un modo carente de amor. Dios le estaba preparando para una vida de castidad, una vida que para él supondría una lucha inacabable y un hermoso sacrificio. Dios no habría permitido que dichas influencias existieran de no haber sabido que de las mismas saldría finalmente un bien mayor: la santidad.

Aquel joven necesitaba comprender que las ideas lujuriosas no son nocivas hasta que uno es consciente de lo que está pensando, alentándolo y practicándolo deliberadamente. El seminarista, al luchar con sus tentaciones, no había pecado. Sus fuerzas se parecían incluso a las de San Francisco de Asís, fundador de nuestra orden, que incluso llegó a revolcarse en los espinos para menguar y destruir sus pasiones.

El caso es que uno puedes ignorar y resistir las tentaciones. Mientras uno diga «no», no habrá pecado. No importa cuántas veces se repita el «no». Lo que importa es resistir las tentaciones, alejarse de las mismas y luchar contra ellas en privado con determinación, reforzando la voluntad y santificando el alma.

La alternativa es horripilante. Cada vez que venza tu debilidad y respondas al mal con un «sí», estarás rechazando a Dios. Y al rechazar a Dios, te excluyes a ti mismo de su luz, de su merced y de su perdón. Al hacer esto, vives en la mentira, una mentira satisfactoria a corto plazo, pero que acaba por atraparte en la soledad y en la desesperación. Si allí es donde te encuentras en estos momentos, sabes perfectamente de lo que estoy hablando y debes suplicarle a Dios que te conceda el valor para poder cambiar.

Es devastador darse cuenta de que cuando uno se separa de Dios, le causas dolor. Le vuelves la espalda a quien más te ama, a quien te ha dado todo lo que posee en esta vida y que a cambio sólo ha pedido que lo ames. Si cada vez que te burlas del sacrificio de Jesús eres incapaz de pensar en ti mismo, en tu alma, en tu prójimo o en el mundo que perjudicas, piensa en Dios, que te ha creado con amor y esperanza, y no lo decepciones.

Superando la lujuria en el momento actual

Cuando luchas para superar tus debilidades para con la lujuria, estás librando una auténtica batalla. Se trata de una batalla para la liberación de tu propia alma y, de vez en cuando, cuando te concentras fijamente en una tentación y en la promesa de placer instantáneo que te ofrece, el bienestar de tu alma se convierte en un vago concepto intelectual. La fuerza de tu voluntad se desintegra. ¿Cómo mantener la guardia? ¿Cómo puedes mantener la fuerza y el valor necesarios para librar la batalla, especialmente cuando tus sentidos y tus emociones te suplican que seas condescendiente?

Debes concentrarte en el momento presente.

Si te centras una por una en cada una de las circunstancias y te ocupas de ellas paso a paso, con la gracia de Dios podrás superar prácticamente todas las tentaciones lujuriosas. Viviendo en el «presente» podrás soportar prácticamente cualquier cosa. La lujuria que experimentas en un momento dado es manejable, puesto que sólo se trata de decir «no» en aquel momento. Estás reformando tu vida, paso a paso, aprovechando cada ocasión como una nueva oportunidad para decir «sí» a Dios.

Viviendo en el momento presente tendrás victorias y derrotas. Debes perseverar. En el momento presente, la perspectiva amplia, tu santidad, se manifiesta en lo que esté ocurriendo en ese momento. Tu progreso depende de lo que hagas en ese instante. Es una serie de batallas duras, dolorosas y difíciles, pero que puedes ganar con la ayuda de Dios.

Una de las grandes santas, Santa Catalina de Siena, en una ocasión libró una batalla contra la lujuria a lo largo de una semana, y para que su debilidad quedara documentada en aquella época, cuando era escandaloso que una mujer admitiera dichas tentaciones, debió tratarse de algo sumamente poderoso. Un día, cuando la tentación parecía superar todas sus fuerzas, le pidió a Dios que la ayudara. Nuestro Señor se le apareció por la mañana, después de aquella prueba, y ella le dijo:

—¿Dónde estabas cuando aquellos terribles pensamientos invadían mi alma y mi mente?

—¿Disfrutaste de ellos?—le preguntó Nuestro Señor después de una pausa.

—No, claro que no—respondió ella.

—¿Luchaste contra los mismos?

—Claro, con todas mis fuerzas.

—Querida hija mía, ¿no lo comprendes? He estado siempre contigo. Ya que la fuerza que hallaste, la hallaste en mí.

Cuando estás al borde del precipicio

Sospecho que probablemente Dios recibe muchas llamadas urgentes relacionadas con la lujuria:

—Dios mío, evítalo, siento la tentación de ir a un bar esta noche en busca de una mujer.

—Señor, dame fuerzas: Mis amigos quieren celebrar una despedida de soltero por todo lo alto y sé que no debo asistir a la misma.

—Padre, sálvame. Mi compañero quiere reunirse conmigo después del trabajo y la tentación es muy fuerte.

Estas llamadas de urgencia constituyen los instrumentos más poderosos de los que dispones para luchar contra tu debilidad y contra las tentaciones. Utilízalos. Si estás en una situación en la que se te presenta una tentación y sientes que no puedes controlarla solo, llama a Dios.

Comienza a rezar.

- No tienes por qué recitar una larga oración formal. Una súplica de ayuda será oída. Pero debes seguir rezando hasta que la tentación te abandone.

- No tienes por qué ir corriendo a una iglesia. Dios está junto a ti. (Sin embargo, puede que haya ocasiones en las que tu situación sea tan desesperada que tengas que irte a sentar frente al Señor en la iglesia de tu barrio.)

- No tienes por qué explicar la situación. Dios ha sido testigo de todo lo ocurrido.

Lo único que debes hacer es decirle a Dios que lo necesitas. Que no quieres ofenderlo. Que con su ayuda serás capaz de superar cualquier mal que se cruce en tu camino.

Con la gracia de Dios tendrás todo lo que necesitas para ser santo en todos los momentos de tu vida. Jamás te enfrentarás a ninguna tentación, a ningún sufrimiento, ni a ningún dolor que supere la capacidad de vencerlo. San Pablo nos dice: «Puedes confiar en que Dios no permita que se te ponga a prueba más allá de tus fuerzas y que con cada prueba te ofrezca el modo de superarla y la fuerza de soportarla» (I Corintios 10:13). Pero debes permitirte ser fuerte.

Puedes alejarte de lo que te esté tentando en este momento.

Cuando es otro quien siente la tentación

Conozco a algunas mujeres que tienen debilidad por la belleza de otra gente y se sienten inseguras en el caso dé que su marido haga algún comentario acerca de una mujer atractiva. No es a esto a lo que me refiero cuando hablo de «lujuria». Por otra parte, el hombre que no puede evitar volver la cabeza cada vez que entra en un restaurante o circula por la calle, está alimentando una obsesión y necesita ayuda.

No es fácil saber lo que uno debe hacer cuando la persona a quien ama está atrapada en una perversión o en una debilidad lujuriosa. Sí se trata de tu marido o de tu esposa, debes examinar la calidad de tu matrimonio y asegurarte de que no seas tú quien le ha inducido a alejarse de su compromiso sacramental. Si no has hecho honor a tu obligación como partícipe en el matrimonio, puedes haber contribuido al problema y, por difícil que parezca, debes hablar del tema con tu cónyuge y resolverlo por su cuenta, o con la ayuda de un tercero. De nada sirve echarle la culpa al otro. Intenta ayudar a tu cónyuge eliminando en la medida de lo posible todas las ocasiones en las que te pudiera ser infiel. Contribuye a su fidelidad ofreciéndole un buen hogar, afecto y compartiendo la alegría. La unión sexual en el contexto del matrimonio es un don que Dios te ha otorgado. El enfoque de la unión no se limita a lo físico, sino en aunar el cuerpo y la mente, el corazón y el alma. Si puedes afirmar este amor dentro de tu matrimonio, ayudarás a tu cónyuge a alejarse del pecado y ser fiel.

Sin embargo, las cosas suelen ir demasiado lejos y las personas emprenden relaciones adúlteras o de una coquetería peligrosa. El dolor en estas situaciones es extraordinario, y en estos casos, si bien es conveniente buscar la ayuda y el consejo de un sacerdote, un pastor o un rabino, la oración constituye el recurso más poderoso.

El año pasado recibí una caja de fruta de una joven del estado de Washington. En la postal que la acompañaba, me decía: «Gracias por su programa sobre la tentación. Un abrazo, Kate.» Supongo que el hecho de que se tratara de manzanas era pura coincidencia. En todo caso, más adelante supimos que la madre de Kate había tenido relaciones con el abogado de la familia, que era un viejo amigo. Al enterarse el padre, había abandonado a su esposa y hacía aproximadamente un año que vivía separado de la familia. Kate seguía viviendo con su madre, pero detestaba su conducta y la atormentaba todos los días por haber destrozado la familia. Escribió lo siguiente:

Solía gritarle cada noche con todas mis fuerzas. Era terrible. No sólo no mejoraba la situación, sino que la empeoraba. Mi madre me decía que «estaba enamorada» y no dejaba de rogarme que intentara comprenderla. No había nada que comprender. No había palabras para describir el sufrimiento de mi padre y el mío. Me sentía muy sola y con ganas de suicidarme.

Cuando vi su programa sobre la tentación, comprendí que no estaba exactamente en situación de lanzar la primera piedra, ya que yo también tenia muchas debilidades, incluida la de querer acostarme con mi novio antes de casarnos. Sobre todo me di cuenta de que yo no era un ángel.

Dejé de gritarle a mi madre y seguí sus consejos; comencé a rezar por ella y también por mi padre. Esto ocurrió hace unos nueve meses. Todavía siguen separados, pero mi madre ha dejado de verse con el abogado y parece que con paciencia mamá y papá pronto empezarán a hablarse de nuevo. Sé que las cosas jamás volverán a ser como antes entre ellos, y esto me entristece, pero de algún modo me siento más fuerte al saber de primera mano lo que Dios puede hacer. Nunca volveré a sentirme sola.

Si alguien a quien conoces está atrapado en una relación lujuriosa, debes dirigirte inmediatamente a Dios y rezar para que aleje a la persona en cuestión del pecado y la devuelva, a una existencia fiel. Debes recordar que, si no fuera por la gracia de Dios, podrías ser tú quien estuviera en esa situación de lujuria y debes rezar para tener la paciencia y el valor necesarios para perdonar a quien más te haya lastimado. Independientemente de lo que esté ocurriendo y de lo desesperado o terrible que parezca en este momento, Dios obtendrá un bien de tu dolor y del dolor que haya infligido en otros a causa de esa lujuria.

La gracia de Dios

Debe ser duro para Dios ver a tantos millones de seres humanos a quienes ama cometer un error tras otro. Sin embargo, en su suprema merced, tolera todos nuestros pecados porque sabe que podemos arrepentirnos y trascenderlos. Nuestra capacidad para trascenderlos no se debe a que seamos maravillosos, sino a la bondad de Dios.

Si tuvieras que luchar contra la tentación sin la gracia de Dios, serías un perdedor. Por consiguiente, no te mires al espejo y digas: «Me basto solo.» No sólo necesitas a Dios para superar tus tentaciones, sino hasta para el aire que respiras. Y Dios desea que acudas primero a Él.

Así pues, si estás involucrado en una lucha, no dudes en hablar con Él. Si has dañado tu alma, debes repararla para permitir que la gracia de Dios penetre en la misma y la cure. No cedas ante tus sentidos, emociones o sentimientos. Entrégate a Dios. Sea lo que sea, podrás superarlo con su ayuda.

La batalla sin fin

Puede que te preguntes por qué Dios permite tanta agonía e indecisión, por qué permite que sus hijos luchen con el pecado, el mal y la lujuria.

¿Estaríamos mejor en un mundo desprovisto de lujuria?

El caso es que, en realidad, nuestro mundo es como es. Adán y Eva, nuestros primeros padres, lo determinaron con su deseo de conocer el mal. Decidieron decirle a Dios: «No te serviré.» Uno de los castigos impuestos por el pecado de Adán ha sido la debilidad para el mal, que ha sido transmitida a todos los hombres. Los hechos son como son y es un hecho que todos somos débiles. Por consiguiente, veamos el mundo tal como es, no sólo como nos gustaría que fuera, y veamos lo que podemos hacer en nuestras circunstancias. Por este camino, comenzamos a ver que el hecho de superar la lujuria, por duro y difícil que sea, nos brinda una oportunidad de demostrar el amor que sentimos por Dios.

Es cierto. Cada vez que se te presenta una ocasión de pecar, se te ofrece también una oportunidad de elegir la santidad. Son simplemente dos caras de la misma moneda. Todo suceso cotidiano constituye una oportunidad de elegir a Dios. Si logras ver el mundo desde este punto de vista, desaparecerán algunas de las sensaciones opresivas que puedas sentir acerca del pecado y de la tentación.

La lucha contra la lujuria puede convertirte en santo. Cada vez que te resistes al pecado, acercas un poco más tu voluntad a la de Dios. Te identificas con su pensamiento, su fuerza y su sensación del tiempo y del espacio. Tienes menos miedo de ti mismo y de tus debilidades cuando ves el poder de Dios en tu vida y sabes que está dispuesto a rescatarte.

No es un proceso fácil el de separar lo bueno de lo malo. A veces nos quejamos porque nos parece injusto. Andamos por la vida ocupándonos de nuestras cosas y de pronto aparece una tentación que resulta sumamente difícil de resistir. Caemos, nos levantamos y volvemos a caer.

Pero éstas son batallas que hay que librar y ganar si deseamos ser hijos de Dios. Así son las cosas y así han sido siempre. Mi única advertencia es la siguiente: no se engañen a ustedes mismos.

Si estás jugando con la lujuria, no pretendas que no pasa nada, porque no es cierto. No te metas en situaciones que sabes que son conflictivas, porque te resultará muy difícil salir te de las mismas. No encubras la dura realidad de que el pecado es el pecado.

El adulterio es pecado.

La unión sexual antes del matrimonio es pecado.

Consentir la lujuria es pecado.

La actividad homosexual es pecado.

Usar pornografía es pecado.

El pecado no es amor. El pecado es desobediencia y soberbia. El pecado es dar la espalda a Dios. Y a partir del momento en que reconozcas la verdad, la verdad inmutable, habrás dado la vuelta a la esquina para dirigirte de nuevo a los brazos de Dios.

Puedes superar tus tentaciones. Dios te ayudará.

CAPITULO SEIS

¿CÓMO DEJAR DE SENTIRSE CULPABLE?

Si hubieras oído su voz, probablemente habrías adivinado que tenía unos treinta y cinco años. Amable, educado y probablemente del Medio Oeste. A decir verdad, su voz recordaba en muchos sentidos los cuadros de Norman Rockwell, de lo muy seguro, atento y sincero que parecía.

Tenía todas estas cualidades, por lo menos al principio. Pero conforme siguió hablando ante millones de televidentes, comprendimos que estábamos escuchando a alguien que había estado en el infierno y había regresado para hablar de ello.

Se llamaba Tom. Estaba en viaje de negocios y pasaba la noche en un motel de Arizona, cuando conectó el televisor y se encontró por casualidad con nuestro programa. Jamás había telefoneado a ningún programa en su vida y durante los primeros minutos creíamos que sólo nos había llamado para saludarnos. Habló un poco de béisbol y de otras cosas por el estilo, hasta que por fin el operador de la cámara me sugirió que le ayudara a entrar en materia.

—¿Y en qué podemos ayudarte, Tom?—le pregunté finalmente, sin comprender la razón de la llamada de aquel joven tan agradable.

Siguió charlando sin entrar en materia. El técnico del estudio me hacía señas para que hiciera algo rápido, o de lo contrario cortarían la llamada de aquel pobre muchacho.

Se me ha acusado de muchas cosas, pero jamás de tener demasiada paciencia. Por lo general habría ido directamente al grano, pero en esta ocasión el Señor me aconsejaba que tratara a aquel joven con delicadeza, y así lo hice.

—Tom, ¿deseas hacernos alguna pregunta?—le pregunté con la mayor amabilidad.

Entonces se rompió el dique y en menos de un minuto comprendimos por qué Tom, al principio, tenía dificultad en contarnos su historia. Pronto supimos que había pasado tres años en las junglas de Vietnam, como tantos otros soldados. Había matado a docenas de soldados vietnamitas; así era la guerra. Pero Tom había mirado fijamente a un joven vietnamita a los ojos cuando le disparaba a corta distancia. Y a pesar de que había pasado más de una década, aquel rostro todavía lo atormentaba.

—Me he confesado—dijo Tom— y sé que teóricamente Dios me ha perdonado, pero el perdón de Dios parece tan abstracto y tan lejano. Con franqueza, no creo que Dios pueda perdonar una cosa tan horrible, y si lo ha hecho, no comprendo por qué. Me siento tan culpable que se me turba la mirada. Y estoy tan deprimido, que incluso pienso en quitarme la vida. Sé que es un pecado, pero no puedo evitarlo.

Cuando terminó su relato, no había ojos en los estudios que no estuvieran empañados por las lágrimas. Si bien algunos lloraban por la realidad de la guerra, la mayoría lo hacían por Tom.

El caso es que Tom no sólo sentía la culpa y la tristeza propias de alguien que ha arrebatado una vida humana. Tom no se sentía culpable, se había convertido en la propia culpa. Era la personificación viviente del remordimiento atormentado, la fantasía y la autorrecriminación. De cara al mundo, era un responsable hombre de negocios. Puntual, profesional y cumplidor. Pero en su interior vivía una vida de oscuras emociones, y la depresión y las tendencias al suicidio se apoderaban de su alma.

Pero Tom lo sabía. Él mismo nos había dicho que «se le turbaba la mirada». Había sumido el tema en las tinieblas hasta el punto de no sólo sentir la culpa razonable por las vidas que había arrebatado, sino, además, una culpa de su propia elaboración.

Necesitaba claramente que un consejero o psicólogo le ayudara y le sugerí que acudiera cuanto antes a algún profesional. Sin embargo, su alma, además de su mente, era también víctima del engaño y de la aprensión. Era como si a lo largo de quince años hubiera circulado con una herida que jamás cicatrizaba sino que se infectaba y empeoraba, convirtiéndose en algo que en nada se parecía a la herida original. Tom tenía una herida que sólo Dios podía curar.

Cuando se falsifica la culpa, cuando se convierte en una obsesión, como le había ocurrido a Tom, no es Dios quien nos habla. Es nuestra propia voz y supone un abuso de nuestra alma. En el caso de Tom era la desesperación.

Había olvidado algo que todos tenemos tendencia a olvidar: que Dios es misericordioso, que nos ama y que perdona. Tom había olvidado que Dios es superior a nuestra culpa. San Juan nos asegura que aunque nuestro corazón nos condene, Dios es superior a nuestro corazón. Esto es en lo que debemos pensar cuando examinamos nuestra culpa, convencidos de que la misericordia de Dios no es pura teoría, no es una mera palmada en la espalda, es algo real y siempre está dispuesto a perdonar.

Intenté explicarle a Tom que se sentía excesivamente culpable. Si bien no conocía los detalles de las atrocidades que había cometido en Vietnam, sabía que habiendo recibido el sacramento de la reconciliación, tenía ya el perdón de Dios. Sin embargo, su excesiva culpa había puesto en duda su confianza en Dios. No alcanzaba a comprender que la misericordia de Dios era superior a sus pecados.

Sólo puedo imaginar los recuerdos de la guerra que lo atormentaban. Nos dijo que no pasaba un solo día sin que las escenas de Vietnam ocuparan su mente. A nivel espiritual, le aconsejé que utilizara aquellos recuerdos para su bien. Cada vez que pensara en ello, debía pedirle perdón al Padre por todas las atrocidades que tenían lugar en aquel momento en el mundo. Cuando se sintiera decaído, debía pensar en la misericordia infinita de Nuestro Señor y en su compasión por la especie humana, que emanan cuando la contrición es verdadera.

Si en estos momentos sientes algún tipo de culpa, puede que Dios te esté hablando a través de tu conciencia, lo cual supone una culpa sana y constructiva. O puede que se trate de una culpa de tu propia elaboración, en cuyo caso es probable que te impida innecesariamente dormir por la noche. La culpa puede ser un aviso de Dios, su tristeza por tus pecados, una comprensión de los mismos que te conduce a una mayor gracia, o puede tratarse de una emoción mal comprendida, distorsionada y desenfocada, que te conduzca por el sendero de la soberbia. Sea lo que fuere la culpa, no es una respuesta psicológica desordenada a algún error que hayas cometido, algún fracaso, haber fallado en una prueba, o la incapacidad de alcanzar tu sueño en la vida.

Es mucho más que eso.

La culpa y tu alma

Ahora me doy cuenta de que cuando menciono la palabra «alma», mucha gente comienza a cambiar de sintonía. El alma nos parece algo confuso; somos conscientes de que la tenemos, pero no sabemos cómo hablar de ella. Para la mayoría de la gente es más fácil hablar de niveles de colesterol o del índice de la bolsa que de la condición de su propia alma.

¿Qué tiene esto que ver con la culpa? Si deseas ocuparte de ella, tienes que comprender cómo funciona tu alma. Y si deseas saber cómo funciona tu alma, antes debes conocerla. Por esta razón quiero hacer una pequeña digresión y hablar de la «anatomía» del alma.

Probablemente hayas oído que fuimos creados a imagen y semejanza de Dios. Pero esto es difícil de imaginar, especialmente teniendo en cuenta que en el Antiguo Testamento se describe a Dios como fuego, nube, voz y viento. Evidentemente, Dios no tiene el mismo aspecto que nosotros, por consiguiente, ¿qué significa eso de a imagen y semejanza de Dios?

La respuesta estriba en que hay una parte de nosotros que está hecha a su imagen y ésta es el alma. Cuando Dios nos creó, dotó nuestro cuerpo de un alma inmortal, a fin de que nos pareciéramos a la Trinidad: Padre, Hijo y Espíritu Santo.

Este acto nos ha elevado sobre todo lo demás en la creación, ya que nos ha dado la oportunidad de imitar la misericordia y compasión del Padre, la humildad de Jesús y el amor del Espíritu Santo.

Esto puede tener un aspecto complicado, pero es más fácil de lo que parece. Lo único que debes hacer es imaginarte un círculo que representa su alma y que está dividido en tres sectores distintos. Un pastel con sólo tres porciones. Las tres porciones forman el todo y cada porción, o facultad, corresponde a una persona de la Trinidad: Padre, Hijo y Espíritu Santo.

- Tenemos una memoria con una imaginación, que recuerda al Padre. En esta facultad poseemos la capacidad de misericordia y compasión.
- Tenemos un intelecto, que recuerda al Hijo. En esta facultad poseemos la capacidad de fe y de humildad.

Tenemos una voluntad, que recuerda al Espíritu Santo. En esta facultad poseemos la capacidad de amar.

Sé que éste es un tema del que se puede hablar e investigar hasta el infinito, pero con esta explicación simplificada del alma podremos ver de dónde emana el sentido de culpa.

La culpa tiene su origen en la memoria y en la imaginación. Cometemos un pecado, lo recordamos y nos sentimos culpables. Si experimentamos debidamente la culpa, el arrepentimiento nos permite volver a Nuestro Señor y recuperar la paz. Nos sentimos culpables porque recordamos una acción pecaminosa, pero nuestro intelecto nos dice que si nos arrepentimos y pedimos la misericordia de Dios, seremos perdonados. De este modo la culpa cumple un propósito, porque nos conduce de nuevo junto a Dios y a su perdón. El problema se crea cuando el intelecto no forma parte de la ecuación, y se desatan la memoria y la imaginación. La culpa adquiere proporciones irreales y uno comienza a acusarse a sí mismo de cosas de las que no tiene culpa alguna. Lamentablemente, esto ocurre con excesiva frecuencia, debido a que no confiamos en que la misericordia de Dios sea superior a nuestro pecado. Sigan conmigo y se enterarán de algo muy importante. Los sentimientos no son nocivos. Pero tampoco son confiables.

Cuando la memoria y la imaginación están sobrecargadas, perdemos de vista el tema que nos ocupa. Es como en aquellos receptores de televisión que solían tener tres botones, uno para el color, otro para el contraste y un tercero para la intensidad luminosa. Haciendo girar al máximo uno cualquiera de dichos botones se distorsionaba la imagen. Esto es precisamente lo que ocurre cuando una de estas tres facultades del alma se desequilibra con respecto a las demás. Obtienes una imagen distorsionada.

Después de cometer un pecado, tu memoria pasa a trabajar más de la cuenta. Has metido la pata. Le has mentido a tu cónyuge. Has ofendido a un viejo amigo. Has sido impaciente con tu padre. Si no permites que tu intelecto te informe de que Dios está dispuesto a perdonarte, tendrás graves problemas. Tu memoria jamás te permitirá que olvides tu pecado y es probable que tu imaginación lo exagere. En esta situación, tienes pocas probabilidades de curarte y de ser perdonado.

No me interpretes mal. Si has cometido un error, es probable que a causa de ello te sientas pésimamente. Pero no debes retorcer y corromper tu alma permitiendo que la memoria y la imaginación, prescindiendo del intelecto, te obliguen a revivir una y otra vez el pecado, adornándolo, y convirtiéndote en la personificación de la propia culpa. A tu parecer, eres incapaz de hacer nada correcto y todos tus actos son inadecuados y conducen al fracaso. No tardarás en convencerte de que no vale la pena intentar mejorar, ya que volverás a obrar erróneamente.

Permítanme que les ponga un ejemplo. Recibo muchas llamadas de personas que han perdido hace poco a uno o ambos padres. Sea cual sea su edad o la naturaleza de su relación, al parecer todo el mundo se siente culpable de la forma en que ha tratado a sus padres:

—Jamás le dije que lo quería.

—Me porté de un modo resentido y agresivo en los últimos años.

—Me ponía nervioso y me impacientaba con ella.

Todo el mundo lamenta lo dicho y lo no dicho.

A algunos de estos niños adultos les atormenta el hecho de haber mandado a sus padres a un asilo para ancianos, o el de no haberles llamado con la suficiente frecuencia, o el de no haberles visitado nunca. Su memoria y su imaginación los hacen revivir los momentos en que gritaron a su madre, con el agravante de que al recordarlo no era sólo gritar, sino ofender. Todo se distorsiona y olvidan el hecho de que no eran siempre desagradecidos, sino también hijos cariñosos. Su memoria y su imaginación no les deja libres para resolver su culpa con Dios, para arrepentirse del sufrimiento que puedan haber causado y permitir que Dios les otorgue su misericordia. Todo se convierte en una pérdida gigantesca, porque la memoria y la imaginación han adquirido un control absoluto y se impide que el intelecto ejerza su influencia en la voluntad.

Si uno se detiene para observarse a sí mismo, comprobará que no realiza progreso alguno.

Otro ejemplo es el de las madres que trabajan. No soy partidaria de aconsejar a las mujeres que emprendan una carrera por el simple hecho de hacerlo, especialmente cuando tienen hijos que las necesitan más que cualquier director, despacho de abogados o corporación. Pero si hay bocas que alimentar, es preciso trabajar.

¿Debe una sentirse culpable por el hecho de dejar a los niños en una guardería? Evidentemente nadie ofrecerá a tus hijos el amor y la dirección que tú, y sólo tú, puedes ofrecerles. Pero no tienes otra alternativa. Si dejas que tu memoria y tu imaginación se desboquen, sin dejar de pensar en ello día y noche, es probable que en los preciados momentos que compartes con tus hijos estés angustiada, triste, deprimida y que no les seas de gran utilidad. Pero si permites que tu intelecto y tu comprensión intervengan en la imagen, te darás cuenta de que así es como deben ser las cosas. No puedes hacerlo todo, pero Dios sí puede. Puedes pedir su ayuda a la hora de elegir la guardería, y rezar para que guíe y proteja a tus hijos, de modo que sean conscientes de tu amor y del suyo, aunque no puedas estar siempre con ellos.

El hecho de revolcarnos en la culpa no resuelve nuestros problemas ni nos conduce a la santidad. No es la voluntad de Dios que nos sintamos tan atrapados por nuestra culpa como para no ser capaces de aceptar su amor, el amor que perdona. Cuando nos sentimos culpables no escuchamos a Dios, nos escuchamos a nosotros mismos. Nuestras almas están desequilibradas. Estamos paralizados, congelados en nuestro camino espiritual. En lugar de aflicción y arrepentimiento, experimentamos los efectos de una imaginación excesivamente activa.

Culpable hasta que no se demuestre la inocencia

La comprensión de la culpa es un tema muy delicado, porque no existe ningún código que permita diferenciar claramente entre la buena y la mala culpa. Pero de lo que sí pueden estar seguros es de que una conciencia iluminada, que le empuja a uno a actuar correctamente, supone buena culpa. La culpa se convierte en mala cuando conduce al remordimiento, a la desesperación y al desprecio de uno mismo.

Nuestro objetivo debe ser que dejes de vivir al nivel de la memoria, si esto es lo que estás haciendo, y aprender a utilizar tus otras facultades debidamente. Es preciso que comprendas tú pecado y que utilices tu voluntad para emerger con mayor fuerza y santidad de la experiencia pecaminosa.

Una mujer que conozco, que ocupa con gran éxito un alto cargo ejecutivo, se divorció de su marido. Hacía unos quince años que Sue se había convertido al catolicismo, y es muy difícil para la mayoría de nosotros comprender la agonía y el sufrimiento que experimentaba al comprobar que su matrimonio se desintegraba. Pensad en lo que supone haber entregado la vida a Dios, con todo tu corazón y sin prejuicio alguno, y entonces tomar la decisión de poner fin a tu matrimonio. Sue experimentaba un dolor desgarrador, debido a su inmenso amor por Dios y a su incapacidad para discernir sí el fin de su matrimonio obedecía a falta de voluntad por su parte o al hecho de que el matrimonio en sí era inexistente.

A lo largo de tres años vivió sumida en la culpa y en la confusión, mientras ella y su marido intentaban reconciliar sus diferencias. Llegó a producirle tanto miedo la perspectiva de quebrantar su voto, que no podía trabajar. Se enfurecía con sus empleados y recurrió a la bebida. Pasaba las noches cavilando con la botella en la mano. Se convirtió en una reclusa. Por fin, se derrumbó el matrimonio.

Es difícil imaginar el tipo de dolor de aquella mujer. En este caso, su dolor, su culpa, era bueno y correcto, a pesar de que evidentemente no lo era el hecho de que se enojara con sus empleados o el de que recurriera a la bebida. Pero sabía que había ofendido a Dios y esto es algo positivo; la culpa que resulta de cualquier acción pecaminosa es correcta. Su culpa no procedía sólo de su memoria, sino también de su intelecto, gracias a lo cual era consciente de que quebrantaba el sacramento del matrimonio.

No dejaba nada a la imaginación. Sin embargo, le horrorizaba decepcionar al Dios a quien tanto amaba. Se encontraba en el limbo, hasta que se dirigió a la iglesia en busca de orientación.

Después del divorcio, Sue fue a hablar con su párroco.

—Padre—le dijo—, algunos días, cuando despierto por la mañana, me pregunto cómo me las arreglaré para llegar al fin del día. Con la ayuda de Dios, lo consigo. Pero el dolor de mi corazón es tan intenso, que lo siento literalmente—agregó golpeándose el pecho—. Estar con mi esposo era un error y sin embargo a veces me pregunto si es peor sentirme como lo hago ahora, como una vil mujer que ha traicionado su juramento, o del modo en que vivimos a lo largo de cuatro años, que era una burla del sacramento del matrimonio.

—Sue—le respondió el sacerdote—, Dios te perdona. Y de algún modo obtendrás un bien de todo esto. Pero es preciso que tú también te perdones.

La Iglesia decidió que la unión entre Sue y su marido no constituía en absoluto un auténtico matrimonio. Ahora Sue está casada de nuevo, tiene dos hijos y su actual matrimonio es indudablemente auténtico. Cuando Sue finalmente se dejó abrazar por el amor de Dios, comprendió que la providencia divina transforma el sufrimiento y el dolor en un bien superior.

Éste es un caso de culpa basado en un error. Todos cometemos constantemente errores que nos causan culpa. En general no suelen ser tan deplorables como el primer matrimonio de Sue. No obstante ocurren.

- Le decimos algo a un amigo que resulta excesivamente incisivo u ofensivo, con lo que le infligimos dolor.
- Olvidamos algún aniversario o cumpleaños y alguien se siente despreciado u olvidado.
- Prometemos a nuestros padres reunirnos con ellos para cenar y en el último momento anulamos la cita, haciendo que se sientan decepcionados y despreciados.

¿Por qué es beneficioso sentir culpabilidad en estos casos? Porque si nos sentimos culpables, es menos probable que repitamos el mismo error. Es de esperar que seamos más cautelosos al hablar con nuestros amigos. No olvidaremos el cumpleaños de nuestra hermana. Nos esforzaremos en cumplir nuestros compromisos.

Si no nos sintiéramos culpables en estas situaciones, nos convertiríamos en personas maleducadas, olvidadizas y descuidadas. Esta forma de culpabilidad a corto plazo nos enseña algo que nos permite progresar en nuestra vida espiritual. Es un tipo de culpa que no perdura; aprendemos de ella y seguimos avanzando. Es una culpa curativa, porque nos permite examinar nuestro error, corregirlo y volver a nuestra búsqueda de la santidad.

¿A quién ofendemos?

Cada vez que oigo que un psicólogo popular intenta eliminar la culpa porque no es «agradable», me siento algo trastornada. Esa ideología positivista del «bienestar» hace tanto hincapié en el yo, la persona, en lugar de Dios, el Padre, que cuando se nos presenta alguna dificultad en la vida, sólo sabemos interpretarla con respecto a nuestra capacidad de sonreír para solventarla.

Soy la primera en decir:

—¡Oye, tú importas! ¡Tú cuentas! ¡Eres fuerte! ¡Alegra esa cara!

Pero el caso es que lo que me importa es tu alma y no un rostro «sonriente». Y si crees que es mejor pretender que la culpa no existe en lugar de enfrentarte sinceramente a ella, cometes una locura.

No permitas que nadie te disuada de sentirte mal con respecto al pecado. Si en este momento te arrepientes, sé que mereces el perdón. Por otra parte, si has hecho algo horrible y no sientes ningún remordimiento, la posibilidad del perdón es bastante remota. No pretendo que conviertas la culpa en una vocación, pero sí que la uses con inteligencia. Debes permitir que Dios convierta tu ofensa en algo que a la larga te permita avanzar por el sendero de la santidad.

La culpa no es un castigo, sino la voz de la razón afligida. Amigo mío, al aceptar, en una compra, más cambio del debido, has actuado fraudulentamente. Ahora no dejarás de preguntarte: ¿Ha valido la pena por un dólar de más? O bien, amiga mía, al no mostrarte compasiva con el mendigo has sido egoísta. Ahora no te lo puedes quitar de la mente. ¿Ha valido la pena?

En ambos casos es perfectamente evidente quién ha sido el ofendido: la cajera y el mendigo, ¿no es cierto? Esto es casi cierto, pero tu acto habrá herido también a alguien más.

Ese alguien es Dios.

Nuestro Señor nos dice: «Por el hecho de hacerlo a uno de mis hermanos menos privilegiados, me lo has hecho a mí» (Mateo 25:40). Si el bien y el mal dependieran sólo de la gente directamente involucrada, podríamos justificar gran parte de nuestra deplorable conducta. Podríamos defraudar a los impuestos del IRS y afirmar que no perjudicamos a nadie; después de todo, ¿a quién le preocupa el IRS? O podríamos tomar cocaína y decir que nuestro hábito no tiene nada que ver con los demás; en todo caso, ¿no se trata de nuestro propio cuerpo? O podríamos atormentar a un anciano y asegurar que no es más que una broma; incluso es probable que esté demasiado sordo para oírnos.

¡Mentira! Cada vez que cometes una ofensa, ofendes y causas dolor a Dios además de a tu prójimo. Tu culpa es la voz de Dios que te dice: «Escucha, amigo, te estás descarriando. Tú lo sabes y yo lo sé. Hasta que pares y te arrepientas, el mundo y yo acarreamos el peso de tu pecado.» Ésta es la razón por la que debemos escuchar a Dios cuando permite que sintamos culpa por una mala acción o por un pecado de omisión.

—Pero, ¿cómo puede ser, madre? ¿Me está diciendo realmente que cada vez que peco, Dios se siente realmente ofendido?

Esto es exactamente lo que te estoy diciendo. Y es sumamente importante que lo comprendas. Tus actos pecaminosos acarrean consecuencias. Afectan a tu alma. Afectan a tu prójimo. Afectan al mundo. Y ofenden a Dios. Dios es la bondad en ti y llora cuando cometes errores, y es también la alegría en ti que se llena de paz cuando vives de acuerdo con su voluntad. Dios sabe todo lo que haces, lo que has hecho o lo que has dejado de hacer. Si has pecado, debes acudir a Él con toda confianza, porque es a Él a quien has frustrado. Además, Él es el único que puede realmente perdonarte.

Una gota de misericordia

La idea de herir a Dios es aterradora. Es difícil no ponerse un poco nervioso al pensar que tu insignificante conducta afecta al Creador del universo. La mayor parte del tiempo nos protegemos de esta verdad llevando una vida de apatía espiritual. Nos ocupamos despreocupadamente de nuestros quehaceres cotidianos, más preocupados por nuestro trabajo, el recibo de la electricidad y la ropa de verano, que de nuestra santidad. Demos gracias a Dios de que ni tú ni yo seamos Dios, porque si estuviéramos en su lugar, lo más probable sería que nos laváramos las manos de esas criaturas egoístas llamadas seres humanos. Pero nuestro Dios es todo amor. Y sólo se halla a un pensamiento de distancia, dispuesto a comprendernos, a aceptar nuestro arrepentimiento y a perdonarnos independientemente de lo que hayamos hecho.

Hace algunos años estaba en California preparando una conferencia, cuando decidí dar un paseo junto al mar. Me encanta el océano. Me asombra verdaderamente la obra que Dios realizó al crearlo, y cuando contemplo su poder en esa expansión aparentemente inacabable de agua y en el vaivén de las olas, siempre me entran ganas de jugar.

En esa ocasión vestía como de costumbre mi hábito franciscano de color castaño y al pasar junto a unos bañistas vi que me miraban perplejos. Conforme avanzaba por la playa, las chicas, que llevaban bikini, comenzaron a cubrirse una tras otra con sus toallas, hasta la barbilla, en una curiosa ola de recato. Cuando llegué a un punto que me pareció conveniente, me detuve como de costumbre a unos ocho o diez metros de la orilla y llamé a las olas para que se me acercaran. A mi entender pertenecían a mi Padre celestial, por lo que podía llamarlas si lo deseaba. Los bañistas me miraban como sí estuviera loca, pero no me importaba.

—¡Vamos, pueden hacerlo!—exclamaba.

Me sorprendió comprobar que una ola me había oído. De pronto vi que estaba a punto de ser sumergida por una de las olas más gigantescas que he visto en mi vida.

Quedé atónita, sin poder moverme.

—¡Corra, corra!—gritaba todo el mundo en la playa.

Pero con mi pierna ortopédica anclada firmemente en la arena no podía dar un paso.

De pronto la ola se estrelló a mis pies, empapando mis zapatos e incluso el dobladillo de mi hábito. Al levantar la mirada, vi que una gota diminuta se había depositado sobre mi mano. Era realmente hermosa. Brillaba como un diamante a la luz del sol.

La belleza de aquella minúscula gota me afectó tan profundamente que me sentí indigna de ella y ante mi propia sorpresa la devolví al océano.

Entonces mi extraña paz se vio interrumpida por la voz del Señor, que sentí que me decía:

—Angélica.

—Sí, Señor—respondí.

—¿Has visto esa gota?

—Sí, Señor.

—Esa gota es como tus pecados, tus debilidades, tus flaquezas y tus imperfecciones. Y el océano es como mi misericordia. Si buscaras esa gota, ¿podrías hallarla?

—No, Señor.

—Por mucho que la busques, ¿serás capaz de hallarla?

—No, Señor.

—En tal caso, ¿por qué sigues buscándola?—me dijo entonces en un susurro.

Aquel episodio del océano me enseñó algo fundamental. Creo que todos caemos en el error de rememorar nuestros pecados y nuestros fracasos, reviviendo nuestra culpa mucho después de haber sido perdonados. No nos damos cuenta de que cuando Dios nos ha otorgado su perdón, nuestros pecados han desaparecido para siempre. Son absorbidos por el océano de la misericordia divina. No tenemos por qué seguir preocupándonos de ellos, han sido tragados permanentemente por la misericordia infinita de Dios.

Es difícil asimilar nuestra culpa, arrepentirse, buscar el sacramento de la reconciliación y aceptar entonces plenamente el perdón de Dios. Créanme, en lo más profundo de mi corazón sé por lo que están pasando y comprendo el valor que se necesita para soportarlo. Pero no deben olvidar que la misericordia de Dios es tan amplia y generosa como su amor, profundo y personal. En este momento te está mirando, sí, a ti, y sus brazos están completamente abiertos. Si puedes entregarle a Dios tu culpa, como le entregas tus pecados, estarás curado.

Curación y crecimiento

«Arrepiéntete.» Dios pide muy poco. Y sin embargo es muy difícil saber lo que hay que hacer cuando nos fatiga nuestra propia culpabilidad. En los últimos diez años he asesorado a muchísimas mujeres que, después de abortar, acudieron a mí aturdidas, angustiadas y desamparadas, todas ellas asoladas al darse cuenta de que habían arrebatado una vida humana y sin saber qué hacer para remediarlo.

Creo que la culpa de haber abortado es uno de los dolores más severos que una persona puede experimentar. Recuerdo una carta que me mandó una mujer de Michigan:

Madre, usted no lo recordará, pero hace cuatro años la llamé para pedirle que me salvara la vida. Había intentado suicidarme dos veces y una amiga me sugirió que la llamara.

Sólo tardó un par de minutos en llegar a la esencia del problema. Había tenido dos abortos en el espacio de seis meses. Cuando se lo dije, sé que su disgusto fue tan grande como el mío. En todo caso, no creo que recuerde nuestra conversación, pero me dijo algo curioso. Me dijo que no estaba sola y que seguía teniendo dos hijos, aunque hubieran pasado a mejor vida.

Me dijo que le diera un nombre a cada uno y que les pidiera que rezaran por mí. Me pareció que su idea era muy ridícula, pero en todo caso no tenía nada que perder. Hice lo que me sugirió. Con el transcurso del tiempo, comprendí que mis hijos no estaban perdidos, sino que habían sido creados y amados por Dios, aunque hubieran dejado de estar en este mundo.

Dos años más tarde me casé con un hombre maravilloso y el mes pasado di a luz una niña. La hemos llamado Mary Michael. Madre, le enviamos el aviso de nacimiento. Sé que mi amor por ella es de una profundidad que jamás podía haber tenido de no haber sido por el perdón y el poder de curación de Dios. He intentado prevenir a otras mujeres contra el aborto y seguiré luchando contra el mismo con el creciente amor por Dios y por la vida que usted me ha ayudado a encontrar.

Esta mujer había experimentado una curación extraordinaria por parte de Dios, mediante el sacramento de la reconciliación. Había sufrido una tremenda culpa y remordimiento a raíz de sus abortos y había pedido a Dios su ayuda y su perdón. Se había arrepentido de sus pecados y ahora estaba sana, provista de una alegría y una comprensión superior a la de la mayoría de la gente en la actualidad. No enmascaraba sus pecados. Con la gracia de Dios, había superado su culpa.

¿Qué he hecho?

Se oye hablar mucho de la «culpabilidad de los católicos», pero a juzgar por las llamadas y cartas que recibo, sé que definitivamente los católicos no tenemos la exclusiva en el mercado. También sé que en estos momentos se alberga mucha culpa en el corazón de los homosexuales, que parecen aumentar en número y en aflicción.

Discrepo de la gente que no sabe distinguir entre la persona, que es una creación de Dios, y la conducta, que es una función de la voluntad. Los numerosos homosexuales a quienes hemos asesorado se sienten tremendamente culpables, con una culpabilidad generada únicamente por la memoria y la imaginación. Este tipo de culpa confunde la realidad de una personalidad y un carácter homosexuales (la persona) con la conducta de la misma, que es claramente pecaminosa.

Si eres homosexual, eres portador de una cruz singular. No puedo ofrecerte mejor explicación para ello que por el hecho de que yo tenga que usar un artefacto ortopédico en la pierna y en la espalda. Como tampoco por el de que haya gente propensa al alcoholismo. O por el hecho de que Jesús, el hijo de Dios que vino a vivir entre nosotros, tuviera que sufrir los insultos, la humillación y el dolor que padeció.

No debes sentirte culpable de tu cruz. No debes tener vergüenza. Eres un ser humano, creado a imagen y semejanza de Dios. Tu cruz resulta ser la de la homosexualidad. Pero debes darte cuenta de que es una cruz. Debes soportarla como tal y no como estilo de vida o como justificación para el pecado.

Por muy arraigada que esté tu homosexualidad, no constituye una autorización para la actividad homosexual. La conducta homosexual es pecado. No forma parte del plan de Dios. Debes rezar para tener la inmensa fuerza necesaria que te permita ser fiel a Dios y acarrear tu cruz con la misma aceptación y resignación que Jesucristo.

Si eres homosexual, quiero que sepas que rezo por ti todos los días. Rezo para que te liberes de tus sensaciones y de tu culpa, para que llegues a discernir la presencia de Dios en tu vida y para que tu voluntad siga adquiriendo la fuerza necesaria para resistir a la tentación.

No existe modo alguno en este mundo para que puedas vencer por tu cuenta la tentación de la actividad homosexual. No lo lograrás sin la ayuda de Dios. Ésta es la razón por la que creo que Dios tiene un amor muy especial por ti, ya que sabe que la única forma de hallar la paz, la paz eterna, consiste en acudir finalmente a Él.

Consuélate con las palabras de San Pablo:

> No es que haya alcanzado todavía la perfección; todavía no he vencido, pero sigo luchando, intentando capturar el premio para el que Jesucristo me ha capturado. Puedo asegurarles, hermanos míos, que estoy muy lejos de creer que ya haya vencido. Sólo puedo decirles que olvido el pasado y avanzo hacia lo que todavía está por llegar; corro hacia la meta, en pos del premio que Dios nos ha llamado a recibir de Jesucristo (Filipenses 3:12-14).

Con Dios puedes triunfar y llevar tu cruz con una dignidad ejemplar para todo el mundo.

Que he dejado de hacer

En los estudios recibimos llamadas de personas de todas las edades y niveles de educación, de todas las razas, colores y creencias. Pero a pesar de todas las diferencias aparentes, hay ciertos sufrimientos y aflicciones de los que nadie parece librarse. La mayoría de la gente llama o escribe debido a su incapacidad para convertir a Dios en algo real en su vida; Nuestro Señor parece carecer de importancia para ellos. También recibimos llamadas relacionadas con las crisis de la vida cotidiana: divorcio, niños rebeldes, alcoholismo, drogadicción, muerte, soledad, adulterio y preocupaciones financieras. A muchos les gusta hablar de teología. (Por ejemplo, ¿por qué adoran los católicos a la Virgen María? Respuesta: no lo hacemos. Pedimos a la Madre de Dios que ruegue por nosotros.)

Sin embargo, uno de los mayores problemas que he observado a lo largo de los últimos años es la tendencia por parte de muchos cristianos, generalmente muy devotos, a quedar atrapados en el «perfeccionismo». En su mayoría suelen ser mujeres, pero también recibimos una cantidad considerable de llamadas de hombres.

Esas personas se hallan en una situación en la que sufren una enorme culpa, por el simple hecho de no ser perfectos. Por consiguiente, se sienten «perfectamente culpables».

Muchas de ellas son las «heroínas» sobre las que leemos en libros y revistas. Pretenden abarcar, entre otras cosas, la familia, su carrera, las actividades de la Iglesia y obras de beneficencia. Intentan preparar una conserva casera con una mano, mientras le vendan el codo a su hijo con la otra, sin dejar de hablar de negocios por teléfono. Al no poderlo hacer todo, se sienten culpables.

Los otros son los «héroes», que no suelen llamarnos con tanta frecuencia, pero que existen por todas partes. Llegan a su casa por la noche después de un largo día de trabajo, cenan, juegan a la pelota con sus hijos, asisten a alguna reunión de la comunidad, regresan y charlan un rato con su esposa, hacen algunos trabajos que se han traído del despacho y se preguntan por qué les entran ganas de estrangular al primero que los interrumpe. Otra vez, se sienten culpables.

Nuestra misión en la vida no es el perfeccionismo, sino la santidad. Dios no quiere que te sientas culpable por no poder hacerlo todo. En realidad, el perfeccionismo es una forma de soberbia, porque significa que uno no se acepta a sí mismo y sus limitaciones. Hay gente que se ve atrapada en el síndrome del «héroe». Otros empiezan a atormentarse a sí mismos con respecto a su propio temperamento o personalidad, y cuando no logran alcanzar su ideal, que es lo que suele ocurrir, les invade la culpa, la depresión y, algunas veces, la desesperación. La única persona a quien no debes defraudar es Dios. Si lo defraudas a Él, debemos sentirnos culpables. Pero el hecho de no alcanzar algún nivel arbitrario de perfección es una bobada. Se han equivocado de camino.

El camino correcto

Si confías en Dios y en su misericordia, tu culpa no será más que un escalón en el camino de la santidad. No te quedarás allí atrapado, porque sabes que Dios te impulsará para que sigas avanzando por tu camino. Si no miras atrás, mirarás adelante. Comprenderás lo que puedes hacer ahora. Serás testigo de la bondad y de la gloria de Dios.

Cuando siento que se apoderan de mí la culpa y el desaliento, pienso en San Mateo, cuando era recaudador de impuestos y se encontró por primera vez con Jesucristo.

Como bien saben, Mateo no era un santo antes de su conversión. Tenía su propia teoría matemática: diez para el César, veinte para Mateo ... diez para el César, veinte para Mateo. Allí estaba ese hombrecito egoísta, engañando doblemente a la gente, mientras contaba alegremente su recaudación en el mercado, cuando llegó Jesús.

—Sígueme—se limitó a decirle Jesús (Mateo 9: 9).

Cuando Mateo se percató de su presencia, Jesús lo miró fijamente a los ojos. En aquel momento, el recaudador de impuestos se convirtió. En el momento en que Jesús lo llamó, Mateo sabía que no era más que un indigno pecador. Y ésa fue la razón por la que Dios lo eligió; Jesús sabía que estaba dotado de un alma tan simple y de una capacidad tan inmensa de amar, que reconocería inmediatamente su pecado, aceptaría el perdón de Dios y seguiría al Señor a una vida de gran santidad.

La mayoría de nosotros tardamos toda una vida en aprender lo que Mateo aprendió en un instante, y eso es que la misericordia de Dios es mayor de lo que somos capaces de imaginar. Mateo no se excluyó a sí mismo de la misericordia de Dios. No pretendió ser algo diferente a lo que era, un recaudador de impuestos y un despreciable estafador. Tuvo la humildad de arrepentirse y de aceptar el perdón. Y esto es exactamente lo que deberíamos hacer con nuestra culpa.

El alma es algo asombroso. Cuando está perfectamente equilibrada, nuestra memoria es capaz de recordar todos nuestros actos, buenos y malos, nuestro intelecto nos informa de la reacción de Dios ante los mismos y nuestra voluntad ejecuta la respuesta encaminada a la santidad. Cuando experimentamos una culpa de origen espiritual, reaccionamos con remordimiento ante la realidad del pecado que hemos cometido. Pero, como cristianos, vamos más allá. Nos arrepentimos con humildad, pedimos perdón y sabemos que Dios, con su infinita misericordia, nos librará del pecado.

Tus pecados son como gotas de agua en el océano de la misericordia de Dios. No son nada, a no ser que decidas agarrarte a ellos y permitir que dominen tu vida. Entrega los pecados a Dios. Si eres católico, confiésate y recibe el sacramento de la reconciliación; te asombrará la gracia y la curación que entrarán en tu alma.

- Si has ofendido a alguien, dirígete a la persona ofendida y pídele que te perdone, y luego pide a Dios que los cure a ambos.

- Si te estás atormentando por un pecado del pasado, pide a Dios que te dé su perdón y la fuerza y sabiduría necesarias para perdonarte a ti mismo.

- Si estás involucrado en una situación pecaminosa, pide a Dios la fuerza necesaria para salirte de la misma y suplica su misericordia para tu alma.

Como John Henry Newman observó, vivir es cambiar; y para entrar en el reino de los cielos, a menudo debemos cambiar. La culpabilidad precipita el cambio, que es nuestra transformación a la santidad. Ninguno de nosotros puede ser un peregrino espiritual sin lanzarnos a la vida que Dios nos ha dado y a veces pecamos. Pero el hecho de saber que hemos pecado es una gracia. La culpa que sentimos por nuestros pecados es la mano de Dios que abre con ternura nuestros ojos, de modo que con nuestro propio libre albedrío podamos regresar a nuestro camino de santidad.

Dios perdona y olvida.

Arroja tu culpa al océano de su misericordia.

Capítulo siete

¿Cómo puedo perdonar a alguien que tanto me ha hecho sufrir?

Una tarde llegó a nuestras dependencias un joven que deseaba hablar conmigo. Al parecer, él y su esposa, después de tres años de matrimonio, no se llevaban bien. Su relación consistía en una sucesión de confusiones, y si no se hacía algo para solucionarla cuanto antes, iban de cabeza al divorcio. Pasó más de una hora conmigo, hablándome de sus infortunios, admitiendo que pasaba demasiado tiempo en el despacho y que a veces no daba a su esposa la importancia que merecía.

—¿Por qué no se limita a disculparse con su esposa y le regala una docena de rosas rojas?—le dije finalmente—. Estoy segura de que lo perdonará y todo marchará sobre ruedas.

—¡Rosas!—exclamó—. ¿Está usted loca? Creerá que la abandono.

—Escúcheme—insistí—, conozco a las mujeres. He hablado con muchas esposas y le aseguro que las rosas casi siempre funcionan.

—Puede que usted conozca a las mujeres, madre Angélica, pero no conoce a mi esposa. Lo intentaré, pero si me meto en un lío tendrá que sacarme de él.

Transcurrida más o menos una semana, había olvidado lo de aquel joven y las rosas, cuando llegó a nuestras oficinas una joven muy elegante, diciendo que deseaba hablar con la madre Angélica.

Se trataba de la esposa de aquel joven.

—Tengo un problema ...—comenzó a decir.

A continuación me habló de sus desventuras, de los peligros de vivir con un marido «mujeriego» y de las farsas y mentiras que tenía que soportar todos los días.

—Si será farsante—exclamó indignada—, que incluso ha intentado aplacarme con rosas. Estoy segura de que tiene una amante.

Válgame Dios, pensé.

—Escúcheme, querida—le dije—, yo soy la otra mujer en su vida y he hecho todo lo posible para que se porte como el marido que está destinado a ser. Lo de las benditas rosas fue idea mía. Ahora pienso que habría sido mejor que le hubiera dado con ellas en la cabeza, porque usted es incapaz de aceptar sin recelo un acto de amor. Le dije a su marido que le pidiera perdón por haber dedicado demasiado tiempo al trabajo y no haberle prestado suficiente atención a usted. Sin embargo, ahora me doy cuenta de que es usted quien debe pedirle a él que la perdone. Si desea salvar su matrimonio, vaya corriendo inmediatamente a su casa y confíe en que su marido tenga más paciencia que yo.

Para ciertas personas, el perdón es lo más difícil de este mundo. Preferirían sacrificar una amistad, su matrimonio o incluso su propia salvación, antes de decir «lo siento», o «usted perdone». Todos conocemos casos de rivalidades que jamás han sanado, de países que no han llegado nunca a entenderse y de personas ofendidas que se niegan a encontrarse a medio camino con el transgresor. En una sociedad cuyos valores son el poder, el control y la supremacía, esta conducta es normal. Mucho hablar de amor fraternal, pero el problema es que nadie quiere pasar por «débil». Nadie está dispuesto a permitir que alguien lo domine y se salga con la suya. Olvidamos que hay justicia en este mundo y en el próximo. Nos estremecemos ante la perspectiva de ser la víctima, de que alguien se aproveche de nosotros, o de que se nos tenga lástima. El hecho de decir «te perdono» equivale a reconocer «me has superado», y no estamos dispuestos a admitir que alguien haya llegado a herir nuestros sentimientos.

Si esta actitud les parece curiosamente machista, están en lo cierto. Además, no sólo los hombres se ven atrapados en este tipo de actitud. El cristianismo no es una religión machista. Los cristianos estamos llamados a tener valor, el valor necesario para honrar la extraordinaria petición de Dios de que perdonemos incluso en pleno sufrimiento. Es un mandamiento aterrador.

Si alguien te ha ofendido gravemente, sé que experimentas una terrible tortura en tu corazón. Esta tortura puede ser aliviada, perdonando a la persona que te ha ofendido. Sospecho que, a tu entender, el perdón es algo distinto a lo que realmente es: un sentimiento, el fin de tu dolor, una especie de entierro. El perdón no es ninguna de estas cosas. Sin embargo, lo que el perdón logrará será eliminar la tortura de tu corazón e infundirte una nueva dignidad cristiana, cuya intensidad puede que no hayas conocido jamás.

La ofensa

Puede que la dignidad cristiana parezca atractiva desde un punto de vista intelectual, pero si en estos momentos eres víctima de una traición, una mentira, un engaño o una decepción, puede que te parezca una pequeña consolación. No lo es. La verdad es que el cristianismo es la consolación definitiva, la consolación del propio Dios, y si tu herida es profunda, sólo Él será capaz de curarla.

Te ruego que de momento guardes tus emociones en algún cajón del trastero, para que puedas comprender lo que Dios tiene previsto para ti. Si te enfocas en su sabiduría y en el amor de su Hijo, comenzarás de nuevo a ver con claridad. Créeme, sé lo que estás pasando, porque a lo largo de muchos años tuve gran dificultad en controlar el dolor y el perdón, y hubo momentos en los que creí que realmente no lo conseguiría. Pero te aseguro que Dios no te abandonará.

Ahora me doy cuenta de que, curiosamente, mi madre me enseñó todo lo que sé sobre amor y perdón. Hubo muchos malentendidos y disgustos entre nosotras. Pero cada vez que nos partimos mutuamente el corazón, permitimos que Dios lo remendara. Confiábamos en Él todos los días para nuestra supervivencia espiritual, para que nos mantuviera unidas, intercambiando palabras y amor, y jamás nos abandonó. Pero no creas que fue fácil. Nuestro amor era doloroso la mayor parte del tiempo.

Mi madre era una Santa mujer, pero no era feliz. Recibía con facilidad el amor de Jesucristo, pero era incapaz de aceptar el de su prójimo. De algún modo, yo encajaba en la segunda categoría. A lo largo de los años, como hija suya, intenté convencerla de que la quería, comprándole regalos y escribiéndole notas que creí que la agradarían.

Pero nunca era así. A los doce años comencé a ahorrar un dólar por semana, hasta un total de cincuenta y dos dólares, para comprarle un hermoso broche. Me lo guardaban en una tienda y todas las semanas iba a admirarlo, anticipando su cumpleaños. Llegó el día de la celebración y con mucha ceremonia le regalé el broche. Susurró algunas palabras relacionadas con el gusto de mi padre y eso fue todo.

Estaba desolada. Por alguna razón, la historia del broche era superior a mis fuerzas. Reviví mentalmente el incidente una y mil veces, como una obra en tres actos. Lo analicé, lo diseccioné, lo descuarticé y volví a recomponerlo. Reviví mis emociones, la ira y el tremendo dolor de su comentario. Por fin intenté deducir sus motivos. ¿A qué se debía que su actitud fuera tan crítica acerca de mi gusto? ¿Por qué había elegido aquel día para actuar con tanta frialdad conmigo? ¿Le había desagradado siempre mi gusto? ¿Había hecho o dicho algo que la había ofendido?

Mi memoria se había apoderado por completo de la situación y mi actitud en cuanto a comprar regalos para los demás había quedado afectada para siempre. Ya hemos hablado de la memoria, del intelecto y de la voluntad, las tres partes del alma que corresponden al Padre, al Hijo y al Espíritu Santo. Cuando uno se siente ofendido, la memoria y la imaginación pueden inundar de dolor el alma, repitiendo situaciones y confrontaciones, haciéndole a uno desear que hubiera dicho o hecho eso o lo otro. Este ataque infructuoso sepulta el intelecto y la voluntad en el polvo de la pasión. Uno puede obsesionarse con el dolor de un suceso y perder de vista la respuesta cristiana a la situación.

Cuando mi madre criticó el broche que le había regalado, mi intelecto se tomó unas vacaciones y mi memoria comenzó a generar distorsiones. Era como un proyector de películas viejo de ocho milímetros que hubiera quedado encallado en un cuadro determinado, mientras el resto de la película, mi vida, se perdía en el aire. San Pablo dice que debemos perdonar antes de la puesta del sol: «No permitas jamás que el sol se ponga en tu ira ya que de lo contrario facilitarás al diablo un punto de anclaje» (Efesios 4:26-27). Sin embargo, yo me aferré a mi dolor unas cuantas semanas. Éste fue el tiempo que tardé en superar mi sufrimiento. Pude comprender que mi madre no pretendía lastimarme. Ni siquiera se le había ocurrido que su inexistente gratitud para con mi regalo me había causado sufrimiento. Pero en aquella época no tenía ni idea de lo que era el perdón, ni de qué esperar del mismo. Y creo que mucha gente se encuentra en la misma situación.

El perdón no es un sentimiento

El perdón no es un remedio momentáneo, ni una forma de «sentirse bien de inmediato». No lo hallarás en ningún texto positivista de curaciones para todo, ni en ninguna de las películas de formación para los que quieren tener éxito en el mundo. No los librará del dolor inicial. Así pues, si sufres, no esperes que la angustia desaparezca como por arte de magia en el momento en que digas «te perdono». El perdón no siempre es un sentimiento.

Sé que hay mucha gente que cree que en el momento en que diga las palabras mágicas «te perdono», todo quedará olvidado, como si el perdón aportara una especie de bendita amnesia espiritual. Me temo que éste no es el caso. Hay cosas en esta vida que jamás olvidarás. Conocemos a un economista que, una mañana, cuando estaba sentado tranquilamente tomando su desayuno y leyendo el periódico, como lo había hecho todos los días de su vida, un puño furioso se abrió paso por la página de deportes y se estrelló contra su nariz. No le gustaba llevar las de perder en un combate de boxeo, pero más que nada quedó atónito. El puño pertenecía a su tierna esposa.

—¿Qué diablos estás haciendo?—le preguntó con incredulidad.

—Acabo de recordar algo que hiciste hace veinte años —respondió.

Todos somos capaces de recordar algún hecho de antaño que nos causó sufrimiento. Pero esto no significa que no lo perdonáramos, sino que la memoria no olvida. De lo que debemos asegurarnos es de no explayarnos, o repetir la escena, cuando recordemos el incidente.

También hay quienes creen que el perdón no es «real» si no va acompañado de sonrisas, abrazos y besos cuando se ofrece. Esto es un gran error, que impide a muchos ser verdaderos cristianos. Si alguien ha obrado mal contigo, no es preciso que pienses que es una persona maravillosa por haberlo hecho. Puedes sentir desprecio por lo que te ha hecho, y decírselo. Puedes decirle que ha sido una marranada, que te ha sentado muy mal y que lo perdonas a pesar de todo. El Señor nos pide que perdonemos, pero jamás nos ha pedido que deseemos hacerlo. Debes decidir perdonar, del mismo modo en que decides amar. Ni lo uno ni lo otro tiene por qué brotar espontáneamente y si esperas que aparezca en ti el instinto natural de perdonar, esperarás mucho tiempo.

Como cristianos, no perdonamos porque nos sintamos mejor o porque sea agradable, sino porque es difícil. Esa dificultad que experimentamos para que de nuestro corazón emerja el auténtico perdón, nos asemeja a Jesucristo.

El perdón es el primer paso en la larga senda de la curación. Permite que el ofensor y el ofendido se recuperen espiritualmente del mal cometido. Al fin del camino, el ofensor será capaz de arrepentirse y el ofendido de imitar a Jesús.

El perdón no es un atajo para alcanzar la felicidad, sino una larga senda que conduce a la alegría. Si te duele el corazón, hoy mismo puedes decidir curarte con el poder de la gracia de Dios, por medio del perdón. Probablemente jamás dejarás de preguntarte por la razón de tu sufrimiento, pero no volverás a preocuparte de ello. A fin de cuentas, por extraordinario que parezca, acabarás dando gracias a Dios por ofrecerte la oportunidad de parecerte a su Hijo.

La senda del perdón

Cuando comenzamos a aceptar llamadas en directo en la EWTN, nuestros televidentes se dieron cuenta de una cosa que nosotras ya sabíamos desde hacía mucho tiempo: existe una cantidad enorme de sufrimiento en el mundo. Hay algo que da serenidad y que conmueve en el hecho de escuchar las dificultades de otros seres humanos, y al intentar discernir la santidad y la bondad en todos nuestros actos, aprendemos a ver a Dios en todas las cosas, tanto las alegres como las tristes. A veces es sobrecogedor. Cuando creemos haber oído la historia más conmovedora que jamás se ha contado, suena de nuevo el teléfono, o llega una carta, o alguien llama a la puerta y nos enteramos de algo todavía más agonizante. De vez en cuando las monjas tienen sus momentos de esparcimiento, pero pasan la mayor parte del tiempo rogándole a Dios que cure los corazones destrozados y los espíritus heridos que necesitan su gracia, y que perdone a aquellos que sin pensar lo han ofendido a Él y a sus hijos.

Puede que tu herida sea reciente y que tu dolor y tu ofensa estén perfectamente justificados.

- Puede que tengas un hijo o una hija por quien te hayas sacrificado durante muchos anos y que ahora haya huido del hogar, o se esté destruyendo la vida abusando de las drogas, del sexo o del alcohol.
- Puede que después de haberte entregado con todo tu corazón y alegría a tu matrimonio, tu cónyuge te abandone ahora por otra persona.
- Puede que después de haber confiado plenamente en tu socio de la empresa, ahora descubras que ha estado robando los fondos de la misma.
- Puede que le hayas confiado algo importante a tu mejor amigo, y ahora descubras que ha violado tu confianza.

✎ Puede que seas una joven que al quedar embarazada ha descubierto que su novio «ha dejado de quererte».

¿Qué haces en estos casos en los que tu dolor está perfectamente justificado? ¿Cómo reaccionas cuando estás tan seguro de estar en lo justo que te explayas en tu ira, tu resentimiento y tu desdén?

Procura pensar y actuar como Jesucristo. En el caso, por ejemplo, de que recientemente alguien te haya herido, debes resistir tu inclinación natural a compartir la tragedia con todos tus amigos y parientes, las personas que están «de tu lado». Jesucristo confiaba sus secretos a su Padre y la suya es una gran lección para todos nosotros. Divulgar, el dolor no contribuye a aliviarlo, y si se supiera la verdad, en la mayoría de los casos sólo se consigue aburrir a la gente o amargarles la vida. Lo peor del caso es nuestra tendencia en estas ocasiones a desahogarnos con personas que nos ofrecen un consuelo peligroso y consejos a corto plazo, que suelen alejarnos de la reconciliación y acercarnos al abuso, al resentimiento y a la amargura.

No estoy sugiriendo que no debas confiar en nadie, sino que tengas mucho cuidado antes de dirigirte a alguien en los momentos de dolor. Busca la orientación de personas cuya sabiduría y prudencia te ayuden a formular una respuesta verdaderamente curativa para ti y para tu opresor a largo plazo. Puede tratarse de un sacerdote, un pastor, un rabino o un buen amigo espiritualmente receptivo.

El caso es que ahora te encuentras en una situación peligrosa. Has sido realmente ultrajado y tu indignación puede conducirte al enojo y al deseo de venganza. La verdad de la injusticia hace que te sientas seguro en tu odio. La gente te conducirá por el camino del resentimiento, alentándote hacia tu propia destrucción. De pronto te verás atrapado en la situación de «saldar cuentas». Qué duda cabe de que nadie te desea ningún mal. En realidad, todo el mundo creerá que te está ayudando a recuperarte. Pero, en el fondo, lo que ocurre es que pierdes tu habilidad de discernir lo bueno de lo malo, eludiendo la difícil pero necesaria respuesta cristiana. Como consecuencia, fuere cual fuese tu herida inicial, ahora habrá empeorado considerablemente porque habrás sucumbido a la tentación de odiar.

Entretanto, otro peligro que crea el hecho de buscar el apoyo de los amigos cuando alguien te haya ofendido, consiste en la probabilidad de que la persona que te haya ofendido acabe por enterarse del problema por mediación de uno de tus amigos. A veces ocurre porque éstos intentan ayudar a disimular la situación, pero lo único que hacen es acrecentar el problema.

Supongamos que tú y yo hubiéramos discutido. Cada uno por nuestra cuenta se lo contamos a dos o tres personas, y ellos a su vez a otras dos o tres personas, como en el juego infantil del «teléfono». Cuando tú y yo volvamos a enterarnos de la noticia, con toda probabilidad habrá crecido desproporcionadamente.

El problema no es tu enojo momentáneo, sino el resentimiento y la amargura que maduran a largo plazo. Un amigo te ofende y te limitas a desechar su amistad, sin llegar jamás a averiguar lo que realmente ha ocurrido. Tu hija te dice algo en un momento de enfado y te limitas a no hablarle durante unos días. Tu marido no coopera en las labores domésticas y en lugar de pedirle que te ayude, andas enojada de un lado para otro.

Cuando vas por el camino del perdón, eludes estos sentimientos autodestructivos y esta conducta vengativa y los sustituyes por un esfuerzo objetivo y determinado de amar. Impides que tu corazón se endurezca y evitas convertirte en un ser humano cínico e insensible. Tu camino es la senda de Jesús y no la de tus propias emociones. Y cuando alcances un estado de auténtico perdón, tu corazón se abrirá a la compasión y a la comprensión.

Parte de tu dolor jamás desaparecerá. Se convertirá en tu cruz oculta, conocida sólo por Dios y por ti. Ésta es la cruz de Jesucristo. Como cristianos, somos portadores de cruces porque amamos a Dios y anhelamos vivir en su santidad y en la luz de su Hijo. No tenemos afán de ser castigados. Nuestra vida no es una especie de prueba de resistencia espiritual, diseñada para comprobar la cantidad de castigo y humillación que somos capaces de soportar del mundo antes de caer en la desesperación. Sin embargo, aceptamos la responsabilidad de proyectar al mundo el amor de Jesús. Y parte de esta responsabilidad nos llama a aceptar lo que se cruce en nuestro camino, con un despego amoroso.

Perdonamos a los demás porque Dios nos perdona a nosotros. Nos resulta sumamente difícil comprender el auténtico significado de su perdón. Al oír las palabras de Jesús: «Padre, perdónalos porque no saben lo que hacen» (Lucas 23:34), nos colma la misericordia de ese Dios que pidió a su Padre que perdonara los pecados de sus hijos, no sólo de que los excusara o los ignorara, sino de que les otorgara su pleno perdón. A veces llega realmente a asombrarme el pensar en el amor del Hijo de Dios que, clavado en su tosca cruz, con el cuerpo ensangrentado y un insufrible dolor, levantara su cabeza y pidiera que aquella gente estúpida, cruel e ignorante, que no habían querido escucharlo y que no creían en Él, fueran a pesar de ello perdonados.

El perdón de Jesucristo no eliminó su dolor, ni tu perdón eliminará el tuyo. Pero el perdón de Jesucristo manifiesta la pureza de su alma ante el Padre y hace merecedores del perdón a sus muchos seguidores, al ladrón crucificado, al centurión y a la gente de todos los tiempos.

Puede que ni tú ni yo lleguemos jamás a comprender en esta vida por qué Dios le permitió a su Hijo sufrir tanta brutalidad y humillación. Tampoco llegaremos a comprender plenamente por qué Dios permite que suframos tantas injusticias en esta vida. Cuando alguien me pregunta cosas tan difíciles como: «¿Por qué ha sido asesinado mi hijo de seis años? ¿Qué bien puede salir de un acto como éste?», o «¿Cómo puede Dios haber permitido que mi marido abusara sexualmente de mi hija?», me veo obligada a responder que no lo sé. No puedo prometerles que jamás lleguen a comprenderlo en esta vida. Pero puedo afirmar con toda certeza, por atroz e incomprensible que parezca, que lo comprenderán en la próxima y darán gracias a Dios por todo aquello que les haya hecho sufrir en esta vida. Agradecerán a Dios la oportunidad de perdonarse los unos a los otros y de crecer en semejanza de su Hijo.

No juzgues

Cuando se me hace difícil perdonar a alguien, le pido a Dios que me ayude a comprender que sea lo que sea lo que me haya hecho, Él me ha perdonado cosas mucho peores. Si experimentas algún tipo de agonía y no crees poder hacerte todavía con el valor necesario para perdonar, pide la ayuda de Dios para que te recuerde la inmensidad de la misericordia que Él personalmente te ha otorgado.

Esto no es exactamente pan comido. Cuando alguien nos ha insultado, nos ha puesto en ridículo o se ha aprovechado de nosotros, no es lo más común brindarle una generosa sonrisa y pensar: «Bueno, pues qué le vamos a hacer, yo mismo he hecho cosas mucho peores en mi vida y Dios siempre me ha perdonado. Me limitaré a decirle a esa persona que la he perdonado y que no vuelva a pecar.» Por lo contrario, ardemos de ira, vergüenza o desesperación. Lo que deseamos es arrojarle huevos o darle un buen porrazo. Éste es el momento de recordar aquellas palabras literales del padrenuestro: «Y perdona nuestras ofensas, así como nosotros perdonamos a los que nos ofenden.»

«Así como, nosotros perdonamos a *los que nos ofenden.*» Un trato es un trato. Cuando perdonamos a nuestro prójimo, debemos adoptar una actitud compasiva. Jesús nos dice: «Sed compasivos como lo es vuestro Padre. No juzgues y no serás juzgado; no condenes y no serás condenado» (Lucas 6:36-37). Cuando no perdemos de vista la realidad de nuestros propios pecados, no nos apresuramos a odiar a quienes han pecado contra nosotros.

La compasión casi siempre emerge de haber vivido «la misma situación». Una mujer que haya padecido la agonía del divorcio, no se apresura en juzgar los defectos de otro matrimonio. Un hombre que se haya arruinado en los negocios, no desprecia a otro con dificultades financieras. Si has experimentado algún tipo de dificultades, estarás mejor preparado para comprender los pecados y los fracasos de los demás. Pero ninguno de nosotros lo ha vivido todo. Y cuando perdonamos a los demás, debemos ofrecerles nuestra compasión, hayamos o no vivido su caso. Cuando somos lo suficientemente humildes para darnos cuenta de que es la gracia de Dios, no nuestra proeza, nuestra disciplina o nuestra bondad innata, lo que nos impide ser más perversos de lo que podamos haber sido, podemos abrir nuestro corazón a quienes más lo necesitan.

Algunos de nuestros cámaras y técnicos de producción fueron a la ciudad de Nueva York hace muchos años para entrevistar a la madre Clara Hale, una Santa mujer que cuidaba de los hijos de madres drogadictas. Un par de técnicos, que visitaban Manhattan por primera vez en su vida, quedaron horrorizados al llegar a Times Square (¡acuérdense que eran los 80!).

—Le costaría creerlo. Vendían droga en la acera y el sexo y el dinero se intercambiaban como tarjetas de béisbol—me dijeron—. Le habría repugnado, madre.

Estoy segura de que me habría partido el corazón. Pero no deja de ser cierto que para un cristiano no basta con disgustarse u horrorizarse ante el pecado. Acarreamos la responsabilidad de separar el pecado del pecador, y amar al pecador a pesar de todo. Soy incapaz de identificarme con la desesperación que conduce a cierta gente a destruirse a sí misma con las drogas, para no hablar de quienes venden sus cuerpos y sus almas en Times Square. Pero esto no significa que no sienta compasión por esos jóvenes, o que no pida, como lo hizo Jesucristo, que sean perdonados y dirigidos a Dios.

No puedo imaginar cómo debe haberse sentido Jesucristo, después de enseñar y amar al impetuoso Pedro, de sentirse tan cerca de Él, cuando éste lo negó tres veces. ¿Son capaces de calcular el dolor que les produciría que su cónyuge o amigo dijera de ustedes «no sé de quién se trata», o «no somos amigos», o «lo siento, se ha equivocado de número»? ¿Serán capaces de perdonar a esa persona?

¿Se trata de un reto? Mejor que lo creas. Y antes de que empiecen a pensar que todo esto del cristianismo es excesivamente duro, permítanme que les dé algunas buenas noticias. No tienes por qué hacerlo solos. No tienes que ser ningún héroe ni ninguna heroína para perdonar lo imperdonable, porque Dios ya lo ha hecho. Y te ayudará a perdonar los peores pecados cometidos contra ti y contra el mundo si te limitas a pedir su ayuda. Por ejemplo, reza:

> Dios mío, ayúdame a perdonar. Quiero ser como Tú pero me resulta difícil. Bendice a quienes me han ofendido y otórgales tu gracia para que se vean a sí mismos. Te entrego este dolor junto al de Jesucristo en la cruz. Padre, perdónales porque no saben lo que hacen.

No seas bobo

El hecho de soportar el dolor de una auténtica injusticia es espiritualmente reforzante, pero es pura estupidez sufrir por incidentes o palabras que no son más que simples equívocos. A todos nos ha ocurrido. Alguien pasa varios meses sin ponerse en contacto y crees que te odia. Tu marido llega tarde un día y crees que anda con otra. Las apariencias son bestias engañosas. No tiene ningún sentido verse atrapado en el proceso de perdonar a alguien por algo que ni siquiera ha hecho.

Lo menciono porque hay algo en nuestra naturaleza que hace que la gente sufra sin que haya razón alguna para ello. Recuerdo a una mujer que estaba carcomida por la angustia. Me contó que una vecina a quien había ayudado, aconsejado y cuidado durante una enfermedad, había dejado de hablarle.

—Iba caminando por la ciudad, madre, y esa mujer, que venía por la misma acera, al verme cruzó la calle y se fue en otra dirección. Después de todo lo que he hecho por ella... Le he dedicado muchas horas de atención y, aunque esté mal decirlo, bastante dinero. Es evidente que se ha aprovechado de mí. ¿Cómo puedo perdonarla?

—¿Ha hablado con ella de su curiosa conducta?—le pregunté, pensando qué sería lo que podía haber alterado su amistad.

—No—respondió aquella mujer—. ¿Qué podía decirle? ¿Gracias por tomarme el pelo?

No podía dar crédito a mis oídos. Sin embargo, así es como somos. Le dije que llamara a su amiga en aquel mismo momento, desde mi despacho, y lo hizo con la reticencia propia de una niña pequeña. Resultó que en aquella ocasión su amiga acababa de salir del dentista, con la boca completamente anestesiada, y le daba vergüenza que la viera alguien conocido. ¿Por qué había cruzado la calle? Evidentemente, para ir al otro lado. En realidad no era más que una broma, pero no había tenido ninguna gracia, porque la mujer que se encontraba en mi despacho había pasado varias semanas preguntándose cómo perdonar a aquella mujer, todo por una ofensa imaginaria.

La vida es demasiado corta, amigo mío. Sea lo que sea lo que te atormente el corazón o el dolor que ofusque tu memoria, enfréntate a ello. Llame por teléfono. Escribe si te resulta más cómodo, o si eres demasiado tímido para enfrentarte directamente al problema, elige el método que te parezca más adecuado. Pero asegúrate de que sabes realmente lo que ocurre. Jesucristo no desea que acarrees una cruz impuesta por ti mismo. Tu propia cruz ya pesa lo suficiente como para que le andes añadiendo problemas y heridas autoinfligidas.

¿Qué importa?

Nuestro objetivo como cristianos es el de desarrollar una naturaleza propensa al perdón. Nuestra meta es la de llevar nuestra propia cruz con dignidad y amor. Lo que nos proponemos es construir un sentido de desapego amoroso con respecto al mundo.

Nuestro objetivo no es el de torturarnos por transgresiones insignificantes, tales como unos calcetines sucios o un tubo de pasta dental mal doblado. Al aconsejar a ciertas personas sobre el perdón, me he encontrado con algunos casos en los que habría sido más fácil ignorar la ofensa. Por ejemplo: «no me ha devuelto mi vestido amarillo», «me debe veinte dólares y no me los devuelve», o «siempre hacen trampas cuando jugamos a las cartas». No estoy sugiriendo, ni por un momento, que desaprovechemos ninguna oportunidad de ser santos, o de perdonar, pero sugiero cierta discreción en cuanto a la identificación de la falta.

Puede que sea mi parte italiana, pero, si hace veinte años que tu marido arroja las toallas mojadas al suelo, ¿qué sentido tiene que lo perdones? Es decir, ¿por qué preocuparse a estas alturas? Aunque esto no ocurre sólo con los matrimonios, también lo he observado aquí en el convento. Viviendo con quince mujeres, con algunas de ellas desde hace más de treinta años, pueden llegar a desarrollarse pequeños agravios amistosos. Si me dedicara a pensar en ello, podría pasar muchas horas perdonando a las monjas y a las empleadas por su manera de ser, por sus costumbres y sus errores. Y si ellas se dedicaran a pensar sólo en mí, podrían ocupar las veinticuatro horas del día intentando perdonar mis transgresiones. ¿Con qué objeto?

Sé que la práctica conduce a la perfección, pero si fuéramos un poco más selectivos en cuanto a lo que permitimos que nos preocupe, probablemente dispondríamos de más energía espiritual para dedicarla a las cosas importantes. Una excesiva concentración en las minucias indica cierto tipo de egoísmo, un énfasis en «¿cómo me afecta esto a mí?», en lugar de «¿importa en realidad?» A veces es mejor limitarse a aceptar ciertas características temperamentales y facetas de la personalidad de aquellos a quienes amamos (y de aquellos a quienes intentamos amar) y limitarnos a seguir con nuestra vida.

Cuando llega el momento de parar

Una cosa que sabes en esta vida es que sufrirás. Eres un ser humano y el sufrimiento forma parte de tu experiencia, al igual que lo hizo de la de Jesucristo. Sufrirás con la misma seguridad que respiras, comes y te vistes. Es inevitable, pero tampoco es preciso que lo busques. Y si has sufrido a lo largo de mucho tiempo, y has perdonado a alguien una y mil veces, o si la situación ha comenzado a ponerte de algún modo en peligro, puede que haya llegado el momento de ponerle fin.

Sólo tú puedes saber si ha llegado el momento. Pero si te hallas en una situación que se autoperpetua, debes formularte estas dos preguntas: «¿Existe peligro físico?», y «¿Está en peligro mi alma?»

Dios no quiere que ninguna esposa ni ningún niño sean víctimas sistemáticas de agresión, con espíritu de perdón. Quiere que tengan la sabiduría y el valor de buscar ayuda espiritual y profesional. Dios no quiere que los padres cedan su autoridad ante un adolescente delincuente o agresivo, con espíritu de perdón. Quiere que ejerzan un «amor duro». Dios no quiere que las personas tímidas o inseguras acepten las palabras groseras o las blasfemias en su lugar de trabajo, con espíritu de perdón. Quiere que tengan el valor de dar la cara por sí mismos y por Dios, y que pongan fin a dicha indignidad.

En un hermoso pasaje del Eclesiastés se nos recuerda que «bajo el cielo existe una estación para cada cosa, un tiempo para cada ocupación»:

> Un tiempo para dar a luz,
> un tiempo para morir;
> un tiempo para plantar,
> un tiempo para cosechar lo plantado ...
> Un tiempo para curar;
> un tiempo para derrumbar,
> un tiempo para construir.
> Un tiempo para llorar,
> un tiempo para reír;
> un tiempo para afligirse,
> un tiempo para bailar ...
> Un tiempo para amar,

un tiempo para odiar;
un tiempo para la guerra,
un tiempo para la paz (Eclesiastés 3:1–4, 8).

Hay momentos en los que debemos saber que una conducta dura y firme puede ser el acto cristiano de mayor amor. El mayor acto de misericordia puede consistir en corregir una injusticia, pensando en el futuro de las almas.

Conozco a bastante gente que cree que a no ser que se reconcilien con la persona que los ha ofendido, su perdón para ellos no ha sido completo. Les atormenta la separación existente en su relación, pero la persona que ha realizado la ofensa no lo lamenta y no desea la reconciliación. Estos individuos se sienten muy culpables por el hecho de que algo parece ausente de su perdón. No se dan cuenta de que el arrepentimiento por parte del ofensor constituye un requisito indispensable para la reconciliación.

Recuerdo a un padre cuyo hijo le robaba sistemáticamente el dinero. El padre le había visto en muchas ocasiones su cartera en la mano y, sin embargo, cuando le hablaba de ello, el hijo se limitaba a reírse y a decirle que sólo agarraba lo que le pertenecía. Aquel hombre deseaba perdonarle y pensaba que la reconciliación sería prueba de su perdón. Pero ¿qué podía hacer cuando su hijo se negaba a la reconciliación? Le expliqué al padre que era más que suficiente que rezara para que su hijo viera la luz, la luz que le permitiera comprender que obraba mal, y le indujera a pedir perdón. Al rezar por su hijo, el padre ejercería el perdón en su corazón y lo mantendría abierto para el futuro arrepentimiento de su hijo. La reconciliación es algo que no puede forzarse. Entretanto, lo que debía hacer era ocultar la cartera y eliminar así la tentación.

El perdón para ti

Para nuestros amigos católicos, el perdón es un acto que se convierte en sagrado y real en el sacramento de la reconciliación, también conocido como confesión. Recibimos la gracia y la curación que nos llega a través del perdón personal de nuestros pecados que Dios nos otorga mediante el sacerdote. Muchos católicos han perdido la costumbre de confesarse regularmente y esto supone una gran pérdida. Corren el peligro de arriesgar sus propias almas y de perder el poder de curación que tiene lugar al encontrarse con el Señor en dicho sacramento.

Aunque hallo esta situación muy dolorosa, todavía es mayor mi pena al darme cuenta de que muchos católicos que han dejado de asistir a la iglesia o a la misa, no sólo no practican la confesión, sino tampoco la comunión, en la que se recibe el cuerpo y la sangre de Jesucristo, portadora de vida y de fuerza para perseverar en nuestro deseo de bondad, sin hablar del de santidad.

Confío en que mis amigos protestantes «me perdonarán», pero voy a desviarme brevemente del tema para dirigirme especialmente a aquellos católicos que desde hace algún tiempo no van por la iglesia. Puede que hayan sido varios años, o incluso décadas, pero por diversas razones sé que son muchos y en este momento me dirijo a ustedes.

La Iglesia los extraña. Cuando en su corazón se detienen junto a la puerta, sabemos que están allí y nos gustaría muchísimo que entraran. Puede que la misa sea diferente de la última que recuerdan. Tal vez no comprendan los cambios, o jamás los hayan comprendido, y es posible que les sea difícil sentirse como en su propia casa.

Pero es su casa. No importa lo que hagas o lo que hayas hecho, no importa por qué abandonaste la Iglesia o por qué dejaste de amarla, la Iglesia jamás ha dejado de amarnos. Su familia católica los quiere y los necesita.

Una de las mujeres más radiantes y encantadoras que he conocido en la vida vino a visitarnos en un día de verano. Era del sur de Florida y había sido católica, practicante desde la infancia. Al casarse, en los años cincuenta, había renunciado a su fe para encontrarse a medio camino con su marido, que no era católico; ambos asistían a una iglesia cristiana no confesional. Pero dado que ninguno de ellos se sentía «como en su casa», su interés por la fe, y al cabo de cierto tiempo por Dios, comenzó a reducir. Cuando sus hijos se emanciparon, abandonaron toda pretensión de seguir practicando. Los domingos se convirtieron simplemente en una característica más del fin de semana y su espiritualidad pasó a ser inexistente.

Con el transcurso de los años, a Mary la atormentaba por una parte la culpabilidad de haber abandonado su fe y por otra el deseo de volver a la misma. Sin embargo, le horrorizaba la idea de entrar en un confesonario.

—No recordaba qué había que decirle al sacerdote y me daba vergüenza tener que contarle una vida entera de pecados, incluido el hecho de que no había estado en la iglesia desde hacía treinta años. Éste era el pretexto que incluso me impedía asistir a misa—me dijo.

Un fin de semana estaban reunidos con sus hijos, que tienen ahora alrededor de treinta años, cuando comenzaron a hablar del panteón familiar y de dónde deseaba cada uno ser enterrado.

Mary sintió el impacto de la verdad. Sabía que a pesar de no haber vivido como católica, quería morir como tal. Era consciente de que si bien podía racionalizar su carencia de fe en la vida, no podría llevar la mentira hasta la muerte. Mientras sus hijos seguían riendo y charlando hasta avanzada la noche, Mary se disculpó y se retiró a su habitación para rezar. Por la mañana había tomado la decisión de confesarse.

—Fue algo terrible, madre. Me sentía como una niña de ocho años, preocupada por lo que debía decir, examinando en mi mente los pecados cometidos a lo largo de treinta años. ¡Treinta años! No sabía por dónde empezar. Lo único que sabía era que había estado viviendo una mentira y que debía introducir nuevamente la verdad en mi vida.

Fui a la iglesia parroquial y el sacerdote me recibió con los brazos abiertos; fue como si todo aquel tiempo me hubiera estado esperando. Le expliqué mi situación en el tono de una niña arrepentida. Y debo confesar que en pocos momentos, y aún más en el transcurso de los meses siguientes, experimenté el retorno de mi dignidad. Me sentí ligera y libre. Al descargar una vida entera de pecado y recibir la absolución, supe que volvía a ser completa. Había dejado que Dios entrara de nuevo en mi vida.

Temía que lo más difícil fuera mi marido. No esperaba que comprendiera mi regreso a la Iglesia. Pensé que se disgustaría y que consideraría mi acción como una afrenta a nuestras creencias y convicciones compartidas. Pero no le había concedido el crédito debido. Después de los primeros domingos, comenzó a formularme preguntas sobre la Iglesia, y con franqueza y a pesar de que no sabía mucho más que él sobre el tema, de algún modo nos sentimos más unidos. Lo asombroso es que sé a ciencia cierta que Dios me ha perdonado por todos estos años perdidos que he pasado lejos de Él. Es el milagro de la gracia.

Muchos católicos, tanto activos como inactivos, no comprenden plenamente el poder que reside en el sacramento de la reconciliación o confesión. A veces nos resulta incómodo hablar con el sacerdote, como si fuera él, y no Jesús, quien perdonara nuestros pecados. Cuando te confiesas con un sacerdote y le pides la absolución, no le estás pidiendo a un hombre que te perdone. Le estás pidiendo al representante de Jesucristo en la tierra que te escuche y que actúe como instrumento de la gracia de Dios. Te confiesas con Jesucristo. A través del sacerdote, el propio Jesucristo te perdona y te absuelve. En las Sagradas Escrituras, leemos cómo Jesús habla a los apóstoles de este sacramento: «Lo que atéis en la tierra será atado en el cielo; lo que desatéis en la tierra será desatado en el cielo» (Mateo 18:18). Concedió a los apóstoles y a todos sus sucesores el poder de actuar en su nombre como instrumento de perdón. Deseaba que esta posibilidad de curación estuviera a tu alcance y que pudieras oír las palabras «te absuelvo de tus pecados en el nombre del Padre, y del Hijo, y del Espíritu Santo».

—¿Por qué no puede Jesucristo perdonarme directamente?—se preguntarán algunos.

Buena pregunta. Jesucristo puede perdonarnos directamente, y si han pecado y se arrepienten con toda sinceridad, lo hará. Pero esto no es lo mismo que la curación y la fuerza que emanan del sacramento de la reconciliación.

La confesión no es sólo cuestión de hacer borrón y cuenta nueva, a pesar de que eso es también lo que Dios milagrosamente hace. A través de la confesión obtienes el perdón de Dios y la fuerza necesaria para que la próxima vez que vuelva a aparecer la tentación sea menos probable que caigas en ella. Cura la herida de tu alma producida por la primera caída y te permite avanzar a grandes pasos por el camino de la santidad.

Para recibir esta gracia debes acudir a Dios con auténtica contrición. En la zona del Sur donde nuestro convento se encuentra, la población católica es bastante reducida. He oído decir que la gente solía tomar el pelo a los católicos por el hecho de confesarse todos los sábados. Creían que los católicos acudían a la iglesia el sábado por la tarde, contaban sus pecados al sacerdote y salían a la puesta del sol a pecar de nuevo por la noche. Ésta era evidentemente una visión errónea, que daba lugar a una falsa idea de la confesión. Lo que no parecían comprender era que este tipo de confesión, si tenía lugar, no era válida como tal. A no ser que la persona que aspira al sacramento de la reconciliación esté plenamente arrepentida y decidida a no repetir el pecado, el sacramento no tiene validez. La confesión no es un juego, ni una forma de conseguir puntos con tu cónyuge, con Dios, ni con nadie. La confesión es un poderoso sacramento de refuerzo y curación.

¿Es fácil desnudar el alma ante Nuestro Señor por mediación del sacerdote? No, en absoluto. ¿Es algo de lo que la gente pueda llegar a gozar? Habitualmente, no. Sin embargo, cuando me alejo del confesonario, después de recibir la absolución de mis pecados, sé que me hallo más cerca de Dios y que lo he complacido. Sé que, independientemente de lo que haya hecho, he recibido su perdón. Sé que le he pedido que me otorgue la fortaleza y el valor de enfrentarme cara a cara con la tentación y superarla. Sé que Dios me ha armado para la única batalla que vale la pena librar en la vida: la de salvar mi alma.

A lo largo de mi vida he tenido algunos confesores excepcionales, pero sé que no todo el mundo ha sido tan afortunado. Si en la confesión has tenido alguna mala experiencia con algún sacerdote, que quizá no llegara a comprenderte, o puede que tuviera un mal día y te tratará con brusquedad, sea cual sea la imperfección humana que hayas experimentado, rezo para que no sigas albergando tu desaliento. Fuera lo que fuese, puedes utilizarlo como vehículo para tu santidad, por muy doloroso que haya podido ser el problema. No abandones al Señor por una experiencia lamentable con uno de sus representantes. Nadie es perfecto, ni podemos esperar serlo nosotros. Sólo Dios es perfecto. Y Dios te perdonará y te otorgará la gracia para que perdones a tu prójimo.

Perdonar es ser cristiano

Reconozco que nada de esto es fácil. Pero cuando nos enfrentamos a una situación dolorosa, cuando alguien nos ha humillado, nos ha mentido o nos ha asestado un golpe del que creemos que jamás nos recuperaremos, debemos ponernos a la altura de la situación y perdonar.

Dios no ha dicho jamás que la vida tuviera que ser fácil. Mediante el ejemplo de su Hijo, nuestro salvador, nos ha mostrado que nosotros, los cristianos, tenemos prácticamente garantizada una travesía difícil. Jamás prometió que fuera fácil o justo. Lo que sí nos dijo fue que en su casa había muchas mansiones y que un día comprenderíamos todas las razones de cada una de las ofensas y de los sufrimientos.

En estos momentos, en pleno dolor, puede que no sea fácil pensar en las «consecuencias eternas» de perdonar a tu cónyuge por sus relaciones extramatrimoniales o a un desconocido por dañar a tu hijo. Todos tus sentimientos te indican que el cielo está demasiado lejos para que importe ahora. A ti simplemente no te concierne. Pero Dios no te pide que te sientas feliz en el seno de tu dolor, te pide que tomes la difícil y fría decisión de perdonar, a pesar de todo. Puede que sigas profundamente dolorido, pero puedes rezar por el individuo que ha causado tu dolor. Sólo puedes hacer lo que está en tu mano, pero debes decidir hacerlo.

No te preocupes de los sentimientos que van y vienen, o de los sucesos que puedan aparecer en tu memoria. Sentirás la tentación de revivir una y mil veces tu ofensa, es de esperar, pero procura superarla pidiéndole a Dios la fuerza necesaria para perdonar y seguir adelante. Ofrece tu dolor a Dios como sacrificio y piensa en lo muchísimo que te ama por ofrecerle el sacrificio de un corazón partido. El sacrificio de alguien que intenta emular a Dios en una situación difícil es tan hermoso, que hace que los ángeles se regocijen.

No caigas en la desesperación.

Dios cree en ti.

CAPÍTULO OCHO

¿POR QUÉ ES TAN DIFÍCIL SER BUENO?

A lo largo de los años, centenares de sacerdotes han pasado por nuestras dependencias, algunos como invitados, otros de ejercicios espirituales y otros sólo de visita. Esto ha sido una bendición para el personal y para las monjas, puesto que nos ha permitido descubrir y conocer a muchos individuos extraordinarios. Uno de ellos era un sacerdote de Iowa, un cura muy diestro y popular que, al principio de conocerle, se dedicaba intensamente a la autoexploración y a la renovación. Por medio de la exploración interna, descubrió que la soberbia dificultaba su crecimiento espiritual.

—Rece por mí, madre—me dijo una tarde—. Rece para que sea puesto en ridículo y así llegue a ser humilde ante Dios y ante el prójimo.

¿Rezar para ser puesto en ridículo? Esto no era por lo que se nos solía pedir que rezáramos. A menudo se nos pide que recemos por la salud, por la fe y por la recuperación económica, pero es inusual que alguien, incluso un sacerdote, nos pida que recemos por el desdén. El menosprecio no es sólo una lección privada de humillación. Es el reconocimiento público de que no eres tan maravilloso como todo el mundo cree. El desdén es cuando todo el mundo sabe que eres débil, imperfecto y pecador. No es exactamente equivalente a un domingo por la tarde en el parque.

No obstante, aquella semana las monjas y yo rezamos por el desdén del padre. Durante aproximadamente un mes no supimos nada de él. Cuando por fin nos llamó, parecía algo aturdido.

—Madre, el mundo se ha hundido a mi alrededor—me dijo—. Desde mi regreso me ha acosado una inundación de fieles descontentos. He fracasado en todo lo que he intentado y la gente se queja de que no dirijo debidamente la parroquia. En un mes he pasado de «sacerdote del año» a «padre chapuza».

—Pero, padre, ¿qué esperaba usted?—le pregunté con delicadeza—. Usted nos pidió que rezáramos para que quedara en ridículo y Nuestro Señor se limita a responder a nuestras oraciones.

—¿En ridículo?—repitió, bromeando—. ¿De dónde ha sacado esa idea? ¿No sabe cómo hablamos en Iowa? Le pedí que rezara por mi redención, madre. Redención.

Algo de lo que Nuestro Señor no había privado a aquel sacerdote era su sentido del humor. Recibió desdén en grandes dosis. La mayoría no deseamos realmente llegarnos a conocer tan a fondo, pero el autoconocimiento es la clave de la consecución de la bondad (que yo prefiero denominar santidad) en esta vida. Mientras aquel sacerdote experimentaba unos trances sumamente difíciles, se acercaba también a Dios en su humildad recién hallada y avanzaba distancias en su senda espiritual. Descubría que sus dones y talento (su juicio, su encanto y su popularidad) podían serle arrebatados por Dios con la misma facilidad con que se los había dado.

—Muy interesante, madre, ¿pero sugiere que a partir de mañana me dedique a rezar para ser despreciado?—me preguntarán.

Claro que no, por lo menos no mañana. Pero si me preguntan «¿por qué es tan difícil ser bueno?», mi respuesta tendrá que enfocarse en por qué es tan fácil ser malo. Y la razón en este caso es simplemente la soberbia. La soberbia es el más duro, sutil, insidioso y peor comprendido de todos los pecados. Es el pecado que hace que nos antepongamos a Dios. Es el pecado que nos confunde y que nos hace tragar mentiras, sobre nosotros mismos y sobre nuestra propia importancia. Es el pecado que causó la caída de uno de los ángeles más importantes, que se convirtió en el principal enemigo de Dios.

«¿Por qué es tan difícil ser bueno?» La respuesta se encuentra en quién creemos que somos y quién creemos que es Dios. Sea cual sea la tentación con la que nos encontremos, podemos resistirla si recordamos que somos templos del Espíritu Santo. Pero si nos colocamos a nosotros mismos en el centro del universo y nos otorgamos el mérito de todos los dones que Dios nos ha ofrecido, pecaremos permanentemente.

—Pero, madre, sé perfectamente lo que es un pecado—insistirás—. Sé cuándo soy fiel a Dios y cuándo, en realidad, chapuceo.

Allí es donde se equivocan plenamente. La soberbia es un adversario muy sofisticado y su táctica más poderosa consiste en persuadirnos de que nuestro sentido del pecado y de la corrección es una regla perfectamente aceptable. La soberbia nos confunde realmente hasta el punto de no saber diferenciar entre el bien y el mal. Ésta es la razón por la que todo esfuerzo encaminado a la santidad debe comenzar por el reconocimiento de que todos nosotros tenemos mucho que aprender sobre la naturaleza de la soberbia. Debemos admitir que hay muchas cosas que no sabemos y para ello necesitamos una gran cantidad de humildad. Debemos decidir que no nos sentimos satisfechos con los niveles convencionales del buen comportamiento y que estamos dispuestos a dar un salto gigantesco a un territorio en el que sólo los santos se han aventurado. Y para conseguirlo debemos declarar la guerra al impedimento número uno de nuestro autoconocimiento: nuestra propia y amenazadora soberbia.

Buen orgullo y mal orgullo

Probablemente conviene aclarar que existen dos tipos de orgullo y que el primero de ellos es bastante inofensivo. Por ejemplo, evidentemente no es pecado decir que me siento orgulloso de ti. Significa simplemente que has hecho algo bien, que me he dado cuenta de ello y que lo aprecio.

Cuando decimos que nos sentimos orgullosos de ser norteamericanos, lo que hacemos es expresar nuestra gratitud por ser ciudadanos de este país. Sin embargo, si el patriotismo conduce a una ideología de superioridad semejante al nazismo, el orgullo se convierte en soberbia. Éste es el aspecto peligroso del orgullo, el que se interpone en el camino de la santidad y conduce al pecado porque incita a desafiar a Dios.

Orgullo es la autoestimación excesiva que nos dispensamos desde que despertamos hasta que nos acostamos.

San Pablo nos dice: «No nos hagamos egoístas, promoviendo competencias unos con otros, envidiándonos unos a otros. Porque si alguien piensa que es algo, no siendo nada, está engañando su propia mente» (Gálatas 5:26; 6:3). Éste es el orgullo que no sólo impide ser bueno, sino comprender qué es la bondad.

No es mi deseo que te sientas insignificante, sino todo lo contrario. Lo que quiero que comprendas es que estás dotado de una gran dignidad, porque eres hijo de Dios. Tu dignidad no depende de quiénes sean tus padres, de cuánto dinero tengas, ni de que te hayas licenciado con matrícula de honor. Éstos son dones que Dios te otorga y no tus propios méritos. No es que sean cosas malas, ni que no tuvieras que trabajar para conseguirlas. Sin embargo, no constituyen la fuente de tu dignidad. Tu verdadera autoestima surge del hecho de ser hijo de Dios.

La comprensión del orgullo ha eludido al hombre desde Adán y Eva. Cuando nuestros primeros padres se aliaron al diablo, lo hicieron por orgullo. Plenamente conscientes de las consecuencias de su decisión, optaron por el «autocontrol» desencaminado de sus propias vidas. El autor del Génesis nos dice que cuando la serpiente tentó a Eva con la fruta prohibida, le prometió que ella y Adán recibirían el conocimiento absoluto del bien y del mal. Le dijo que serían como dioses y ella la creyó. El gran pecado de Adán y Eva consistió en optar por afirmarse contra Dios. Eligieron la falsa trinidad del «yo, lo mío y para mí», en sustitución del Padre, Hijo y Espíritu Santo. El orgullo es una de las graves consecuencias del pecado original, ya que todos nacemos con una tendencia a la soberbia que nos hace ser egocéntricos en lugar de enfocarnos en Dios.

Una manzana podrida

La caída provocada por la desobediencia de Adán y Eva es grave y no debe ser ignorada. Si subestimamos la magnitud del pecado original, con toda certeza nos desviaremos de nuestra senda espiritual. La caída de Adán y Eva aseguró que nosotros, la familia humana, tuviéramos siempre una debilidad para el pecado. En pocas palabras, sin la gracia de Dios, es más fácil responder «no» que «sí» a Dios. Sé que es duro, pero si son incapaces de aceptar esta verdad, les será difícil superar las auténticas barreras de la santidad.

¿Qué es lo que hace que esta verdad sea difícil de aceptar? Ni más ni menos que el orgullo y, en este caso, actuando en exceso. Es el orgullo lo que nos dice que somos mucho mejores de lo que somos en realidad y se niega a aceptar que podamos tener defectos. Es el orgullo lo que nos impide enfrentarnos a la realidad de nuestras debilidades, flaquezas e infidelidades. El objetivo del orgullo es el de mantenernos en la ignorancia el mayor tiempo posible. Si renunciamos sistemáticamente ante el orgullo, acabamos por creer que Dios es algo superfluo en nuestra existencia.

Como cristianos, queremos ser personas santas. El ser una persona santa no sólo es esencial para nuestro bienestar espiritual, mental y emocional, sino que fija los términos de nuestra salvación. Pero nuestro impulso interno a ser una «buena persona» y a ser visto como tal, puede llegar a ser tan poderoso que perdamos nuestra habilidad de juzgar debidamente por nosotros mismos. Nos contentamos con medias verdades y dejamos de examinar meticulosamente nuestra propia conducta. Permitimos que el orgullo encubra nuestras debilidades. Hasta que lleguemos a asimilar la realidad de que somos seres humanos débiles y de que dependemos plenamente de Dios para todo lo que poseemos, el mensaje del cristianismo nos pasará inadvertido.

—De acuerdo, madre, comprendido. Pero ¿cómo puedo discernir la acción del orgullo en mi propia vida?—me preguntarás.

Se tarda tiempo y se precisa un ojo espiritual atento. Hay que rezar y si uno le pide a Dios que le ayude a discernir el orgullo en su vida, les prometo que responderá a su petición con mayor rapidez que a cualquier otra que le hayan hecho. Debo confesar que lucho con mi propio orgullo todos y cada uno de los días. Para mí ha supuesto un combate diario, debido a los muchos disfraces que adopta.

Nunca deja de divertirme la forma en que Dios corrige nuestro orgullo, eliminando algunos escalones. Recuerdo una cena de beneficencia a la que asistí en Washington D.C., hace poco. Todos los asistentes vestían impecablemente, de esmoquin y traje de noche, y la mayoría me eran desconocidos. De pronto me vi rodeada de un grupo de gente sonriente, que me estrechaba la mano y me pedían si podían fotografiarse conmigo. Me sentí complacida y halagada por su atención, hasta que uno de los presentes me reveló la auténtica razón de la misma:

—Y bien, madre Teresa—me dijo—, ¿cómo van las cosas por la India?

La santidad consiste en actuar de acuerdo con la voluntad de Dios y no es fácil diferenciarla de la propia. Pero hay una faceta del orgullo que se cumple ineludiblemente, seas quien seas y por mucha que sea tu santidad: el orgullo siempre afecta las áreas de la vida que más te importan. Si quieres descubrir cómo actúa el orgullo en tu propia vida, observa lo que más valoras: tu familia, tu trabajo, tu comunidad y tu mundo espiritual. Cuando hayas aprendido a discernirlo, lo hallarás por donde mires. Sin embargo, debo hacerles una advertencia. Es importante que no se desanimen por el hecho de descubrir orgullo con tanta frecuencia. Por lo contrario, pueden aprender de estos pequeños encuentros con el mismo, para crecer en santidad y humildad.

La soberbia en el hogar

El orgullo te afecta en tu propia casa. Una mirada crítica a tu vida familiar revelará muchas áreas en las que el orgullo ha entorpecido tu santidad y te ha conducido por el camino equivocado. ¿Cuántas veces habrás oído aquello de «la caridad comienza en casa»? Y sin embargo, por mucho que lo hayas oído, el mensaje no acaba realmente de penetrar. Ésta es la razón por la que tu conducta en tu hogar y con tu familia constituye mejor medida de bondad o de santidad que cualquier otro factor. El individuo que va a misa todos los días pero no dedica tiempo alguno a su esposa, no es ningún ejemplo de santidad. La mujer que dedica cuarenta horas semanales a trabajar en programas voluntarios, mientras sus hijos están en casa al cuidado de otra gente, no es ningún ejemplo de amor. Sin embargo, si les preguntarías si creen que están sirviendo a Dios, les responderían con un eufórico «sí». Pero ¿lo están haciendo?

Una vez me encontraba en el Medio Oeste de los Estados Unidos, dando unas conferencias por cuenta de nuestra cadena, cuando tuve el «placer» de cenar con una pareja de ancianos que se dedicaba a recaudar fondos para las misiones en el continente africano. Me encontraba ante una pareja, a los ojos de cualquiera, de excelentes cristianos, que no dejaron de atacarse verbalmente durante toda la noche. No se decían nada abiertamente. En realidad, toda la acción se basaba en indirectas. Por ejemplo, cuando le pregunté al marido qué hacía para ganarse la vida, me respondió que era ingeniero, y agregó:

—Pero no crea que llego a ver el dinero de mi sueldo.

Tarda ella menos en gastarlo que yo en ganarlo.

—Cariño, tu dentadura parece sucia—se limitó a decir la esposa, sin inmutarse—. ¿No crees que deberías visitar de nuevo al dentista?

Y así estuvieron toda la noche. Estoy segura de que si les hubiera formulado alguna pregunta relacionada con comentarios sarcásticos, se habrían sorprendido. Probablemente me habrían asegurado que sólo bromeaban y que no intentaban humillarse mutuamente. Pero no deja de asombrarme la poca consideración con la que los cónyuges hablan entre sí, como si el hecho de estar casados les autorizara a insultarse o incluso a ser groseros. Ésta es una forma de orgullo particularmente común, pero raramente reconocida. En lugar de ofrecerle lo mejor a su cónyuge, muchas personas se limitan a ofrecerle las migajas de su tiempo y de su consideración.

Hay dificultades en todas las relaciones; nadie pretende que sea fácil, y el matrimonio es probablemente, entre todas, la forma más dura de amor. Pero cuando las parejas olvidan que la fe y el sacrificio mutuo constituían una parte importante de su decisión inicial de contraer matrimonio, dan rienda suelta a su propio orgullo y a su propio egoísmo. Los resultados, como pueden imaginarse, pueden ser devastadores.

- Es soberbia cuando el marido que interrumpe a su esposa y no escucha respetuosamente lo que ella dice, como si las opiniones de él fueran las únicas que vale la pena tener en cuenta.
- Es soberbia cuando el padre que insiste en que su hijo sea médico, cuando la medicina no le interesa y lo que desea es ser artista.
- Es soberbia cuando la esposa que empuja a su marido para que consiga cierto cargo, a fin de mantener un estilo lujoso de vida.
- Es soberbia cuando la madre que duda en corregir a su hijo, amparándose en la tolerancia, cuando en realidad lo que no quiere es arriesgarse a perder el amor y el afecto de su hijo.

Muchos de nosotros prestamos poca o ninguna atención a muchos comentarios y actos irreflexivos que realizamos a lo largo del día, pero la irreflexión es también una forma de soberbia. Es una especie de soberbia pasiva, que nos impide pensar primero en los demás y preocuparnos de nadie más que de «mí mismo». Cuando un marido llega tarde a la hora de la cena sin haber llamado antes a su esposa, está haciendo gala de este tipo de soberbia. Lo mismo es cierto de un niño que se siente a la mesa y proteste de la comida. Cada vez que somos groseros o desconsiderados con algún miembro de la familia, nos comportamos como malos cristianos.

Nos estamos colocando antes que la otra persona, juzgándola y no considerándola como a un ser querido de Dios, sino como a alguien que de algún modo es inferior a nosotros. Creemos que nuestra agenda es la única que cuenta.

—Válgame Dios, madre, a este ritmo jamás podré llegar a ser santo—me dirían.

Creo que sí. Estoy convencida de que ya has emprendido el camino de la santidad porque lo estás intentando, estás dispuesto á abrir los ojos y a aceptar ciertas verdades bastante brutales sobre ti mismo. El Señor sólo nos pide que lo intentemos y cuanto más sepamos sobre nosotros mismos y sobre nuestros demonios, más será lo que podremos hacer para corregir esos problemas. Conocerse a sí mismo es esencial para alcanzar la santidad a la que aspiramos en la vida. Cuando alguien nos hace dar cuenta de que somos irreflexivos y del efecto que ha surtido en nuestra familia nuestra excesiva concentración en nosotros mismos, podemos comenzar a cambiar. Podemos comprender que las pequeñeces cuentan en esta vida. Un escritor espiritual contemporáneo subrayó recientemente que la irreflexión no es lo mismo que la crueldad, pero que a menudo surte el mismo efecto. Debido a nuestro orgullo, no nos damos cuenta de que cada día ofendemos a algunas personas. Cuando por irreflexión o grosería desestimamos la dignidad de alguien, nos separamos de la humildad que Dios espera de nosotros.

El orgullo externo

¡El orgullo es un problema! Si el orgullo fuera una persona, lo veríamos aparecer silenciosamente por los rincones, haciendo trucos con luces y espejos, intentando hacernos ver un mundo que sólo tiene un dueño y señor: «yo». El orgullo se disfrazaría y nos atacaría cuando menos lo esperaríamos, con la esperanza de que no detectáramos su presencia. Pero nuestra misión no es la de pasarnos la vida eludiendo fuerzas conspiradoras o conduciéndonos como Sherlock Holmes con respecto a nuestro orgullo. Nuestra misión es la de ser santos. Y para ello se necesita práctica, la práctica exhaustiva de llegarnos a olvidar de nosotros mismos y pensar en Dios y en el prójimo.

Este proceso de «olvido» diferencia a la persona que es simplemente buena, según los cánones convencionales, de la que es santa. Creo que la mayoría alcanzaríamos el nivel adecuado si la santidad fuera sólo cuestión de hacer buenas obras o de ser amable con los demás. Pero no es así. La santidad consiste en darse cuenta de que Dios es el centro de nuestra vida y en actuar de acuerdo con esta tremenda verdad.

Para ser santo no es preciso construir ninguna catedral, consagrarse al ayuno, ni ir por la calle predicando la palabra del Señor. Puedes lograrlo en tu vida social cotidiana, en tu forma de tratar a amigos y desconocidos, en tu reacción ante lo conocido y lo desconocido. Puede que algunos piensen que «esto es demasiado fácil» o «esto no basta para nuestro Amo y Señor». Sin embargo, observemos nuestras reacciones incluso ante nuestros encuentros más básicos en la vida:

- Estás dando vueltas en busca de un estacionamiento en el tráfico navideño, cuando alguien te corta el paso y se apodera de un espacio libre que tenías delante. Te pones furioso y gritas al otro conductor. Puede que el otro conductor fuera, o no, consciente de tu presencia. Pero tu orgullo te encierra en un universo unipersonal: el tuyo. Te preguntas cómo puede llegar alguien a incomodarte; tu ira es totalmente desproporcionada con relación al incidente.

↝ Has estado trabajando hasta muy tarde todas las noches de esta semana. Cada mañana, cuando llega tu secretaria, le entregas un montón de trabajo y le ordenas bruscamente que lo haga cuanto antes, sin darle nunca las gracias ni mostrarte amable con ella. Tu orgullo te ha hecho creer que eres el único en el mundo que trabaja tarde por la noche y que, de algún modo, tu secretaria y el resto de los empleados son los responsables de que te veas obligado, a hacerlo. Tu egocentrismo menosprecia su moral y su autoestima.

↝ Se te acerca un mendigo en la calle; te da asco, pero impulsado por tu obligación cristiana le das un dólar. Tu orgullo te dice lo maravilloso que has sido, pero la grosería con que has tratado al mendigo no sólo no ha contribuido a que se sintiera más digno, sino todo lo contrario.

↝ Eres médico o abogado. Un cliente acude a ti con un problema. Le resulta difícil comprender tu diagnóstico, te impacientas con él y le gritas con palabras médicas o jurídicas. Tu orgullo te dice que en el mejor de los casos aquel individuo es incapaz de comprender gran cosa y que tu tiempo es más importante que el suyo, por lo que te libras de él intimidándolo.

↝ Estás en la cola, a la espera de pagar la compra. A una viejecita que tienes delante le resulta difícil contar el dinero. Te mueves con impaciencia y suspiras sonoramente de exasperación. Tu orgullo te dice que el mundo debería adaptarse a ti y jamás al revés.

Si crees que lo único que te estoy diciendo es que cuides tus modales, te equivocas. Lo que pretendo es aclarar tu forma de pensar acerca de ti mismo y del mundo. No eres tan importante;

no eres más que una de las piezas de una gran máquina. Cada vez que actúas con superioridad o condescendencia para con los demás, has caído en el orgullo. Cuando discutes con un mal conductor, criticas a tu cónyuge en público o tratas a un camarero como si fuera un esclavo, agredes la dignidad de alguien a quien Dios quiere muchísimo. Estas agresiones reflejan la debilidad de nuestra visión, nuestra incapacidad de ser compasivos y el egocentrismo que empaña nuestra santidad. Uno por uno, imagino que estos episodios no significan gran cosa. Pero cuando empiezan a acumularse, el orgullo puede dejarte en un mundo solitario en el que tú seas su único habitante.

La soberbia contra Dios

Los peligros latentes que genera nuestro orgullo son diversos y numerosos. Uno de los trucos predilectos del orgullo es el uso de la complacencia para impedir nuestra comprensión de la santidad. El orgullo nos engaña haciéndonos creer que no necesitamos superar la simple comprensión en blanco y negro que adquirimos de niños, las «obligaciones y prohibiciones» con las que la mayoría llegamos a la vida adulta. Todos somos víctimas de este condicionamiento mental. Creemos firmemente que «ser bueno» es una simple cuestión de obedecer las reglas. Obedecemos los mandamientos, vamos a la iglesia los domingos, hacemos actos de caridad y de vez en cuando damos algo de comer a nuestro prójimo. Mientras mantengamos dicho esfuerzo, nos sentimos satisfechos. Después de todo, ¿no basta con no engañar a nuestro cónyuge y dejar un poco de dinero en el cepillo? ¿Qué otra cosa puede esperar Dios de nosotros?

La complacencia es el orgullo en acción. Recuerdo una anécdota que me contó el párroco de una pequeña iglesia, cerca de

Boston. Hace referencia a un hombre de edad avanzada, que asistía todos los días a la misa un par de minutos. Irrumpía en la iglesia, se arrodillaba, rezaba un par de minutos, se levantaba y volvía a salir. Todas las mujeres beatas que estaban en la iglesia le echaban miradas malignas, e incluso el sacerdote de vez en cuando se rascaba la cabeza, sin comprender la conducta de aquel individuo.

Un buen día, el cura lo llamó cuando salía y le preguntó:

—¿Podría decirme por qué entra y sale todos los días corriendo de nuestra iglesia? ¿No le parece que sería mejor quedarse a oír la misa entera?

Aquel individuo le explicó que era ferroviario y que sólo disponía de unos minutos mientras el tren estaba en la estación.

—¿Pero por qué puede rezar en tan pocos minutos? —insistió el sacerdote.

—En realidad no rezo por nada en especial—respondió, encogiéndose de hombros—. Sólo le digo: «Hola, Jesucristo, soy Jim.»

Al poco tiempo hubo una colisión y el sacerdote acudió al hospital para asistir a las víctimas. Uno de los heridos era Jim y estaba moribundo. El cura habló con él unos minutos y le administró los últimos sacramentos. De pronto, oyó una voz que decía:

—Hola, Jim, soy Jesucristo.

De esta anécdota podemos aprender mucho sobre nosotros mismos. Me temo que la mayoría somos como las beatas que había en la iglesia. Nuestro orgullo nos dice que hay una forma correcta de adorar a Dios, y así es como debe hacerse. Creemos que por el hecho de obedecer las reglas somos «buenos» y el orgullo nos dice que los demás deberían seguir nuestro ejemplo. Pero Nuestro Señor lo ve de otro modo. Comprendió que la fe de Jim estaba en su corazón y que el esfuerzo que realizaba todos los días aumentaba su amor por Dios. Si lo juzgamos, desdeñamos su estilo o preferimos excluirlo de la misa, nos habremos alejado de la senda de la bondad. Nuestro orgullo habrá confundido una vez más el quid de la cuestión.

Sospecho que, por razones evidentes, el orgullo espiritual es una de las peores formas de la soberbia. A menudo veo a gente que juzga a los demás por su falta aparente de capacidad, ya sea espiritual o intelectual. Se trata de personas que no han comprendido en absoluto la cuestión de la capacidad. La cuestión de la capacidad es que es un don. Lo que alguien tenga de talento, fuerza y sabiduría lo ha recibido de Dios, y no de sus antepasados o de algún programa intenso de formación.

Una anécdota de dos monjes que vivieron en el siglo xiv ilustra el caso. Pertenecían a la orden franciscana, como nosotras. Uno de ellos era muy simple, lo que podríamos llamar un tonto. Siempre se equivocaba en sus oraciones y hablaba en el momento inadecuado. Sus modales eran desagradables y llevaba siempre el hábito arrugado. Nadie sentía gran afecto por él. El otro fraile tenía la reputación de ser un franciscano muy culto. Era erudito, brillante pensador, y la gente venía desde muy lejos para oír su sabiduría.

Curiosamente, ambos murieron el mismo día y fueron enterrados poco después. Al funeral del primero, sencillo y sin ceremonia, sólo asistieron el superior y los frailes. Al del segundo, de gran solemnidad, asistieron todos los vecinos y los clérigos de la localidad. Pero en la noche del entierro de ambos, el superior tuvo un extraño sueño. En el mismo vio al monje simple que le sonreía amablemente desde el cielo. Estaba adorando a Dios, rodeado de ángeles. El segundo se consumía en el infierno. «¿Cómo puede ser?», pensó el superior en su sueño. Entonces Dios le reveló que al monje erudito le había motivado siempre el orgullo, el favor de los hombres y los honores y alabanzas que recibía. Creía que su sabiduría era propia y no un don de Dios. Jamás había amado verdaderamente a Dios, porque estaba demasiado ocupado amándose a sí mismo. Se había suscrito a la mentira del orgullo y padecía sus consecuencias.

Creo que a Dios le duele particularmente el orgullo que contamina el mundo espiritual, porque afecta a aquellos que, por lo menos en un momento dado, habían estado muy cerca de alcanzar la santidad. Cuando observa a los denominados guerreros cristianos que miran con desprecio a los que no son cristianos o revelan con cierta presunción que saben algo que los demás no saben, debe de sentirse muy apenado. Jesucristo nos previno de los peligros de este tipo de conducta orgullosa en la parábola del fariseo y del recaudador de impuestos.

El fariseo, como recordarán, se cruzó con un recaudador de impuestos en la parte posterior del templo. El recaudador se golpeaba el pecho en arrepentimiento por sus pecados. El fariseo, por su parte, se acercó al altar y dijo:

—Oh Dios, te doy las gracias de que no soy como los demás hombres, dados a la extorsión, injustos, adúlteros, ni siquiera como este recaudador de impuestos. Ayuno dos veces por semana y doy el décimo de todas las cosas que adquiero.

El fariseo se vanagloriaba de sus virtudes espirituales, pero era evidente que su soberbia espiritual no conocía fronteras.

Su conducta era orgullosa en dos sentidos. No sólo juzgaba con desprecio al recaudador de impuestos, sino que, todavía peor, se otorgaba a sí mismo el mérito de lo que Dios le había concedido. En su oración no daba gracias a Dios, sino que parecía esperar que fuera Dios quien le diera gracias a él. El Señor condenó la conducta del fariseo, pero el recaudador de impuestos, que se consideraba un pobre pecador, ganó el favor de Dios gracias a su humilde arrepentimiento (Lucas 18:9-14).

Hay otro tipo de presunción espiritual que a Dios le desagrada y que se pone de manifiesto en las personas que pasan mucho tiempo visitando cárceles, cuidando ancianos y asistiendo al prójimo, mientras su familia permanece en casa sola y descuidada. Éste es el caso de personas con un celo excesivo, que se proponen salvar el mundo. Olvidan que Jesucristo ya lo ha salvado. Puede que sean sinceros, pero han caído, una vez más, en la mentira del orgullo. Con su forma de actuar, infligen dolor a quienes más deberían amar.

—Por Dios, madre, ¿su sinceridad no cuenta para nada?— puede que se pregunten.

Por supuesto. Pero ocurre como en una ocasión cuando me proponía volar a Nueva York. Llegué al aeropuerto y subí al avión. Imagínense mi sorpresa cuando, poco después del despegue, la azafata anunció que aterrizaríamos a la hora prevista en Miami. Había sido perfectamente sincera al subir al avión, pero me había equivocado de aeroplano.

Les ruego que lo comprendan. No hay nada de malo en querer hacer buenas obras para complacer a Dios. Pero cuando dichas obras comienzan a entorpecer las primeras responsabilidades, el cuidado de la familia, es preciso volver a evaluar las prioridades.

Está claro que este asunto de la santidad no es tan fácil como parece. La santidad nos pide que vayamos más allá de las normas, de las reglas y de todo lo que hemos aprendido como «buena conducta». Nos pide que nos enfrentemos a nosotros mismos con absoluta sinceridad, para seguir el tipo de autoconocimiento que transformará nuestra existencia de meramente mundana en decididamente divina.

El orgullo y el pensamiento positivo

El orgullo espiritual es tan viejo como las montañas, pero existe también un orgullo de nuestros días, que se manifiesta bajo la sombrilla gigante del «pensamiento positivo» y al que es preciso que nos enfrentemos. A pesar de que es importante tener cierto grado de confianza en uno mismo, me he dado cuenta de que el corazón de la filosofía del pensamiento positivo alberga una actitud que estimula el orgullo. Éste es el punto en el cual estoy en desacuerdo seriamente.

Una de mis objeciones principales con respecto a la filosofía del pensamiento positivo es el hecho de que perpetúa la idea de que Dios ama prioritariamente a los que son sanos, ricos y sabios. Los pensadores positivos parecen no comprender que los seguidores de Jesucristo deben estar dispuestos a acarrear su cruz todos los días, y que los que no gozan de salud y prosperidad se encuentran frecuentemente entre aquellos a quienes Dios más ama. Puesto que los pensadores positivos se enfocan en la felicidad, el bienestar material y la comodidad mundana, a menudo ignoran la libertad que deriva de vivir en el momento presente y de ser capaz de aceptar la voluntad de Dios, aunque esto suponga cierto sufrimiento.

Me molesta soberanamente que alguien esté comiendo un plato de ejotes verdes e insista en que saben a pollo. Los ejotes verdes, son ejotes verdes y no saben a pollo. Me parece preferible que acepten el hecho de que están comiendo ejotes verdes y agradezcan a Dios lo que tienen.

Cuando uno se hace adepto del «pensamiento positivo», se lo juega todo a cómo desea sentirse en el día de hoy. Te quedas sin trabajo por tu propia negligencia o indiferencia, e intentas convertirlo en algo positivo.

—En todo caso, era un empleo muy malo; tendré que encontrar otro trabajo mejor—mientes. O después de engañar a tu cónyuge, piensas: «No me he portado muy bien con ella, saldremos a cenar y seremos más felices que nunca.» Incapaz de aceptar la situación tal como es, crees poder corregir todos los pequeños problemas viendo el lado positivo, aunque sólo sea imaginario, y actuando «positivamente».

¿Qué ocurre mientras tanto con tu alma? No habrás pensado en la razón por la que perdiste el empleo o le mentiste a tu esposa. Habrás mantenido a Dios completamente al margen de todo el proceso al no pedirle ayuda ni perdón.

Habrás supuesto que todas las fuerzas de este mundo son superficiales y humanas. Pero tu respuesta habrá sido igualmente superficial, una visión siempre alegre en apoyo de la felicidad de una sola persona: tú.

Si te concentras en tu propia felicidad, conocerte a ti mismo se convierte en un problema. Por lo general, el autoconocimiento no te hace feliz. En realidad suele ser bastante desagradable. Pero, desagradable o no, el autoconocimiento es la base de la transformación cristiana. Y esta transformación depende de tu cooperación con Dios, y no de tu reserva interna ni de ninguna ilusión de que tú solo seas capaz de salirte del lío en el que estás metido.

Ésta es la razón por la que creo que los cristianos sólo podemos asimilar el pensamiento positivo, cuando lo «positivo» es Dios. Nuestro objetivo en esta vida no es el de que en nuestro rostro se dibuje permanentemente una sonrisa. No nos ha sido garantizada una vida desprovista de dolor. Por lo contrario, nuestro modelo, Jesucristo, vivió una vida de sufrimiento. No comenzaba el día con ejercicios para levantar el ánimo, ni se explayaba en ninguna gimnasia mental matutina que condujera a la euforia. Se limitaba a pedir ayuda al Padre, con toda humildad, consciente de que todo lo que ocurriera sería voluntad de Dios. Jesucristo era el ejemplo de la libertad perfecta, puesto que aceptaba todo lo que el Padre deseara para Él.

El orgullo y el falso mártir

En el fondo somos incapaces de comprender el orgullo sin comprender la humildad de Jesucristo. Cuando hablamos de ejemplos en los que el orgullo ha manchado nuestra conducta, es fácil que confundamos la reacción correcta, que es la humildad, con la incorrecta, que es la vieja rutina del arrastrado. Por ello me veo obligada a repetir constantemente: los cristianos no somos arrastrados. Los cristianos somos hijos de Dios, por cuyo mero hecho debemos ser humildes. Cuando el camarero nos trae la comida equivocada, sería absurdo pensar que la reacción humilde consiste en comérsela a fin de no ofender la susceptibilidad del camarero. Esta reacción sería tan orgullosa como la de gritarle al pobre individuo. El hecho de aceptar sumisamente la comida supone una cruz falsa y fastidiosa, centrada una vez mas en nosotros mismos. A decir verdad, después de pegarle el primer mordisco a esa hamburguesa que no habíamos pedido, le hemos complicado realmente la situación al camarero, ya que la persona cuya hamburguesa devoramos «sumisamente» tal vez esté armando un escándalo ante nuestro plato de cangrejos.

Por consiguiente, no confundan las cruces autoimpuestas y el martirio rebuscado con la humildad. Lamento decirles que ambos son funciones de la soberbia. Cuando permitimos que alguien abuse de nosotros, dejamos que ofendan a alguien a quien Dios quiere muchísimo; a saber, nosotros mismos. Pero allí no acaba la historia. Puesto que si facilitas el pecado de otro, le permites que dañe su propia alma, que evidentemente no es lo que uno debe proponerse. Ser humilde no significa llevar un cartel que diga que me apaleen, sino simplemente poner a Dios en primer lugar. Significa guardar una perspectiva correcta con respecto a los sucesos de la vida cotidiana y optar por la elección santa en el momento presente, independientemente de las circunstancias.

Recuerdo a una mujer que vino a verme muy desesperada hace algunos años. Anna había sido víctima de abuso verbal y emocional por parte de su marido a lo largo de muchos años. La humillaba constantemente y cuando nos conocimos estaba convencida de que era un verdadero fracaso con el marido, los hijos y su vida en general.

Le pedí que me describiera un día típico de su vida.

—No para desde que nos levantamos hasta que nos acostamos—dijo—. No le gusta como cocino, como limpio la casa, ni la conducta de los niños. Mi trabajo carece de importancia para él. Haga lo que haga, jamás le parece aceptable.

—¿Llega a golpearla?—le pregunté.

—No.

—¿Ha intentado hablar con él del problema?

—Claro que no—respondió Anna—. Jamás podría hacerlo. Se enoja demasiado. Ya no puedo soportar sus gritos y sus quejas.

—En tal caso, dígaselo—le dije.

Me miró horrorizada.

—Se lo digo en serio—continué—. Cuando llegue a casa esta noche, en el momento en que comience a quejarse de la cena, infórmele con toda calma de dónde puede hallar el restaurante más cercano. Y cada vez que empiece a gritar, dígale que puede marcharse él o que lo hará usted, pero que usted y los niños desean vivir en paz.

—Jamás podría ...

—Escúcheme—le dije—, no es voluntad de Dios que usted viva en esta especie de torbellino. No está ayudando a nadie con su silencio y limitándose simplemente a tolerar tanto abuso. ¿Es peor lo que pueda perder que lo que experimenta actualmente? Anna me miró poco convencida y salió del convento moviendo la cabeza.

Pero me llamó a la semana siguiente:

—¡Madre, tenía usted razón! ¡Ha funcionado!

A continuación me contó que finalmente había defendido sus intereses y los de sus hijos. Cada vez que su marido comenzaba a quejarse, le decía con calma, pero con firmeza, lo que podía hacer con sus quejas. En el transcurso de una semana, la situación había cambiado drásticamente. El marido de Anna había comenzado a respetarla como no lo había hecho nunca, y ella empezaba a creer en sí misma.

Quiero subrayar en este punto que el consejo que le di a Anna estaba basado en el hecho de que no había abuso físico en su matrimonio. El marido de Anna era simplemente un hombre orgulloso, que intentaba darse importancia humillando a su esposa y a sus hijos. Pero si se encuentran en una situación de abuso físico, el conjunto de circunstancias que los rodean es completamente distinto. La persona que los agrede no padece simplemente de orgullo, sino de una enfermedad profundamente arraigada. En estos casos se necesita la ayuda de un profesional debidamente calificado.

Tampoco sugiero, ni remotamente, que la situación de Anna ocurra exclusivamente a las mujeres. He visto numerosas esposas que humillan de tal modo a sus maridos, que a los pobres hombres les da miedo volver a casa por la noche.

Lo que estoy diciendo es que Dios fundó la familia para que fuera un símbolo viviente de su amor. No diseñó el hogar para que fuera un campo de batalla. Y si bien no recomiendo el divorcio, tampoco creo que las mujeres o los hombres deban ser víctimas pasivas del abuso de otro. Con frecuencia los que permanecen pasivos y silenciosos confunden su sumisión con la virtud, cuando en realidad se trata de debilidad con un manto de temor.

La humildad es un reto, ¿no les parece? Nos llama a volver una y otra vez a Dios, como centro de nuestra vida. Jamás dejaremos de caer en trampas autoabsorbentes y a lo largo de casi toda la vida oscilaremos entre la convicción de que somos algo maravilloso y la creencia de que somos la última basura de la tierra. Pero debemos recordar que Dios nos quiere y que, como cristianos, tenemos la obligación de respetar la dignidad de todos los hijos de Dios.

Orgullo y libertad

Todos nosotros no somos más que pobres y frágiles seres humanos, que procuramos hacer las cosas lo mejor que sabemos. Queremos ser buenos, pero nuestro orgullo no deja de susurrarnos mentiras, enfocando nuestro enfoque en nosotros mismos, en lugar de hacerlo en Dios. Dominados por nuestro propio orgullo, podemos llegar a creer en la última mentira, la de que la libertad es una condición independiente de Dios, en lugar del estado de unión con su voluntad.

Si estamos sintonizados con la voluntad de Dios, cuando pecamos, no experimentamos una sensación inmediata de libertad o satisfacción, sino de culpa. Le gritamos a un colega del trabajo y nos pasamos el resto de la tarde lamentando haberlo hecho. Le robamos un cliente a uno de nuestros socios y pasamos a preocuparnos inmediatamente de la forma en que podemos ayudarle a compensar la pérdida causada. Y no obstante, a nuestra cultura, que tanta importancia le da al hombre de Marlboro, fuerte, independiente y autosuficiente, le resulta muy difícil aceptar la idea de que podamos necesitar a alguien, especialmente a un creador que ni siquiera podemos ver. Creemos que la fuerza emana de la convicción de podernos valer por nosotros mismos, más que en la aceptación de la única fuerza capaz de mantenernos. Alimentamos nuestro propio orgullo y al hacerlo extraviamos la senda de la santidad, cuando una sola verdad podría cambiar por completo nuestra vida.

Esta sola verdad, evidentemente, es Jesucristo. Por mucho que prefieras resolverlo todo sin ayuda de nadie, debes seguirlo para alcanzar tu salvación. Esto no debe suponer un desprecio para ti. No ponemos en duda ni por un momento el hecho de que seas un ser humano inteligente, de talento y encantador. El hecho de seguir a Jesús no lo elimina, sino que lo hace posible. La clave estriba en la comprensión de que todo lo hermoso y bueno en ti no se debe a ti, sino a que Dios ha decidido otorgártelo.

«¿Por qué es tan difícil ser bueno?» La respuesta sigue siendo que estamos todos manchados por el pecado original y por la herencia del orgullo. A todos nos tienta creer que somos únicos, cuando único sólo lo es Dios. Nuestro orgullo nos aleja del autoconocimiento, sin el cual no podemos llegar a ser ese hijo extraordinario de Dios que Él espera que seamos.

El orgullo induce al hombre a pecar en la persecución de sus propias metas, y ésta es la razón por la que la soberbia es un adversario despiadado. El orgullo se apoderará disimuladamente de ti cuando tus intenciones sean impecables y cuando lo que más desees en el mundo sea obrar correctamente. Si no eres consciente de la presencia de tu propia soberbia, puede provocar realmente tu caída. Si te estás debatiendo con algún pecado en particular, un pecado habitual, tu propia debilidad, o si has llegado a un estado o a un nivel tibio en tu vida espiritual, pídele a Dios que te permita ser consciente del orgullo en tu vida. Pídele que te indique dónde te has colocado antes que Él y comenzarás a avanzar a pasos agigantados en tus relaciones familiares, tu vida espiritual, tu vida comunitaria y tu propio sentido de quién eres y por qué eres. Sobre todo, y especialmente si estás luchando con algún pecado, sé honrado con Dios, tu Padre. Si nos negamos a reconocer nuestras flaquezas ante Dios, nos hallamos en un estado verdaderamente lamentable. Ya que si no somos capaces de ser honrados con alguien que ve todo lo que hacemos, ¿con quién podemos serlo?

El padre Frederick W. Faber dijo: «Atacar los defectos de otros hombres equivale a hacer el trabajo del diablo; hacer el trabajo de Dios consiste en atacar los nuestros.» Si quieres ser santo y si deseas darle significado a tu vida, comienza a observar tu propia vida y a atacar tu propio orgullo en todas sus numerosas formas. Dios te dará una luz extraordinaria y finalmente el premio de la santidad. Tu santidad no sólo depende de lo que tú hagas, sino de lo que permitas que Dios haga a través de ti.

Ten valor.

Dios te perfeccionará.

TERCERA PARTE

ÚLTIMAS
CONSIDERACIONES

CAPÍTULO NUEVE

¿DEBO CREER EN EL ÁNGEL DE LA GUARDA, LOS SANTOS E INCLUSO EN EL PURGATORIO?

Un joven amigo llegó; un buen día al convento y confesó que había llegado a un callejón sin salida con respecto a un tema que ocupa un lugar muy importante en mi corazón: los ángeles.

—Madre, no soy capaz de creer en todo ese asunto de los ángeles—me confió Thomas—. ¿No basta con creer que Jesucristo es Nuestro Señor? ¿También tengo que creer en todas esas historias de querubines voladores?

¡Querubines voladores, válgame Dios! Evidentemente a Thomas le faltaba aprender un par de cosas sobre sus mejores amigos. Así pues, después de una larga charla durante la cual guardó predominantemente silencio, aquel joven oyó más sobre los ángeles de lo que jamás había imaginado. Se marchó sin estar convencido y por alguna razón no esperaba volver a verlo en un futuro próximo, a pesar de que estaba segura de que nuestros caminos volverían a cruzarse.

Efectivamente, transcurrido más o menos un año, Thomas llamó por teléfono desde una cabina del aeropuerto de Birmingham. Acababa de regresar de Roma y deseaba verme inmediatamente. A los pocos minutos estaba en el salón de nuestro convento, sentado al borde de una silla, con la mirada asustada de alguien que acabara de ver a un fantasma.

—Madre—me dijo con una voz ronca—, ahora sé que no bromeaba.

—¿Sobre qué?—le pregunté con cierta reticencia.

—Sobre los ángeles, por supuesto. Son reales—exclamó excitado—. La semana pasada salía de la basílica de San Pedro después de confesarme—contó, jadeante— y me sentía todo lo feliz que puede sentirse un hombre. Caminé entre la muchedumbre de la plaza, crucé la calle para dirigirme a la parada del autobús y de pronto sentí la presencia de algo resplandeciente junto a mí.

Hacía un día maravilloso y pensé que la luz del sol se reflejaba curiosamente de algún transitorio, o que alguien vestía una ropa exótica. Pero me equivocaba. Se trataba de un hermoso ángel, con una serena sonrisa en el rostro. Con el escepticismo que usted sabe que me caracteriza, madre, intenté controlar mis sentidos, pero por mucho que me esforcé no pude escapar de aquella presencia.

Comenzaba a ponerme nervioso. Entonces volví la cabeza para mirar hacia la plaza de San Pedro y comprobé que cada uno tenía su propio ángel. Sentí pánico. Subí al autobús y miré a mi alrededor aterrorizado, sólo para comprobar la presencia de más ángeles. Cuatro o cinco niños hacían travesuras al fondo del autobús y sus ángeles jugueteaban sobre sus cabezas. Un par de ancianas chismorreaban y sus ángeles miraban con tristeza. Cuando miré por la ventana vi a un borracho sentado en la acera y su ángel lo pescaba del hombro, intentando consolarlo.

Era incapaz de seguir soportándolo. Me bajé en la siguiente parada y volví tan de prisa como pude hablar con mi confesor. Cuando le pregunté por el significado de todo aquello, se limitó a encogerse de hombros y a decirme que estaba equivocado con respecto a los ángeles, y que Dios quería que supiera que existían en realidad. Madre, retiro todo lo que dije acerca de usted y de su amor por los ángeles. Realmente existen—suspiró Thomas— y son tan reales como cualquiera de nosotros.

Podía haberle ahorrado el viaje de ida y vuelta a Roma para lo que Thomas había descubierto, pero a veces Nuestro Señor quiere que aprendamos las cosas por experiencia propia. Para Thomas, haciendo honor a su nombre, ver fue creer. Dios le otorgó aquella visión extraordinaria para complacer su urgente necesidad de comprender la verdad acerca de los ángeles, y es evidente que a Dios le emocionaba muchísimo su sed de conocimiento.

Sin embargo, a la mayoría de la gente le importa un rábano. Creen que los ángeles son para los niños o para los demás. Se contentan con ignorar un aspecto gigantesco de nuestro universo, sólo porque no pueden verlo. Así pues, con el transcurso de los siglos, los ángeles han quedado relegados a la categoría de una especie de curiosidad fantástica, como los unicornios, los duendes o los ovnis. Entre otras cosas, dicha actitud me parece terriblemente grosera. Es desolador que existan millones de espíritus librando nuestras batallas y rezando por nuestras almas, mientras nosotros los ignoramos olímpicamente o los tratamos como una especie de hadas.

La verdad es que los ángeles son tan reales como nosotros y lo sabemos porque Dios nos lo ha revelado. Además, quiero que sepan que existe por lo menos un ángel que se preocupa muchísimo por nosotros.

¿Qué son los ángeles?

Cuando hago alguna referencia a mi ángel de la guarda ante amigos tanto católicos como protestantes, su reacción es un levantamiento general de cejas. No hay que ser adivino para saber en lo que están pensando. Por lo general es algo como «guardaré silencio y le seguiré la corriente» o «estoy seguro de que ha querido decir Dios». Entretanto, su cerebro se llena de imágenes de niños regordetes con alas y cabello rizo. «¿Cómo puede alguien creer realmente en los ángeles?», piensan para sí.

La respuesta es simple. Hay gente que cree en los ángeles porque los ángeles existen. Los ángeles no son lindos querubines pequeños. Cuando uno piensa en los adornos de los árboles de Navidad y en las imágenes de los frescos italianos, puede concluir acertadamente que no se trata más que de la imaginación de los artistas. Pero aquel que no piense más allá, es culpable de miopía intelectual. Y lo peor del caso es que esto supone un insulto para algún angelito en particular, cuyo nombre no mencionaremos porque con toda probabilidad ni siquiera le has otorgado ninguno. La verdad es que posees tu propio ángel, un ángel de la guarda, que en estos momentos está encantadísimo de que estés leyendo algo sobre él. Además, a pesar de lo que puedas haber oído por otra parte, te aseguro que según la tradición de la Iglesia, Santo Tomás de Aquino y las Escrituras, hay ángeles por todas partes en el universo.

—Pero ¿qué es un ángel, madre?—me preguntará—.

Si no son pequeños cupidos, ¿cómo debo imaginármelos?

En realidad, la palabra «ángel» significa «mensajero», pero esto designa su misión más que su naturaleza. Por naturaleza, los ángeles son seres puramente espirituales e intelectuales, y al decir puramente, me refiero en un ciento por ciento. Pueden ser alegres, tristes o compasivos; en realidad, pueden manifestar una personalidad única, al igual que los seres humanos. Pero no son materiales en ningún sentido. Ésta es la razón por la que no debemos aferrarnos a imágenes mentales si podemos evitarlo.

Tu ángel de la guarda

Estos seres asombrosos a los que ignoramos, o de los que nos reímos, son objeto específico de mención por parte de Jesucristo en el Evangelio de San Mateo. En Mateo 18:10, Jesús riñe a los apóstoles por quejarse de los niños que lo rodean: «Cuídense de no despreciar a ninguno de estos pequeños, porque les digo que sus ángeles en el cielo están permanentemente en presencia de mi Padre.» Y, sin embargo, seguimos creyendo que los ángeles no existen. Lo curioso de este «abuso» es que tenemos más en común con los ángeles que con cualquier otro ser del universo. Al igual que los ángeles, somos seres inteligentes. Hemos sido creados para alabar a Dios, glorificarlo y estar con Él en el cielo.

Sé lo que muchos estarán pensando: «Madre, esto es demasiado fantástico.» Son incapaces de aceptar la idea de que existan millones de espíritus, todos ellos más inteligentes que ustedes mismos. Vuelven a pensar en las alas y en los rostros regordetes, y no logran aceptarlo.

No puedo ofrecerles diagramas, pruebas ni muestras científicas de las alas de los ángeles, ni lo supongo remotamente posible. Sin embargo, las Sagradas Escrituras están llenas de ejemplos de cómo Dios ha utilizado a los ángeles para intervenir en las vidas de los hombres y de las mujeres. Si han aceptado la realidad de Dios por la fe, han dado ya un salto tan gigantesco que aceptar la realidad de los ángeles debería ser cosa fácil. Pero tanto sí creen como si no en los ángeles, tanto si se dan cuenta como si no de que tienen su propio ángel de la guarda, ese ángel, por ignorado que se le tenga, ha hecho muchísimo por ustedes desde el momento de su concepción y seguirá haciéndolo en cada momento de su existencia.

~ Te avisa. Algunas veces, lo que llamamos «intuición» nos induce a tomar lo que resultan ser decisiones importantes. Tienes la persistente sensación de que no debes asistir a cierta fiesta o de que debes recoger a tus hijos temprano, y a pesar de que en aquellos momentos no seas consciente de ello, tu ángel de la guarda te ha ayudado a evitar algún peligro.

~ Te inspira. Cuando te enfrentas a algún tipo de tentación y de pronto tienes la fortaleza de decir «no», con frecuencia es tu ángel de la guarda quien te ha ayudado, procurando apartarte cuidadosamente del pecado.

~ Reza por ti. Tu ángel de la guarda reza constantemente por ti. En el libro de Tobías (que aparece en la Biblia católica), el ángel de Tobías le dice: «Cuando rezas, llevé tus oraciones al Altísimo» (Tobías 12:12). Evidentemente todas tus oraciones llegan a Dios, pero tu ángel las entrega especialmente.

~ Te ilumina. Algunas veces, cuando estás intentando tomar una decisión, en el último momento lo ves todo perfectamente claro. Es como si te hubiera faltado una pieza del rompecabezas y de pronto todo pasara a tener sentido.

Los ángeles de la guarda pueden intervenir en nuestras vidas siempre y cuando su petición se ajuste a la voluntad de Dios. Pueden librar batallas, y lo hacen cuando menos lo esperamos para ayudarnos.

Jamás olvidaré un incidente que tuvo lugar cuando yo tenía diez u once años. Vivía todavía en Canton, en Ohio, y ya avanzada la tarde había ido a la plaza mayor para hacer algunos encargos para mi madre. En medio de la plaza había un aparcamiento y aquel día, por alguna razón, estaba rodeado de una cadena que impedía el acceso de los coches. Cruzaba tranquilamente la calle cuando de pronto oí a alguien que gritaba y al volver la cabeza vi unos faros que se me acercaban. Quedé momentáneamente cegada y entonces sentí dos manos que me agarraban, ayudándome a saltar la cerca del aparcamiento.

Aquel coche se había saltado un semáforo en rojo y siguió a toda velocidad. Gradualmente comencé a comprender lo ocurrido. Se acercó un montón de gente, preguntándome como me las había arreglado para saltar la cerca.

No tenía ni idea de cómo lo había logrado.

Fui corriendo a mi casa en busca de mi madre. Estaba pálida, temblorosa, y me eché a llorar.

—Mamá, han estado a punto de matarme.

—Lo sé, Rita, lo sé—respondió, echándose también a llorar.

Después supe que mi madre había sentido que corría peligro y se había puesto de rodillas para rezar, pidiéndole a Dios que me salvara la vida. Estaba claro que aquello era precisamente lo que Dios le había ordenado a mi ángel que hiciera. Jamás olvidaré la curiosa sensación de ser levantada, literalmente levantada, por dos manos que me ayudaron a cruzar la cerca que me separaba de la muerte.

Tú, yo y todo ser viviente tenemos nuestro ángel de la guarda. Son amigos poderosos, probablemente los más poderosos que jamás podamos llegar a tener. No sé cómo es en su caso, pero yo siempre he necesitado a todos mis amigos y por consiguiente he mantenido una relación muy íntima con mi ángel, desde aquel día que casi acabó en tragedia. Le llamo *Fidelis*, que en latín significa fiel, y cabe decir que lo ha sido, ya que sé que he supuesto una misión muy dura para él.

Les sea o no difícil reconocer a su ángel, pídanle que rece por ustedes la próxima vez que estén enfermos. Si eres estudiante, pídele que te ayude a concentrarte en tu próximo examen. Si eres representante comercial, pídele ayuda antes de visitar a tu próximo cliente importante. Y si eres padre, pide al ángel de la guarda de tus hijos que los proteja en su vida cotidiana.

Tanto es el amor que Dios siente por ti, que te ha dado un ángel de la guarda, un amigo que reza por ti, alentándote y preocupándose de tu salvación. Si alguna vez te invade la soledad, recuerda al amigo que Dios te ha dado por derecho propio. Está contigo en todo momento.

No olvidemos que Dios no nos hizo para estar solos. Puede que nos hallemos en una habitación vacía y nos sintamos abandonados y despreciados, pero con nosotros hay siempre un ángel, cuya misión en la vida es la de protegernos. Por encima y a nuestro alrededor están todos los que nos han precedido, además de nuestro ángel encantador que libra permanentemente batallas espirituales en nuestro nombre. No estamos solos.

Si alguna vez has deseado tener un amigo que te comprendiera y te aceptara tal como eres, si has deseado tener a alguien que no se desalentara por tus debilidades o tus pecados, si has querido tener a alguien que rezara por ti en cualquier circunstancia, éste es tu ángel. Tienes un ángel de la guarda. Con millones de ángeles rezando para ti y un ángel de la guarda que te cuida especialmente, nunca debes tener miedo.

Amigos en puestos importantes

No sólo dispones de un ángel de la guarda, sino de una legión de santos que en estos momentos rezan por ti. Dichos santos son almas que han sido consideradas dignas de vivir con Dios en el cielo. Como católicos, describimos esta poderosa presencia como la comunión de los santos. Muchos de mis amigos protestantes creen que nosotros los católicos «adoramos» a los santos, pero esto no es cierto. Como católicos, pedimos a los santos que recen por nosotros, del mismo modo en que puedo pedirle a un amigo que rece por mí o por los estudios.

Para mí siempre ha sido muy fácil aceptar la comunión de los santos. Además de las numerosas referencias a los santos en las Escrituras, parece perfectamente lógico reconocer que los santos realizan una función específica en el cielo. Una parte importante de dicha labor consiste en interceder por nosotros.

Puede que a la gente le resulte muy difícil imaginar la intercesión de los santos por la atención excesiva que se presta a la muerte del cuerpo. Cuando nuestros seres queridos fallecen y dejamos de poder verlos y hablar audiblemente con ellos, solemos pensar que ya no forman parte de nuestra vida. Aunque a veces les dirijamos algún comentario, nos sentimos ridículos al hacerlo. Al no oír su respuesta, desechamos nuestro esfuerzo como inútil.

Sin embargo, olvidar a los que están en el cielo es un gran error. Los que lo han «logrado», arrodillados ante el trono de Nuestro Señor, están en una posición mucho más ventajosa para pedirle ayuda a Dios en nuestro nombre que cualquiera que siga viviendo en la tierra.

El libro de la Revelación nos ofrece una vivaz descripción de la comunión de los santos. Muestra que entre los que están «allí» y los que estamos aquí, formamos una gran familia.

Yo, Juan, vi una gran muchedumbre, incontable, de gente de todas las naciones, razas, tribus y lenguas; estaban ante el Trono y delante del Cordero (Jesucristo), vestidos con túnicas blancas y palmas en las manos. Exclamaban a voces: «¡Victoria a nuestro Dios, que está sentado en el Trono, y al Cordero!», y todos los ángeles que estaban de pie alrededor del Trono se postraron ante el mismo, hasta tocar con la frente en el suelo, adorando a Dios con estas palabras: «Amén. La bendición, la gloria, la sabiduría, la acción de gracias, la honra, el poder y la fuerza sean con nuestro Dios por los siglos de los siglos, Amén» (Revelación 7:9-12).

Los santos son hombres y mujeres que han experimentado las mismas miserias, sufrimientos y traumas que cualquiera de nosotros. La mayoría fueron desconocidos durante su vida en la tierra. Fueron personas comunes que libraron la buena batalla. Comprenden nuestras debilidades y dificultades, y nos alientan en nuestro camino. Su amistad mejora la calidad de nuestra vida espiritual y nos da un sentido de compañerismo. Sus vidas nos inspiran

a luchar por la santidad. Y el hecho de pedir por su intercesión nos da un sentido de familia y de seguridad.

Como saben, siempre he sido una observadora de los santos. Me asombra cómo diversos santos respondieron a la gracia de Dios. Constituyen ejemplos extraordinarios de seres humanos corrientes, que lucharon contra sus pecados y los superaron. Matt Talbot era un alcohólico que se convirtió en devoto y penitente. San Jerónimo, que tenía un genio de mil demonios, tuvo que luchar muchísimo para ser amable. María Egipcíaca era prostituta a los dieciséis años. Se convirtió, fue ermitaña y era conocida por su santidad. Algunos santos han hecho lo imposible, como la madre Cabrini, que fundó sesenta y dos escuelas, hospitales y orfanatos, uno por cada año de su vida, a pesar de que padecía continuos ataques de malaria. Ha habido santos analfabetos, como Catalina de Siena, que más adelante llegó a ser doctora de la Iglesia. San Buenaventura y Santo Tomás de Aquino estaban dotados de grandes intelectos. San Francisco, el santo pordiosero a quien yo sigo, abandonó una vida cómoda por la santidad.

Cuando los católicos nos postramos ante una estatua de María, San Antonio, o San José, no estamos adorando un pedazo de mármol o de escayola. Estamos contemplando la imagen de alguien por quien sentimos un profundo amor, al igual que cuando contemplamos con cariño la fotografía de algún querido miembro de la familia. Cuando tenemos alguna necesidad, podemos dirigirnos a dichos santos, que nos oyen, rezan por nosotros y llevan nuestras peticiones especiales a nuestro Padre. Por consiguiente, no debemos ignorar a estos amigos, nobles y bondadosos, que Dios nos ha dado en su misericordia.

Una desviación después de la muerte

Al hablar de los elementos del otro mundo, cometería una negligencia si no incluyera el cielo, el infierno y el purgatorio. Por tratarse de los últimos destinos de nuestro camino espiritual, he dedicado capítulos aparte al cielo y al infierno. Pero el tercer lugar, el purgatorio, no es como el cielo ni como el infierno. El purgatorio no es un destino, sino un lugar de paso, una especie de alto en el camino en el viaje hacia el cielo.

Cada alma es juzgada por Dios en el momento de la muerte. El alma que ha sido fiel a Dios a lo largo de toda la vida y que se ha transformado en la imagen de Jesucristo, en el momento de la muerte pasará a descansar eternamente en el cielo. Pero, en la mayoría de los casos, nuestras vidas están llenas de momentos en los que hemos elegido nuestra voluntad en lugar de la de Dios. No hemos rechazado por completo a Dios, pero tampoco le hemos sido enteramente fieles. Somos portadores de una carga excesiva de egoísmo, envidia, ira o resentimiento.

Si éste es el estado de nuestra alma, no estamos preparados para vivir con Dios en el cielo. Especialmente si algunas de las personas a quienes nos hemos negado a perdonar están ya allí. Para que el cielo sea un lugar de paz eterna y alegría inacabable, algo debe cambiar. Y ese algo es el estado de nuestra alma. En este punto, es imperativo comprender lo siguiente:

La muerte sólo separa el alma del cuerpo. No cambia el alma. En el momento de la muerte, nuestra voluntad pasa a ser inalterable. Todas nuestras elecciones han sido ya realizadas. Al comprender esta verdad, damos un paso importante para comprender la necesidad del purgatorio. Dado que el alma no puede cambiar después de la muerte, no hay oportunidad de pedir perdón a Dios al aparecer ante Él para ser juzgados. No es cuestión de darse repentinamente cuenta de todos nuestros pecados e implorar su misericordia. Por mucho que lo lamentemos, no cambiará el hecho de que nuestra alma no está preparada para aparecer ante Dios, ni mucho menos para vivir con Él en el cielo.

Allí es donde interviene el purgatorio. Por primera vez, el alma se ve a sí misma tal como la ve Dios. Es dolorosamente consciente de sus pecados y de sus debilidades, así como de todas las ocasiones en las que no ha logrado imitar a Jesús. Sabe que no está preparada para contemplar al Dios perfecto, puesto que no es perfecta. Por lo contrario, el alma debe ser purificada para hacerse digna de la presencia de Dios.

Piensen en el sol como ejemplo. Todos sabemos que mirar directamente al sol puede dañar permanentemente nuestros ojos, e incluso dejarnos ciegos. Para ello es necesario preparar los ojos, protegiéndolos debidamente. Sin dichas medidas, nos es imposible contemplar el brillo del sol. Sencillamente, nuestros ojos no están equipados para soportar la luz.

Otro tanto ocurre con el purgatorio. El alma que no es como Jesucristo debe ser preparada para poder aparecer ante Dios. Debe ser purificada, lavada de sus pecados y debilidades que le impiden contemplar la gloria de Dios.

Sé que a mucha gente le resulta difícil el concepto del purgatorio. Insisten en que el Dios misericordioso perdona los pecados y desea nuestra salvación. Esto es absolutamente cierto. Pero también es cierto que Dios es justo. Su justicia exige que las almas sean juzgadas de acuerdo con la forma en que han elegido seguir su voluntad en esta vida. No sería razonable esperar que Dios juzgara del mismo modo a alguien que ha dedicado su vida a servirle y a quien se ha contentado con «ir tirando».

Encontramos un ejemplo de ello en el Evangelio de San Lucas, donde Jesucristo nos alienta a estar preparados cuando recibamos su llamada. Habla extensamente del sirviente que está preparado cuando regresa su amo. En un momento dado, dice:

El sirviente que sabe lo que quiere su amo, pero que ni siquiera ha comenzado a actuar según dichos deseos, recibirá muchos latigazos. El que no lo sepa, pero merezca ser azotado por lo que ha hecho, recibirá menos latigazos que el anterior (Lucas 12:47-48).

Este párrafo nos obliga a preguntarnos la forma de administración del castigo, o de los azotes. Esto no puede tener lugar en el cielo, puesto que el cielo es un lugar desprovisto de dolor o sufrimiento. Tampoco puede administrarse el castigo en el infierno, puesto que el infierno es un lugar sin retorno.

En ese caso, ¿cómo puede administrarse dicho castigo? Ante todo permítanme aclarar que prefiero el término purificación al de castigo. Creo que el purgatorio existe, porque allí es donde nos colocamos nosotros mismos. Nuestras almas necesitan ser purificadas para ser dignas de vivir con Dios. Nuestro dolor por haberlo ofendido, junto a un ardiente deseo de estar junto a Él, constituye nuestra purificación, nuestro purgatorio.

Es bueno para nosotros pensar en la otra vida, en el mundo espiritual que no somos capaces de ver, oír, ni tocar. Es bueno para nuestras almas darse cuenta de que no hemos llegado todavía al fin del camino, pero no sabemos cuánto nos queda todavía por recorrer. Nuestro camino por la vida puede ser muy largo, o acabar mucho antes de lo que suponemos. Ésta es la razón por la que es importante utilizar todos los medios de los que disponemos para crecer en santidad, preparar y reforzar nuestras almas para el momento del encuentro con nuestro Creador. Los ángeles y los santos pueden ayudarnos a unirnos a ellos y a alcanzar nuestra meta final en el cielo.

Dios quiere que tú estés entre ellos. Cuando los santos avancen por la gloria.

Capítulo diez

¿Por qué tengo miedo de morir?

Como niña independiente que fui, tuve problemas en la escuela, es decir, con mis profesoras. El sexto grado fue un curso particularmente difícil. Hiciera lo que hiciera, no lograba satisfacer a la hermana Prudence. Era una de esas mujeres que no ocultan sus sentimientos y parecía ser permanentemente objeto de desaprobación por su parte, lo que no era fácil, o me ridiculizaba en público, lo que era injusto.

Después de muchos meses de sufrir en silencio, opté por cambiar de táctica y ganarme la reputación de una «buena estudiante». Decidí que llegaría al cielo por la ruta de Santo Tomás de Aquino, ya que había fracasado por el camino de la dulzura y no tenía el temperamento de Juana de Arco. El cerebro… la cabeza … Es así como llegaría al cielo. Dediqué todo mi tiempo al estudio. Estábamos en primavera, cerca de Semana Santa, y recuerdo que me preparaba para mi clase de catecismo. La pregunta del día hacía referencia a la muerte. Después de una breve introducción, la hermana preguntó:

—Niñas, ¿pueden decirme alguna qué es lo opuesto a la muerte?

Nadie respondió. Todo el mundo podía darse cuenta de que se trataba de una pregunta con truco, pero yo estaba dispuesta a complacer y levanté mi mano hacia el cielo.

—¿Sí, Rita?—preguntó la hermana, con una ceja levantada.

—Lo opuesto de la muerte es la vida—respondí orgullosa.

—Si lo opuesto de la muerte es la vida—dijo la hermana Prudence, con el ceño fruncido—, más vale que cuelgue los hábitos y me vaya al circo.

Evidentemente mi respuesta era incorrecta, pero tardé muchos años en comprender el porqué.

La mayor parte de nuestro miedo a la muerte emana de la percepción simplista de que la muerte es lo opuesto de la vida. El solo hecho de pensar en la muerte nos deprime y nos desalienta. Imaginamos el fin de todo lo que nos es querido. Puede que incluso contemplemos la «futilidad de todo». El caso es que si la muerte fuera realmente lo opuesto de la vida (como quizá les habría sugerido en Canton, Ohio), sería perfectamente justificable que cayéramos en la desesperación. Significaría que muchos de nosotros, al igual que la totalidad del cristianismo y de la civilización occidental, estaríamos equivocados. Significaría que mi voto equivaldría a palabras malgastadas, que la bondad sería mera ilusión y que Jesús había venido a salvarnos en vano. Todo lo que entendemos por bien y por mal no sería más que una broma ... si la muerte fuera lo opuesto de la vida.

Soy perfectamente consciente de que éstas son afirmaciones generales, pero a no ser que comprendamos que sólo nuestros cuerpos mueren y que nuestras almas siguen viviendo eternamente, todo lo que hacemos y en lo que creemos en esta vida carecería de sentido y de valor. Seria como San Pablo afirma en su primera carta a los Corintios: «Si no existe la resurrección de los muertos, el propio Jesucristo no puede haber resucitado y si Jesucristo no ha resucitado, nuestras oraciones son inútiles y también lo son nuestras creencias. Si nuestra esperanza en Jesucristo ha sido sólo para esta vida, somos el más desgraciado de todos los pueblos» (I Corintios 15:13-14, 19).

El problema con mi respuesta a la hermana Prudence era que no hay nada opuesto a la muerte. La muerte es una transición. Se opone tan poco a la vida como el puente a la tierra a la que sirve de enlace. Como cristianos, somos conscientes de que el alma entra en nuestro cuerpo natural en el momento de la concepción, anima el cuerpo hasta la llegada de la muerte física y prosigue su viaje hacia la eternidad. La muerte es la muerte del cuerpo, pero no la del alma. La muerte no es más que un alto en el camino. Si fuéramos capaces de vislumbrar la naturaleza eterna de nuestra vida, veríamos la muerte exactamente igual que el nacimiento: un túnel que debemos cruzar necesariamente en nuestro camino.

¡Facilita esto el hecho de enfrentarnos a nuestra propia muerte, o a asimilar la pérdida y separación de los seres queridos que fallecen? En realidad, no. Siempre será difícil aceptar la muerte del cuerpo, pero su comprensión es esencial para tener una visión informada e inteligente de la existencia. Si llegamos a comprender la muerte tal y como es en realidad, todos nosotros podremos adquirir un mayor conocimiento del plan de Dios y aumentar nuestro propio esfuerzo en pos de la santidad. La clave está en comprender que la muerte es un hecho en la vida, pero no el fin de la misma.

De aquí a allá

Vivimos en una ciudad efímera. Todo en nuestra existencia conspira para revelar la verdad: que se trata de una vida de paso, de un momento fugaz en nuestro camino hacia la eternidad.

Cada día, cuando nos miramos al espejo, vemos a una persona diferente, con nuevas arrugas, expresiones más flácidas y decrecientes habilidades. Nos esforzamos para ser promocionados, conseguir una casa mayor, y en el momento en que lo logramos comenzamos a perseguir otro sueño más grande. Vemos los altibajos de los famosos en sus éxitos y fracasos momentáneos, y comprobamos la naturaleza efímera de los éxitos mundanos.

Los premios de esta vida son ilusorios y el carácter de la misma transitorio. Esta vida es hermosa, pero sólo en el contexto de su propósito, que es el de prepararnos para la próxima. Sin embargo, nos aferramos al mundo, incluso cuando se nos escurre entre los dedos, sólo porque nos resulta difícil asimilar la realidad del cielo.

No pretendo sugerir que la realidad del cielo sea evidente. Cuando te estás comiendo un bocadillo, regañando a los niños, o cortando el césped, el Cielo no es exactamente en lo que estás pensando. Se necesita disciplina, muchísima disciplina, para darnos cuenta mientras operamos en este mundo de que existe otro, todavía mejor. Por mucho que leamos el Evangelio, que recemos para ser iluminados y que centremos nuestros corazones en Dios, el cielo parece ausente y lejano. Y ésta es la razón por la que la muerte parece tan trágica, tan horripilante y tan terrible. La tememos como algo definitivo.

Cuando la muerte alcanza a un ser querido, puede que sintamos que la fe está en su mínima expresión. Al enterrar el ataúd, sentimos que la persona se ha ido para siempre. No lo vemos como el fin de algo, sino como el fin de todo. La muerte no es el fin de todo. Es simplemente el fin de la relación de nuestra alma con nuestro cuerpo natural. Cuando morimos, nuestra alma se traslada a un nuevo lugar. En realidad, lo que experimentamos es un cambio de dirección espiritual.

Nuestro Señor nos ha hablado del Reino y de sus muchas mansiones, y la idea geográfica y residencial puede ayudarnos a comprender lo que es realmente la muerte. Hoy en día, nuestras familias están constantemente en movimiento, transferidas de un lugar para otro, abandonando comunidades, barrios y amigos queridos en sus desplazamientos. Con cada traslado hay un miedo implícito: ¿Cómo será Los Ángeles? ¿Cómo me las arreglaré sin mi amiga Beth? ¿Seré feliz en ese lugar? ¿Hemos tomado la decisión correcta? Al contrario de la muerte, el traslado a otra ciudad obedece a nuestra decisión. Se nos ofrece la posibilidad de elegir y decidimos que el próximo lugar será probablemente mejor que el anterior. Nos imbuye una aprensión humana normal acerca de lo desconocido, pero no pensamos ni por un momento que nuestra vida vaya a terminar por el simple hecho de trasladarnos a un lugar distinto. Seguiremos siendo la misma persona, con nuestras debilidades y fortalezas, talento y fragilidad. No cambiará quien somos, sino donde estamos. Se trata de nuestra decisión y procuraremos sacarle el máximo provecho.

La muerte es distinta porque no obedece a nuestra decisión, como tampoco lo hizo el hecho de nacer. Aunque aceptemos el hecho de que la muerte forma parte de nuestra migración espiritual, querríamos que se tuviera en cuenta nuestra opinión en cuanto a la fecha de la partida. Algo hace que lo desconocido elegido por nosotros sea mucho menos espantoso que lo desconocido elegido por otros, aunque quien realice la elección sea Dios. Debido a nuestra increíble falta de confianza, llegamos a aceptar su sabiduría en cuanto a los sucesos de esta vida, pero no en lo referente a nuestra vida eterna. Confiamos en Dios para nuestro pan de todos los días, pero no para el reino de los cielos.

Lo curioso de nuestra aprensión es que, por otra parte, tampoco querríamos vivir eternamente en un mundo material. Qué duda cabe de que este mundo es un lugar interesante, pero no conozco a nadie que deseara permanecer en el mismo indefinidamente si tuvieran que hacerlo después de que todos sus seres queridos hubieran fallecido. Gastamos billones de dólares todos los años en tintes para el cabello, cirugía estética, gimnasios y cosas por el estilo, pero todos nuestros esfuerzos para seguir pareciendo jóvenes no reflejan necesariamente un interés por permanecer en este mundo generación tras generación. En realidad, si te dijera: «Felicidades, amigo mío, te ha tocado vivir eternamente en este mundo», probablemente pasarías una noche entera celebrándolo, pero a continuación te entraría una angustia terrible y devastadora. Acabarías por darte cuenta de que tu ritmo sería distinto al del resto del mundo. No conozco a nadie capaz de levantarse todas las mañanas, lavarse los dientes, vestirse y desayunar, milenio tras milenio. Todo el mundo se da cuenta de que éste es un mundo temporal y de que nosotros, como seres humanos, seríamos incapaces de tolerarlo permanentemente. El cristiano sabe que su alma sólo puede vivir eternamente en el cielo o en el infierno.

El único modo de entrar en la eternidad es abandonando este mundo. La verdad es que la muerte no es la parada final en nuestro camino; la parada final es la eternidad, y la muerte es lo que nos permite llegar a la misma. El viajero es tu alma y tu alma nunca muere. En cuyo caso, ¿por qué es tan difícil aceptar la vida en el otro mundo?

Nuestro auténtico miedo de la muerte: lo desconocido

A menudo me pregunto cómo debe sentirse el feto en el útero, antes de nacer, de camino hacia el mundo de la luz y del sonido, sin saber absolutamente nada de lo que le espera. La madre sabe que los dolores del parto van a ser difíciles, pero comprende que merecen la pena. Esto podría compararse a los no creyentes y a los cristianos con relación a la muerte. El que no es creyente, al igual que el niño antes de nacer, no sabe que lo que le espera vale la pena. Cree que el dolor de la muerte no conduce a nada. Sin embargo, el cristiano, al igual que la madre, sabe que los dolores de la muerte conducen a la totalidad.

Pero esto no facilita las cosas. Como Santa Mónica dijo en una ocasión: «Voy de camino para mi casa y sin embargo olvido a dónde voy.» Como seres humanos, nos es imposible tener un conocimiento perfecto del próximo mundo. Pero a no ser que tengamos un conocimiento razonable del mismo, siempre nos resultará difícil concebir que el proceso de abandonar nuestros cuerpos constituye una parte necesaria de nuestro viaje hacia nuestro Padre que está en los cielos.

Con frecuencia he oído que es imposible soñar sobre nuestra propia muerte. La supuesta sabiduría de este mito se basa en que si uno sueña sobre su propia muerte, no vuelve a despertar jamás. Sin embargo, un joven metodista amigo mío murió en sus sueños y sobrevivió para contármelo.

Hacía tres años que Allen estaba casado, profundamente enamorado de su esposa, y últimamente tenía un miedo casi obsesivo de lo que ocurriría si uno de ellos fallecía. Muchos nos sometemos a semejantes escenas imaginarias, preguntándonos «¿qué ocurriría si tal o cual persona falleciera?», y hacemos pequeños ensayos de dolor. Estos ensayos y temores son perfectamente normales, y no deben preocuparnos.

Sin embargo, los sueños de Allen comenzaban a escapársele de las manos, por cuya razón, supongo, tuvo este extraño sueño. Soñó que cuando estaba en la ciudad con su esposa le salió al paso un hombre armado que intentaba robarles el dinero y las joyas. En un momento de locura, el ladrón se puso nervioso y comenzó a dispararles. Allen sintió un miedo atroz de perder la vida. Pero todavía era mayor la preocupación que sentía por la seguridad de su esposa y al protegerla con su propio cuerpo, recibió varios impactos en el cuello. A los pocos minutos estaba «muerto».

Allen recordaba claramente el calor intelectual y la serenidad de su muerte en el sueño, seguida de una comprensión perfecta de lo ocurrido.

—En primer lugar, sentí que perdonaba plenamente a mi asesino. No sentía odio, ni temor alguno—explicó—. Me alejaba con rapidez, pero pareció transcurrir mucho tiempo antes de abandonar la escena. Vi a mi esposa y tuve una curiosa sensación de no tener que preocuparme por ella, como si supiera que ella estaría a salvo, ocurriera lo que ocurriera. Lentamente experimenté que giraba, se levantaba mi cabeza y me sentía invadido por una perfecta seguridad y el reconocimiento bienaventurado de Dios omnipresente.

Afortunadamente, a través de su sueño, Allen adquirió una comprensión de la vida eterna en el Reino de Dios. Ha dejado de temer a la muerte, porque comprende que este mundo no es más que un puente que conduce a la morada eterna. Su percepción fue una gracia especial para Allen. Pero hay muchos pasajes en las Escrituras que nos pueden infundir seguridad en los momentos de angustia acerca de la muerte y de miedo a lo desconocido:

> Jesucristo ha resucitado efectivamente de la muerte, primer fruto de todos los que han caído en el sueño eterno. La muerte nos llegó a través de un hombre y del mismo modo la resurrección de la muerte nos ha venido a través de un Hombre. Del mismo modo en que todos los hombres mueren en Adán, vuelven a la vida en Jesucristo. El primer hombre, siendo de este mundo, es humano por naturaleza; el segundo Hombre es del cielo. Tal como fue el hombre humano, lo somos en este mundo; y tal como es el

Hombre celeste, lo somos en el cielo. Y así como hemos sido modelados según el hombre humano, lo seremos según el Hombre celeste (I Corintios 15:20-22, 47-49).

En otras palabras, hermanos, podemos decir: la carne y la sangre no pueden heredar el Reino de Dios, y lo perecedero no puede heredar lo que dura eternamente. Les diré algo que ha sido secreto: que no todos vamos a morir, pero que todos cambiaremos. Esto será instantáneo, en un abrir y cerrar de ojos, cuando suene la última trompeta. Sonará y se levantarán los muertos, incorruptos, y nosotros también seremos transformados, porque nuestra actual naturaleza corrupta debe adquirir incorruptibilidad y esta naturaleza mortal debe adquirir inmortalidad (I Corintios 15:50-53).

Cuando esta naturaleza mortal haya adquirido inmortalidad, se cumplirán las palabras de la Sagrada Escritura: La muerte es absorbida por la victoria. Muerte, ¿dónde está tu victoria? Muerte, ¿dónde está tu aguijón? Demos por tanto gracias a Dios por darnos la victoria por medio de Nuestro Señor Jesucristo (I Corintios 15:54-55, 57).

Las almas siguen viviendo

Lo más desconcertante de todo esto es simplemente imaginar qué queda después de que muera el cuerpo. ¿Qué es eso invisible que vive eternamente, a lo que llamamos alma? ¿Cómo puede funcionar sin el cuerpo?

A mucha gente le resulta difícil asimilar la realidad del alma. Pero esta dificultad no afecta la posible existencia del alma. El obispo Sheen dijo en una ocasión que la verdad es la verdad, tanto si todo el mundo cree en ella como si nadie lo hace. Pero estamos dotados de un gran incentivo para comprender, ya que cuando asimilemos la relación del alma con el cuerpo entenderemos lo que nos ocurre cuando morimos.

La mayoría cometemos el error de imaginar el alma como una especie de órgano, igual que el corazón o el riñón, o como una especie de forma gaseosa que flota alrededor del cerebro. Esto es un gran error. Si concebimos el alma como algo físico unido al cuerpo, no podemos comenzar ni a imaginar la vida después de la muerte. Algo importante que debemos comprender es que el cuerpo y el alma son dos entidades distintas, y que el alma no necesita al cuerpo para existir. El alma se siente a gusto en el cuerpo, formando una unidad con el mismo y dándole vida, pero no forma parte de él.

F. J. Sheed compara el alma a una llama y el cuerpo a una olla. La energía procedente de la llama hace que el agua hierva, burbujee y silbe. La llama da vida a la olla de agua, al igual que el alma la da al cuerpo. Sin la llama, el agua permanecería en estado de reposo. El agua necesita a la llama para cobrar vida, pero no ocurre otro tanto a la inversa. La llama tiene su propia vida, al igual que el alma, y sólo depende de Dios para su existencia.

Podremos controlar nuestro miedo a la muerte cuando comprendamos que nuestra alma, nuestra verdadera esencia, jamás morirá. En algún momento la olla dejará de existir, pero la llama seguirá quemando hasta alcanzar un perfecto conocimiento de la bondad de Dios. Decimos que tenemos miedo de morir, pero nuestra muerte ha comenzado ya con nuestro nacimiento. Morimos paso a paso, mientras nuestra alma avanza por el tiempo en esta vida hacia la eternidad de la siguiente. Cada minuto de esta vida es un paso hacia la eternidad. Y si la eternidad es la del Reino de Dios, será una bienaventuranza de una dimensión tan extraordinaria, que nadie, ni siquiera los ángeles, serían capaces de describirla.

La aflicción

La verdad te liberará, pero esto no significa que la liberación no sea a veces un proceso doloroso. Si hace poco has perdido a un ser querido, o estás a punto de hacerlo, la realidad del cielo y del alma eterna de la persona en cuestión te parecerá remota y carente de importancia. El miedo y la aflicción que experimentas no se basan tanto en la propia naturaleza de la muerte como en tu separación y en tu gran pérdida. Por mucho que te hablara de los ángeles, de la música y de la paz absoluta que esperan a tu ser querido en la otra vida, lo único de lo que eres consciente es de que tú sigues en ésta, y, si estás perdiendo a alguien, no quieres que te abandone.

Si en estos momentos estás a punto de perder a alguien, sé que tu existencia parece haber sido plenamente violada y parece que te halles muy lejos de tu antigua realidad. Sé que en estos momentos cambiarías tu propio dolor, o el dolor de tu ser querido, por cualquier otro tipo de dolor. Sé que Dios ve y oye tus plegarias y tus ofrendas.

—Toma mi vida en lugar de la suya. Deja que ella viva y lo abandonaré todo. No permitas que muera y haré lo que me ordenes.

Este tipo de oración desesperada es normal en momentos de aflicción y dolor.

Nuestro Señor es testigo de mi dolor y de mi aflicción ante la pérdida de mi madre. A pesar de mis estudios, de los muchos años dedicados a la oración y de toda la luz que Dios me había dado, me sentí tremendamente afligida ante la muerte de mi madre. Fue una aflicción que duró dos años y que todavía me afecta en algunos momentos cuando veo algo que le gustaba particularmente o leo uno de sus pasajes predilectos de la Biblia. En estos momentos la echo de menos y me invade la tristeza por nuestra separación. Cuando falleció, estaba segura de que merecía ir directamente al cielo y disfrutar de la felicidad eterna. Pero no por ello me sentí mejor ante su pérdida.

(A la gente siempre le sorprende enterarse de que mi madre ingresó en nuestra orden a una edad avanzada y de que yo fui su madre superiora. Los veinte años que pasó con nosotras en el convento le sirvieron para superar la amargura acumulada a lo largo de su vida y convirtieron su muerte en algo hermoso.)

Me apena un poco ver a gente en los funerales que intentan consolar a los parientes y amigos del difunto diciéndoles que su ser querido está en un «lugar mejor». Sé que lo hacen con buena intención y que la mayor parte de la gente no sabe qué decir en momentos como éstos. Pero está claro que esto no es lo que importa. Todos sabemos que el difunto está en un lugar mejor (o por lo menos lo esperamos). Todos sabemos que volveremos a vernos. Todos sabemos que esta vida es efímera. No somos imbéciles. Sólo estamos profundamente apenados. Y negar nuestra aflicción en un momento como éste, abrazar una actitud de falsa aceptación, no es lo que Dios espera de nosotros. No pretendo despreciar a quienes acepten auténticamente la muerte de su ser querido. Simplemente les aconsejo que no intentan disimular su aflicción, para parecer «mejores cristianos». El hecho de que se sientan afligidos no significa que flaquee su fe.

Jesucristo lloró cuando falleció su querido amigo Lázaro, a pesar de que sabía que lo resucitaría. Jesucristo es consciente del tremendo peso que oprime sus corazones; sabe que sus vidas han sido despedazadas. Y cuando Jesucristo murió, María, Juan y todos los que lo amaban no intentaron disimular su dolor. Lo que intento decirles es que es normal llorar, sollozar, afligirse y sentirse perdido en un momento como éste. Su existencia ha cambiado con la pérdida de un ser querido. Nunca volverá a ser como antes y su aflicción les ayuda a ajustarse a la nueva realidad. Nunca se alegrarían de que sus seres queridos hayan fallecido. A pesar de que estén contentos de que estén con Dios, jamás se sentirán indiferentes en cuanto a su pérdida. El proceso de aflicción, si no luchan contra él ni lo aceleran, pasará. Den tiempo al tiempo.

Pero les ruego que no mezclen su angustia con la culpa, a causa de la tristeza o debilidad que sientan en ese momento. El hecho de que sientan tristeza por la pérdida de un ser querido no significa que su fe sea débil, ni que estén desagradecidos por la alegría que dicho ser experimente. Mediante la fe, saben que los difuntos han pasado a mejor vida. Esto es muy importante. Sin embargo, no cambia el hecho de que los echen de menos. Me apenaría pensar que las monjas aceptaran alegremente mi muerte con un jubiloso: «¡Hosanna, Angélica va finalmente de camino a su morada!» Confío en que mis enseñanzas no lleguen nunca tan lejos. Echar de menos a sus difuntos es síntoma de su amor por ellos y dicho amor no cesa simplemente por el hecho de que mueran. En el amor hay siempre dolor, porque el amor es sacrificio. La continuidad de su gran amor para con una persona exige que a su muerte guarden su presencia en sus corazones con recuerdos tanto hermosos como tristes.

La soledad

Recibo muchas cartas y llamadas de viudas y viudos, y siempre me entristece la existencia sombría que algunos de ellos han creado para sí mismos. Los que no se han vuelto a casar, a menudo se contentan con un estado de «media vida», como si su «vida real» fuera una obra que ahora ha concluido y se encontraran en un escenario a oscuras y sin guion. Juegan a «pasar el tiempo», a la espera indolente de su propia muerte, pasando la mayoría de los días mano sobre mano y paseando por las habitaciones vacías.

¿Es fácil perder a la persona con quien has compartido gran parte de tu vida? Por supuesto que no, y no pretendo ni remotamente sugerir que el peso de la soledad no sea inmenso. Es un peso terrible y esto es exactamente a lo que me refiero. Deben aceptar su soledad como la cruz que es en realidad y no como una desgracia, una cuestión de circunstancias o un contratiempo.

Hay una tristeza extraordinaria en la soledad, una inquietud indescriptible. En la soledad, el simple silencio puede ser devastador. La vida parece moverse con lentitud y torpeza. A menudo pienso en la experiencia de Nuestro Señor, que abandonó su hogar en el cielo, mandado por su padre para salvar este mundo cruel, malhumorado y desagradecido. Siempre lo imaginamos rodeado de sus apóstoles y de sus seguidores pero todos sabemos que la soledad puede ser más brutal que nunca cuando estamos entre la muchedumbre. Pienso en Él caminando con sus sandalias, después de haber conocido sólo el paraíso, adoptando nuestra naturaleza humana sin dejar de ser divino. Habló con amor para todo el mundo y ni aquellos que lo amaban supieron comprenderlo. Su soledad debió ser muy profunda en este mundo egoísta e ignorante de los seres humanos.

Pero supo llevar su cruz con dignidad y dar significado a su soledad. Tu soledad puede tener el mismo sentido, tan poderoso y redentor como el de la soledad de Jesucristo, sólo a condición de que se la ofrezcas a Dios. Tu soledad puede ser tu sacrificio, no sólo un período de inactividad, no sólo el tiempo en el que esperas la llegada de tu propia muerte. Al negar tu soledad y refugiarte en una media vida, la desperdicias. Si te ha tocado la cruz de soportar la pérdida de un ser querido, debes abrazar el dolor y el vacío que sientes y unirlos a la soledad de Jesucristo. Dios necesita que utilices este tiempo para crecer en tu propia santidad. Si has perdido a tu cónyuge, recuerda que tenías otra misión antes de tu matrimonio y que ahora también tienes otra misión. Tu matrimonio ha sido una fuente de felicidad para ti, pero no ha sido la fuente de tu alegría. Dios lo ha sido. Dios lo es. Y Dios lo será para siempre.

Hace algunos años, una buena amiga mía experimentó una gran tragedia: la muerte repentina de su hijo. La historia de Diane atestigua el tremendo poder y amor de Dios, en su pleno sufrimiento.

Me sentía sumamente desdichada. A mis veintinueve años había tenido diez embarazos en diez años y era madre de cinco hijos. Me sentía muy frustrada. Me sentía atada, enjaulada, atrapada. Entonces comencé a buscar la felicidad por el camino equivocado...

Pero aquella noche en particular, sentada en la playa, comencé a llorar. Toda mi vida pasó por delante de mí y pensé: «Dios mío, qué desdichada soy. No sé lo que necesito. No sé lo que te estoy pidiendo, pero sea lo que sea, te ruego que me permitas comenzar una nueva vida.»

Esto ocurría un martes a las siete de la tarde. A las siete de la tarde del día siguiente comencé la nueva vida. Nuestro hijo de once años murió ahogado frente a nuestra casa. Yo estaba en la playa con mi marido y tuve el terrible presentimiento de que algo malo ocurría. Acababa de decirle a mi marido que estaba muy asustada, cuando oí un grito y supe que nuestro hijo Graham había fallecido.

Fue una muerte repentina. Estaba en el interior de un tubo y se estrelló contra el muelle.

Sin embargo, en aquel momento comprendí que tenía que tomar una decisión. En aquel momento supe que aquello podía destruirme u ofrecerme la vida que estaba buscando. Opté por la búsqueda de la vida. Comprendí que había un Dios que no me abandonaba al sufrimiento.

De niña había oído hablar de Él en la escuela, pero nunca había experimentado nada parecido, y uno jamás sabe cómo reaccionará cuando tiene que enfrentarse a una situación como ésta. Ahora, retrospectivamente, me doy cuenta de que Dios me había preparado para aquel momento.

Evidentemente, la lucha de Diane no acabó en aquel momento. Hicieron falta muchas oraciones y el apoyo de una comunidad cariñosa para que pudiera soportar aquella gran pérdida. Pero Dios se sirvió de aquella tragedia de un modo sumamente poderoso. Diane es ahora una de las directoras de un centro de oración, donde su amor y su compasión afectan a millares de vidas. El poder de Dios ha triunfado sobre la tragedia.

Recordando los difuntos

Todos nosotros, en un momento u otro, tenemos que llevar la cruz de la pérdida de un ser querido. En algunos casos se trata de la pérdida serena, pero triste, de nuestros padres, al término de una vida larga y digna. En otras ocasiones, puede que no forme parte del ritmo normal de la vida, y una muerte repentina, especialmente la de un hijo, puede dejarnos desorientados, enojados y llenos de amargura.

Como cristianos, cuando debemos enfrentarnos a la muerte, tenemos dos responsabilidades. La primera consiste en mantener nuestra relación con Dios en aquellos momentos y la segunda en honrar verdaderamente el amor que sentimos por la persona fallecida, recordándola, rezando por ella y viéndola como el don que ha sido y que sigue siendo.

Si cumplimos con nuestra primera responsabilidad de mantener una relación correcta con Dios durante esos momentos de dolor profundo, nuestra segunda responsabilidad como cristianos, la de honrar al ser querido fallecido, resulta más fácil. Estaremos en mejores condiciones de asimilar la realidad de la continuidad de la existencia y de la alegría de nuestro ser querido. Su alegría nos servirá de consuelo, aunque no logre eliminar el dolor que sentimos. No hay atajos ni técnicas del pensamiento positivo a los que podamos recurrir cuando nos enfrentamos a la muerte. Debemos resignarnos a sentir dolor y tristeza ante la pérdida de nuestros seres queridos.

Finalmente, debemos recordar a nuestros seres queridos fallecidos conservando lo que fueron y lo que son, y la forma en que afectaron nuestras vidas cuando estaban en este mundo, así como lo hacen ahora incluso después de muertos. Creo que no solemos ser justos con ellos recordándolos como individuos perfectos: valerosos, alegres, sensatos, pacientes y todo lo que de bueno pueda tener una persona. Olvidamos que también nos ponían nerviosos cuando se tronaban los dedos o nos interrumpían; en realidad, la mitad del tiempo resultaba sumamente difícil vivir con ellos. La enfermera principal de un hospital local, que ve morir personas todos los días, me dijo que una noche había oído una conversación entre una pareja de ancianos y le había sorprendido la sabiduría del último deseo de aquel hombre moribundo: quería que su esposa recordara que era un individuo sumamente difícil.

—Si algún día olvidas que mi sillón siempre estaba sucio de tabaco de pipa, volveré para recordártelo con un porrazo—le dijo el anciano canceroso a su esposa—. Y tampoco quiero que te ablandes con ese maldito perro, Nikki. Quiero que sigas odiándolo y que recuerdes que en el noventa por ciento de los casos le hacía más caso a él que a ti. A veces me gustaba más el perro que tú, Margaret, no lo olvides.

Aquel hombre le estaba pidiendo a su esposa que lo quisiera después de la muerte, al igual que lo había querido en vida, defectos incluidos. Quería que conservara su recuerdo, quién era, lo perverso que era, y por consiguiente también sus aspectos maravillosos, en lugar de recrear un modelo terrible, impersonal y perfecto de un hombre que jamás había existido. Cuando fallece un ser querido, tendemos a organizar y pulir todos nuestros recuerdos. Por lo contrario, deberíamos conservarlos con precisión, con la lealtad y claridad de un historiador, consciente de que es la verdad lo que nos impulsa. Nuestros recuerdos son lo único que nos queda de los seres queridos fallecidos. Si sustituimos la verdad por medias verdades sentimentales, nos quedaremos con las manos vacías. Entonces nuestra aflicción será todavía más difícil de soportar, porque no estaremos lamentando la pérdida de un ser querido, sino la de otra persona que en realidad jamás ha existido. No seremos capaces de proseguir con nuestra vida, porque nada será comparable con el estado de bienaventuranza que imaginamos que habíamos experimentado cuando vivía nuestro ser querido.

El don de la vida

En una ocasión nos escribió una joven con el nombre de Lynda acerca de la muerte de su padre. Lo había visitado en el hospital

la mañana antes de que lo sometieran a una importante operación quirúrgica. Al principio se limitaron a charlar de cosas
superficiales, como el tiempo, el trabajo y el hecho de que su
coche necesitaba nuevos frenos.

Por fin el padre decidió entrar en materia.

—Estás preocupada, cariño, ¿no es cierto?—le preguntó con
una voz muy suave.

—Es sólo que no quiero que te ocurra nada, papá—respondió
Lynda abrazándole, mientras le saltaban las lágrimas.

—Hija mía—le dijo su padre, con los ojos empañados, separán-
dose ligeramente de ella—, ¿te he hablado alguna vez de que,
hace unos sesenta años, tu abuela dio a luz a un niño muerto?
Lynda movió la cabeza.

—Era un varón, cariño. Un niño grande, a quien le había
resultado sumamente difícil entrar en este mundo. Después de
darle unas cuantas palmadas sin obtener reacción alguna, la co-
madrona lo dio por muerto. Lo envolvieron en una manta y lo
dejaron sobre la mesa. Todo el mundo lloraba. Pero tu abuela, en
su inimitable estilo, estaba enojada. De pronto saltó de la cama, se
acercó a la mesa y levantó a su hijo en sus brazos. Sosteniéndolo
por los pies, comenzó a darle palmadas, mientras exclamaba:
«Vamos, muchacho, ¡vuelve!»

A los pocos momentos se oyó un gemido. El gemido se convirtió en grito y el grito en aullido.

—Hay quien dice que no he dejado de aullar desde entonces—concluyó el padre de Lynda.

—¿Tú … tú?—preguntó Lynda, sumamente asombrada—.
¿Eras tú?

—Así es. Y considero que cada uno de los momentos que he
vivido en este mundo ha sido un don de Dios. Dios me otorgó el
don de la vida y a continuación me ofreció la gracia extraordinaria

de saber lo muy preciado de dicho don. De modo que si ha llegado mi hora, no puedo quejarme. En lo que a mí se refiere, toda mi vida ha sido un milagro.

El padre de Lynda falleció en el quirófano. Dios lo llamó, y por la gracia del Todopoderoso, estaba preparado. Sabía lo que la mayoría de nosotros no sabemos: que nadie muere hasta que Dios lo desea. Debemos sentir un gran consuelo en el hecho de que la muerte sólo llega con el permiso de Dios. A causa de su amor, nuestra muerte no puede obedecer a un capricho arbitrario. Aunque la muerte nos alcance a través de algún extraño accidente, podemos estar seguros de que Dios la ha permitido por el bien de nuestra alma. Entre nuestro nacimiento y nuestra muerte, puede que Dios nos salve de centenares o incluso de millares de peligros. Es probable que jamás lleguemos a ser conscientes de los momentos más peligrosos de nuestra vida.

Se necesita mucha confianza para saber que Dios, en su perfecta misericordia, se lleva a nuestros seres queridos en el momento en que es más favorable para sus almas. Hay quienes en la infancia están listos para estar con Dios. A pesar de que no podemos conocer la naturaleza de su misión, debemos confiar en que la han cumplido. Otros necesitamos muchos años para perfeccionar nuestra santidad y mucho tiempo para arrepentirnos. La existencia de cada uno de nosotros ha recibido un significado determinado y hasta que esté cumplido debemos seguir esperando hasta que Dios nos llame a la morada eterna.

Un sacerdote irlandés nos compartió un comentario de uno de sus parroquianos en su ciudad natal del condado de Mayo. Fue en la noche siguiente al día del asesinato del presidente Kennedy. Los vecinos se habían reunido en una casa del barrio y como de costumbre, velaron durante la noche.—Que cosa tan terrible que Kennedy muriera tan joven y con tanto como le quedaba por hacer—dijo uno de los ancianos. Varias cabezas asintieron.

—Ha sido una verdadera pena. Creo que de haber seguido con vida podía haber salvado el mundo—agregó otro.

Se hizo un silencio en la sala y por fin una anciana, con un fuerte acento irlandés, agregó:

—Claro, pero no podemos estar seguros de ello, ¿no les parece? No sabemos absolutamente nada. Sólo Dios, en su sabiduría, sabe por qué Kennedy nos ha abandonado. Nuestro Jack ya debía haber cumplido la misión para la que Dios lo había mandado a este mundo.

Lo que la muerte nos enseña sobre este mundo

Puede que cierta gente crea que hablar sobre la muerte sea una locura o una morbosidad. Sin embargo, a mí me gusta el tema, porque obliga a la gente a pensar en cómo manejan la vida. Hablar de la muerte nos incita a explorar nuestra relación con Dios y a identificar el significado de nuestra vida. Si nos enfrentamos a la muerte como seres humanos inteligentes, debemos enfrentarnos al mismo tiempo a nuestra santidad. La persecución de la santidad no es un pasatiempo, sino una dedicación plena. El hecho de pensar sobre la muerte puede servir para organizarnos debidamente.

Un católico converso a quien tengo el gusto de conocer cuenta la historia de su búsqueda de Dios. Ed, de visita en casa con permiso del ejército, estaba hablando con su padre, que era un devoto protestante. Estaban desempaquetando sus maletas, cuando de pronto su padre vio las placas de identificación impecablemente nuevas que estaban sobre la cama y durante un rato se limitó a contemplarlas.

—Aquí dice que eres católico, hijo mío—dijo finalmente—.
¿Es cierto?

El joven recordó aquella tarde de hacía ya algunos meses,
cuando el oficial de información le había pedido que indicara
su religión. Esto lo había obligado a pensar en su funeral y en
cómo deseaba morir. En aquel momento se había dado cuenta
de que quería que su muerte fuera como su vida, como católico.
A pesar de que no era cierto, le dijo al oficial que era católico.

Padre e hijo se miraron fijamente.

—Sí, papá, supongo que en mi corazón soy católico.

—A mi entender, lo eres o no lo eres—dijo su padre, con su
marcado acento tejano—. Me parece que lo que debes hacer es
ir a hablar con un sacerdote.

Cuando pensamos en nuestra propia muerte, nos vemos obligados a considerar nuestra vida, tanto en este mundo como en
el próximo. Nos vemos obligados a considerar el momento en
que estaremos cara a cara con Dios, cuando todo lo que hayamos
hecho o dejado de hacer en esta vida quedará perfectamente
definido. Creo que si algo tenemos que temer con respecto a la
muerte es ese preciso momento, puesto que si bien será con toda
seguridad sublime, también será nuestro día de pasar cuentas.
Se habrán agotado las posibilidades de dar limosna, de perdonar
a alguien que nos ha ofendido o de confesarse. Habrá llegado
nuestro momento. Creo que esto es lo que más me asusta en la
vida, debido a lo que Dios pueda mostrarme. En realidad, cada
vez que me siento atrapada por la tensión o el desaliento, medito
sobre ello. Me ayuda a enfrentarme a mis propios temores y a
superarlos.

Mi meditación comienza con mi lecho de muerte, cubierto
de sábanas blancas y algunas almohadas adicionales. Me despido
de mis queridas monjas y abandono sus brazos para entregarme a

los de Jesús. No tengo palabras. Allí está el Hijo de Dios. No es como nada ni nadie que jamás haya imaginado. Cuando logro recuperar mis cabales, Jesucristo me pregunta con ternura si puede mostrarme algo.—Sí, Señor—le respondo en un susurro—, por supuesto.

Caminamos juntos unos pasos, coloca su brazo sobre mis hombros y me da la vuelta. Estamos contemplando el mundo, pero en lugar de ver los clásicos perfiles de los continentes, veo infinidad de rostros llenos de paz, serenidad y santidad. Es el paraíso.

—Sólo quería mostrarte esto, Angélica—me dice con tristeza.

—¿De qué se trata, Señor? Veo que es el mundo, pero no reconozco su alegría. Es como un sueño—le respondo.

—No es ningún sueño, Angélica, sino que fue una posibilidad—me dice.

—¿Una auténtica posibilidad? ¿Un mundo lleno de alegría? Pero ... pero ... ¿cómo?—tartamudeo.

—Angélica—me dice, mirándome a los ojos—, esto es lo que hubieras podido lograr de haber sido mayor tu confianza.

Salgo de mi meditación con humildad, pero dispuesta a mejorar. Estoy dispuesta a utilizar más plenamente las oportunidades que Dios me ofrece. Regreso a mi vida cotidiana reemprendiendo mi escritura, reuniéndome con las monjas, con el equipo de filmación, o atendiendo al impaciente acreedor que me llama por teléfono. Y le pido a Dios en su misericordia que me otorgue un poco más de tiempo para intentar cumplir con su voluntad.

Todos tenemos un alma inmortal. Es algo permanente, que nadie ni nada puede destruir. El alma puede ser moldeada para que refleje la imagen de Dios, y su gloria en la otra vida está determinada por el acierto con que hayamos seguido a su Hijo en esta vida.

Nuestra vida presente tiene un gran valor porque es una escuela; una escuela en la que aprendemos cómo amar a Dios y cómo entregar, elegir y tomar las decisiones correctas. Si utilizamos nuestro tiempo para crecer en santidad y para querer a Dios con nuestro amor único, nuestra vida habrá sido bien utilizada. Debemos darnos cuenta de que el tiempo del que disponemos es breve, y de que esta vida no es más que un peregrinaje donde viajamos continuamente, hasta alcanzar el lugar que Dios nos ha designado. Es nuestro tiempo de crecimiento.

Pero cuando esta vida física termina, lo hace de un modo definitivo. No puedo decirles el día ni la hora, pero saben que la muerte llegará para ustedes, para todos sus seres queridos y para todos aquellos a quienes deberían querer. La muerte no llega según nuestros términos, sino según los de Dios.

La muerte es nuestra transición de lo temporal a lo permanente. No es un momento en el que cese toda forma de vida para nosotros, sino el principio de nuestra vida eterna. Es lo que nos conduce al momento aterrador en el que veremos el rostro de Dios y ocuparemos nuestro lugar en el cielo. El cielo es una realidad. No es una anestesia espiritual, elaborada para mitigar el dolor de este mundo. Por consiguiente, no tengan miedo de morir. Recen todos los días para que estén bien preparados cuando llegue su hora. Recen por la conservación de una vida Santa y llena de alegría. No pierdan nunca de vista una meta muy simple: que cuando llegue el momento de su muerte, podrán entregarse plenamente a Dios en perfecta confianza. Como cristianos, gozan de una bendición especial, porque en esta vida ya han podido conocer la gracia de la salvación de Nuestro Señor. Pero no conocerán el verdadero alcance de dicha bendición hasta que se enfrenten al momento de la muerte. Estén agradecidos por el don de la fe.

Si todavía sienten pánico por la idea de la muerte, imploren a Dios que les otorgue la gracia de comprender su don de la vida eterna. Su miedo de la muerte comenzará a disiparse. Si han elegido a Dios en esta vida, han elegido ya el cielo en la próxima. En tal caso, la muerte no debe aterrorizarlos, puesto que será su paso a los brazos de Dios.

No tengan miedo.

Dios está con ustedes.

Capítulo once

¿Por qué manda Dios a ciertas personas al infierno?

Hace algunos años estaba en el laboratorio del convento revelando unos negativos, cuando Nuestro Señor decidió aclararme la naturaleza de la salvación. Sólo Dios puede dar a una pobre monja la luz que tanto necesita, cuando se encuentra en su propia cámara «oscura». Estaba allí a tientas en la oscuridad, intentando hallar un par de negativos que acababa de revelar, pero por mucho que busqué no logré encontrarlos.

Por fin decidí volver a empezar. Al intentar encender la luz, que estaba al otro lado del fregadero, rocé la mesa con la mano. Allí encontré los dos negativos, que estaban prácticamente pegados el uno al otro por el agua y el ácido. Los recogí para examinarlos.

—Angélica, ¿ves esos negativos?—preguntó Nuestro Señor.

—Sí, Señor—respondí sobresaltada.

—Únelos—me dijo.

Obedecí, y al unirlos fui incapaz de diferenciar entre ambos; era, en realidad, como si se tratara de un solo negativo.—Esto es el cielo, Angélica—dijo Nuestro Señor—. Cuando me ves cara a cara y mi imagen en ti es perfecta, tú y yo somos uno solo.

De pronto, por primera vez en mi vida, comprendí cómo podía ser la perfección.

—Ahora mueve un poco uno dé los negativos—agregó.

Hice lo que me ordenaba y la imagen pasó a ser borrosa y curiosamente distorsionada.

—Ésta es la imagen del purgatorio—dijo.

Comprendí que así es como sería ver a Dios y sin embargo ser imperfecto; anhelar su compañía y sentirse atrapado, incapaz de moverse. Evidentemente, así sería el purgatorio.

—Ahora sepáralos—dijo por fin Nuestro Señor.

Sentí que mi cuerpo se estremecía. Al desunirlos vi las dos imágenes por separado y comprendí lo que me estaba diciendo.

—Angélica, ésta es la imagen del infierno. Cuando un alma me mira en el momento de la muerte y dice «no te quiero», volviéndome la espalda, opta por el infierno. La muerte, más que un juicio, es una luz. Es el momento en el que el alma elige su morada definitiva.

Como pueden suponer, aquella noche no seguí trabajando en el laboratorio. Tenía mucho en que pensar durante los días y semanas siguientes. Por primera vez acababa de comprender plenamente que la gente no está sentenciada al infierno, sino que en realidad lo elige.

—Si Dios es tan misericordioso, ¿por qué manda a ciertas personas al infierno?—nos pregunta mucha gente.

Es una de las preguntas predilectas de los seminaristas de primer año. La respuesta es que Dios no envía a nadie al infierno. Por lo contrario, es la gente quien se empeña realmente en ir.

—Pero esto es absurdo, madre. ¿Por qué querría alguien pasar la eternidad ardiendo o torturado con todas esas horribles criaturas?

La verdad, la terrible verdad, es que para mucha gente el infierno es la única alternativa posible. Para ellos, la salvación se ha convertido en algo repulsivo.

Lo que no es el infierno

Creo que todos estaríamos de acuerdo en que el infierno es un tema sumamente depresivo, por lo que antes de entrar plenamente en materia, hablemos un poco sobre la salvación. La salvación merece también mucho respeto, pero por lo menos no nos deja tan hundidos como la idea de no ser salvados. Además, es un tema apropiado. Para poder comprender la razón por la que ciertas personas eligen ir al infierno, debemos entender lo que esas personas no soportan acerca del cielo, que en términos muy simples es Dios.

La salvación es el objeto de esta vida y de la vida eterna. Soy perfectamente consciente de que no pensamos en ello todos los días; en realidad, son muchos los que no piensan en ello en absoluto, porque están excesivamente preocupados con su dolor de espalda, el régimen alimentario y la ropa que se pondrán al día siguiente (éste no es un problema que me afecte personalmente). Pero si realmente estuviéramos en buenas relaciones con Dios y nuestra propia espiritualidad fuera nuestra primera prioridad, pensaríamos muchísimo en nuestra salvación.

¿Cómo funciona la salvación? Ésta es una obra en la que intervienen dos protagonistas: tú y Dios (y no necesariamente en este orden). Salvación significa ser «salvado» o «liberado» de algo, lo cual parecería indicar que el papel de Dios es el más fundamental. Pero esto no significa que tú seas un recipiente pasivo de la buena voluntad y de la naturaleza amorosa de Dios. Por lo contrario, debes cooperar en el proceso y tu cooperación a lo largo de la vida será lo que decida si eres merecedor del cielo o candidato al infierno.

Refresquemos nuestra memoria con un poco de la clase de Teología de primer año. Dios nos ha revelado algunos puntos básicos acerca de la salvación. En el bautismo nos hacemos recipientes divinos de la Santísima Trinidad: Padre, Hijo y Espíritu Santo. El Padre desea nuestra salvación. El Hijo nos hizo merecedores de la misma, derramando su sangre por nosotros. Y el Espíritu Santo llena nuestras almas con la gracia que nos permite alcanzar la santidad de Dios.

Éste es el don magnífico que Dios nos ha otorgado.

Pero para aceptarlo no basta con decir «muchas gracias». La fe nos enseña que para salvarnos debemos desearlo, y no como quien dice «sería agradable hacerlo», sino realmente quererlo, con toda la fuerza de nuestro corazón y de nuestra alma. El deseo sincero de salvación debe ir acompañado de un verdadero arrepentimiento por nuestros pecados; estamos hablando de una auténtica contrición, de un corazón profundamente arrepentido, y no de un simple desdén personal o de cierta repugnancia por haber quebrantado alguna que otra regla. Finalmente, nuestra salvación se asegura cooperando con los Evangelios y con las enseñanzas de la Iglesia: una adherencia inteligente y voluntariosa a la palabra de Dios.

¿Qué nos dice esto de la salvación? Nos dice que la salvación empieza aquí y ahora. La salvación comenzó con la muerte y resurrección de Nuestro Señor Jesucristo, pero no acabó con la misma. La salvación tiene lugar en nuestras almas de un modo constante y transformador, a lo largo de toda la vida. La salvación no es un billete para entrar en el cielo que uno se saca del bolsillo y lo entrega a Nuestro Señor en el momento de la muerte. Es una acumulación de elecciones, a favor de Dios o contra Él.

Es una feliz coincidencia que al hablar de la salvación volvamos a uno de mis temas predilectos, casi tan próximo de mi corazón como la humildad, que es la santidad.

Me encanta mencionarlo siempre que la oportunidad lo permita. El caso es que, como puedes imaginar, su santidad es el trampolín de la salvación.

Cuando hablamos de tu deseo de salvación, del arrepentimiento de tu corazón y de tu adherencia a la palabra de Dios, nos referimos en pocas palabras a la santidad, porque lo único que hace falta es unir nuestra voluntad a la de Dios. Sin embargo, es importante recordar que para poder salvarnos existe una condición, una serie de pasos, por así decirlo. Es imprescindible que sigamos la voluntad de Dios. En el Evangelio de San Mateo, leemos: «No son aquellos que me llama "Señor, Señor", quienes entrarán en el Reino de los cielos, sino los que actúen según la voluntad de mi padre» (Mateo 7:21-22). No sé qué interpretación le dan ustedes, pero para mí se trata de una afirmación aterradora. Nuestro Señor nos advierte que actuemos debidamente o nos atengamos a las consecuencias. Sin embargo, sería erróneo pensar en el cielo como en una especie de club en el que es prácticamente imposible ingresar, porque Dios desea que nos salvemos. «Nunca es el deseo de nuestro Padre, que está en los cielos, que uno de estos pequeños se extravíe» (Mateo 18:14).

No tenemos por qué andar aterrorizados ante la perspectiva de que cualquier transgresión por nuestra parte llegue a oídos del cielo y seamos condenados eternamente. Somos pecadores por naturaleza y Dios sabe que de vez en cuando cometeremos algún desliz. Lo importante es que hagamos un esfuerzo permanente para llevar una vida buena y Santa.

Una vez vino a verme una mujer, que me dijo que estaba preocupada por su salvación. Joan tenía un problema terrible con la envidia; hiciera lo que hiciera, por muy bien que llevara sus asuntos con relación al mundo exterior, se veía siempre asediada por pequeñas ideas codiciosas, y lo que envidiaba principalmente era la santidad de los demás. ¡Menudo truco el de Satanás! Le dije que no permitiera que su debilidad la angustiara, ya que en la misma podía glorificar a Dios.

—Con el debido respeto, madre—me dijo Joan—, sus palabras me parecen contradictorias. Tengo un problema que me lleva dando vueltas en un círculo cerrado. Aspiro a la santidad, pero no puedo alcanzarla porque siento envidia de la santidad de los demás. Ahora usted me dice que puedo alcanzarla a través de la razón que me lo impide, ¿no es cierto? Estoy más confundida que nunca.

Al parecer yo no lograba que me comprendiera.

En primer lugar—le dije—, debe superar esa envidia. Lo logrará porque ya ha tomado el primer paso definitivo de enfrentarse a ella, aceptando este conocimiento de sí misma y decidida a controlarla. Esto no significa que vaya a desaparecer, sino que su dominio sobre ella será mayor que el de ella sobre usted.

—En segundo lugar, la razón por la que logrará dominarla es el hecho de que Dios la ayudará a hacerlo. Pronto sentirá una admiración sincera por la bondad de Dios hacia los demás. Los mirará y rebosará de alegría al ver lo santos que son y que han llegado a ser, y al hacerlo no reflejará su propia bondad, sino la de Dios. Dios le mostrará lo mejor de sí en su debilidad. Cuando se regocije en la santidad de otra persona—agregué, recordándole algo que para mí ha sido de gran consuelo—, obtendrá el mismo mérito. Jesucristo nos dijo que «todo aquel que reciba con los brazos abiertos a un profeta, por el hecho de serlo, recibirá la misma recompensa que Él» (Mateo 10:41). Siempre me ha gustado este concepto, porque uno recibe el premio sin haber trabajado para ello. Joan se rio y decidió intentarlo.

Como era de suponer, Joan experimentó una transformación interior extraordinaria, y a pesar de que todavía la atormenta la envidia, sus victorias son ahora más numerosas y todas dan testimonio del poder de Dios.

El caso es que nuestras almas no se perderán por el hecho de que tengamos ciertas debilidades y flaquezas. Dichas debilidades y flaquezas constituyen la razón primordial por la que vamos a salvarla. Si tienes una debilidad por la lujuria, ésta es tu oportunidad de glorificar a Dios superándola. Si lo que te domina es la pereza, tu trabajo y el esfuerzo concentrado para superarla constituirán tu gran prueba. Eso es precisamente lo que es la santidad. Así es como uno la alcanza aquí y ahora. Por muchos que sean tus deslices y caídas, si te arrepientes, Dios te ayudará a levantarte y a intentarlo de nuevo. Y cuando con mayor frecuencia experimentes la integridad, más natural te sentirás en dicho estado.

La justicia frente a la misericordia

Como cristianos, hablamos mucho del equilibrio entre la misericordia de Dios y su justicia. Y en ninguna área es tan aparente como en nuestra senda hacia el cielo o el infierno. Creo que mucha gente elige el infierno porque es culpable del pecado de presunción. Les parece que pueden cometer cualquier pecado porque Dios es tan misericordioso. Se basan en la suposición de que pueden ir pecando por la vida y de que Dios los rescatará en el último momento.

Esto no es sólo un error en cuanto a la misericordia de Dios, sino en cuanto a cómo nos salvamos o dejamos de hacerlo.

En primer lugar, la misericordia de Dios no es un almacén inagotable de buenos sentimientos y abrazos para «esos míseros mortales». El verdadero amor, y especialmente el amor divino, no se obtiene con exigencias. Recibimos la misericordia de Dios cuando nos esforzamos, fracasamos, nos arrepentimos y lo intentamos de nuevo, pero no cuando fracasamos por placer. Por consiguiente, no piensen ni por un momento que pueden llevar esa absurda vida mundana y que les bastará en su lecho de muerte con decir «lo siento», para unirlos con los santos en el cielo.

Puede que esto les parezca divertido, pero existe realmente gente cuyo «plan» es el de convertirse en el lecho de muerte. Creen poder comer, beber y darse la gran vida, y en su estupidez imaginan que en el último momento, rodeados de sus seres queridos, les bastará con disculparse elegantemente por haberles amargado la vida y con pedir perdón a Dios. Lo que no saben es que cuando se encuentren ante Dios, no cabrá el engaño. Lo amarán verdaderamente, o lo odiarán. Y allí es donde interviene la justicia de Dios.

Qué duda cabe de que existen conversiones en el lecho de muerte; he presenciado algunas de una belleza inimaginable. Ocurren cuando la persona descubre la verdad, que en el último momento es un asombro para ella y debido a que existe auténtica bondad en su corazón. Dado que no han cerrado completamente la puerta a Dios, sienten un profundo y respetuoso temor, que les induce a arrepentirse sinceramente de sus pecados. Anhelan la compañía de Dios, la salvación, y Dios, en su misericordia, se la facilita.

Pero la justicia debe acompañar necesariamente a la misericordia. Imaginemos a un personaje sumamente despreciable, a un pornógrafo o a un traficante de drogas, a una persona que se regocije en toda clase de pecados, a alguien que odie profundamente a todos los que lo rodean, que cause la muerte de los demás e induzca a incontables inocentes al pecado y a la corrupción. Esa persona, en su lecho de muerte, seguirá riéndose y ridiculizando a todos aquellos «débiles y con poca voluntad» cuya vida ha sido Santa y disciplinada, con el propósito de complacer a Dios. Desprecia a todo aquel que ha intentado amarle, compartir a Jesucristo con él, y mostrarle una y otra vez el camino correcto.

Seria terriblemente injusto, por no decir imposible, que un pecador no arrepentido viviera en el cielo con María, San Pablo, San Pedro, todos los apóstoles y los santos. El cielo no sería el cielo si formara parte de él. Pero la justicia de Dios es extraordinariamente amable y amorosa. El proceso de salvación permite que dicho individuo, así como todos los hombres, pueda elegir por sí mismo, en cada momento de su vida y especialmente en el de la muerte, dónde quiere pasar la eternidad.

La senda del infierno

Nuestra vida eterna se ve afectada enormemente por nuestra propia conducta. La persona que vuelve la espalda a Dios debe hacerlo deliberadamente. Ésta es la razón por la que es tan peligroso lo que denominamos «tibieza». No es tan difícil obedecer las reglas, ser un buen ciudadano y una buena persona. Pero si eso es lo único que crees que se espera de ti, estás tristemente equivocado. Si a pesar de la luz que se te ha ofrecido desechas la verdadera santidad, podrías estar construyendo tu propio camino al infierno. Dios no califica según términos medios. No es una cuestión de hallarte entre el sesenta por ciento de la «buena gente». Dispones de una oportunidad única de ser santo y la forma en que la aproveches determinará el modo en que serás juzgado.

Es allí el grave problema de la tibieza. Cuando esperas, cuando eres indiferente, o dilatorio... cuando retrasas el hecho de amar a Dios y de entregarte a Él en el momento presente, estás, por decirlo así, jugando con fuego. Es mucho más fácil endurecerse con relación a Dios, que servirle debidamente. El egoísmo es una de esas cosas que puede arraigarse rápidamente, y antes de que te des cuenta de ello puedes desperdiciar todo el progreso espiritual que hayas realizado en esta vida.

La persona que opta por el infierno, comienza a realizar su elección en este mundo. Cuando debe elegir entre su voluntad y la de Dios, lo hace contra Dios. Al principio se siente incómodo. Después la incomodidad se convierte en resentimiento, y Dios, a su manera de ver, en una molestia. Comienza a negar que sus faltas sean pecados y aumenta su desdén por Dios; en realidad, el hecho de negar sus pecados equivale a «llamar a Dios embustero» (I Juan 1:10). Dios no tarda en convertirse en una amenaza para la «forma de vida» de dicha persona. Un enemigo. Un competidor. Una intrusión intolerable. Cuando una persona se encuentra en dicho estado corre un grave peligro, ya que si le llega la muerte, probablemente elegirá contra Dios. Esto no debe sorprendernos. Si una persona comienza a amar el pecado, la mentira, a cometer adulterio, a engañar o a matar, habrá dirigido su capacidad de amar hacia sí mismo y en contra de Dios. No tolerará a nadie que cumpla con la voluntad de Dios, porque entorpece la suya. Y la voluntad de dicha persona, en esa lamentable condición, puede estancarse.

Para la mayoría de nosotros es difícil imaginar este estado del alma, pero ello no significa que debamos suspirar de alivio. No sé lo que se necesitaría para alejar su alma o la mía de Dios. La tentación puede adoptar formas que no son evidentes ni fáciles de discernir. Dada nuestra capacidad de autodecepción, una actitud presuntuosa es decididamente inapropiada. Según dijo San Pedro:

«Mantened la calma pero los ojos bien abiertos, porque vuestro enemigo el diablo merodea por los alrededores cual león al acecho, en busca de alguien a quien devorar» (I Pedro 5:8). Por consiguiente, cuando se sientan empujados, presionados, o fuertemente tentados por el pecado, recuerda con humildad que son capaces de «meter la pata» y dar la espalda a Dios.

La elección

En el momento de la muerte, todos recibimos pleno conocimiento. Si hay algo garantizado en la vida, es el hecho de que todos veremos el rostro de Dios. Yo lo veré y tú lo verás. También lo verá tu malvado vecino, tu padre, tu hija, y todos tus amigos y parientes, incluso los que parecen indiferentes, cínicos, o simplemente quienes la religión no les importa. Es importante que comprendamos la verdad, que es que todos veremos a Dios cara a cara en el momento de la muerte. La cuestión es morir o no en estado de gracia. Si, en efecto, nuestra alma está impregnada por la gracia en el momento de nuestra muerte, reconoceremos el gran amor que Dios siente por nosotros, temblaremos ante su poder y nos daremos cuenta de lo muy diferentes que hemos sido de Él.

Más que cualquier otra cosa, Dios exige arrepentimiento para entrar en el Reino de los cielos. No puede perdonar a un pecador, a no ser que éste reconozca su pecado. Si uno se encuentra en un callejón sin salida, si en el momento de la muerte persiste una confrontación de voluntades, al ver a Dios el pecador se limitará a volverle la cara. El rechazo de Dios que se hace en aquel momento es eterno y dura para siempre. El sufrimiento que dicha persona habrá elegido es indescriptible e inconmensurable.

Es difícil saber por qué algunas personas acaban realizando dicha elección. Una persona en ese estado está tan imbuida de su propio orgullo, tan dedicada a su propia voluntad, que es incapaz de aceptar cualquier cosa que la contradiga. No se puede decir exactamente que elija el sufrimiento, sino que rechaza un amor que le ha sido imposible aceptar. Su sufrimiento eterno en el infierno es simplemente su resultado.

Pero ¿cómo es el infierno? Evidentemente nadie ha estado en el infierno y ha regresado del mismo para hablarnos de ello. Sin embargo, existen algunos fragmentos en las Escrituras que nos dan cierta indicación de la oscuridad, por así decirlo. El Evangelio de San Mateo les dice a aquellos que se niegan a servir: «Aléjense de mí, con su maldición, al fuego eterno preparado para el diablo y para sus ángeles» (Mateo 25:41). Aquí vemos el infierno como separación y más adelante, en el mismo capítulo, también como castigo. «E irán al castigo eterno y los virtuosos a la vida eterna» (Mateo 25:46). Pero lo más doloroso del infierno es el desaliento, la desesperación y el odio eterno. Al igual que cada alma ocupará un lugar distinto en el cielo, creo que el tormento de cada alma determinada en el infierno será también diferente, según la naturaleza de los pecados de los que sea culpable en esta vida. Pero, sea cual sea la agonía, ésta será ininterrumpida, pura, persistente e inacabable. Ya no cabrá esperanza alguna.

En 1917, tres niños tuvieron una visión del infierno. A Francisco, Jacinta y Lucía se les apareció la Santísima Virgen en Fátima; la hermana Lucía escribió en sus memorias:

> Nuestra Señora nos mostró un gran mar de fuego que parecía estar debajo de la tierra. Hundidos en el mismo aire había demonios y almas con forma humana, como ascuas transparentes e incandescentes, todos quemados o chamuscados, flotando en la guerra, elevados por las llamas que emanaban de sí mismos, acompañadas de

grandes nubes de humo, derrumbándose por los lados como chispas en una inmensa hoguera, sin peso ni equilibrio, entre gemidos y quejidos de dolor y de desesperación, que nos horrorizó y nos hizo temblar de miedo. Los demonios se distinguían por su horripilante y repelente parecido a animales horribles y desconocidos, todos ellos negros y transparentes. Esta visión duró sólo un instante. Jamás podremos estarle suficientemente agradecidos a Nuestra Madre celestial, que ya nos había preparado en su primera aparición, prometiéndonos que nos llevaría al cielo. De lo contrario, creo que habríamos muerto de miedo y de terror.

Para aliviar el horror y el miedo resultante de aquella terrible visión, los niños recitaban a menudo una breve oración que les enseñó Nuestra Señora de Fátima:

¡Oh Jesús mío! Perdona nuestros pecados y sálvanos del fuego del infierno. Conduce todas las almas al cielo, especialmente aquellas que más necesitan tu misericordia.

La pequeña Jacinta pasó mucho tiempo rezando de rodillas, recitando una y otra vez esta oración, «para salvar a las almas del infierno». «¡Son tantas las condenadas! ¡Tantas!» Deseaba poder mostrar el infierno a todo el mundo, a fin de que dejaran de pecar y no acabaran en el fuego eterno. A pesar de que no era más que una niña, tan grande era su deseo de evitar que otras almas fueran al infierno después de su visión, que se entregó celosamente a la penitencia y a la mortificación.[2]

---

[2] Fray Louis Kondor, S.V.D., *Fatima in Lucia's Own Words* (Fátima, Portugal, Postulation Centre, 1976), 108–110.

Las consecuencias del mal

Son muchos hoy en día quienes niegan la existencia de Satanás y del infierno. En *The Screwtape Letters*, C. S. Lewis nos dice que el truco más astuto del diablo consiste en persuadirnos de que no existe. Temer el infierno, temblar ante la idea del mismo, equivale a haber alcanzado un grado importante de desarrollo espiritual. Mucha gente desecha la idea del infierno, al igual que la del diablo, como si se tratara de una táctica para asustar, inventada por algunos teólogos para combatir el aburrimiento. Sin embargo, ¿cómo podemos tomarnos tan a la ligera un lugar y una persona que Dios se toma tan en serio?

El infierno es la ausencia de Dios. Para nosotros es imposible imaginarlo y por consiguiente debemos recurrir a la visión del fuego y de la tortura, para intentar comprender el tipo de sufrimiento que supondría una vida sin Dios. Pero nuestra imaginación es insuficiente. Somos incapaces de visualizar un universo privado de toda bondad y esperanza. No podemos asimilar el concepto de un estado de desesperación completa y absoluta.

Sin embargo, hay quien lo elige. La elección del infierno comienza en esta vida, al optar por nuestra propia voluntad, por el placer, el pecado y la autoindulgencia. Dios nos ha dado un libre albedrío y lo utilizamos. Optamos por el pecado como si no existiera el mañana. Pero el mañana existe. Y si bien somos libres de elegir lo que se nos antoje, jamás podremos decidir las consecuencias de nuestra elección. Las consecuencias del pecado están inexorablemente vinculadas al mismo y son devastadoras.

Cuando nos aferramos a nuestra insignificante voluntad y la levantamos contra la de Dios, contra la de aquel gracias al cual existimos, demostramos ser unos verdaderos imbéciles. Nuestra sumisión al pecado es cómica, idiota y triste para aquellos a quienes lastimamos con ella. Pero en el momento de la muerte, nuestra mala elección puede convertirse en una tragedia permanente. Los pecados que hemos decidido cometer tienen una horrible consecuencia: la ira de Dios. A fin de cuentas, el precio que pagaremos será la condena eterna.

Ésta es la razón por la que todos debemos mirar hacia arriba, hacia el cielo, encaminándonos hacia esa misión particular de santidad que es propiamente nuestra. Nuestro amor, que se expresa a través de nuestra santidad, debe ser un ejemplo resplandeciente del amor que Dios nos dispensa. Entonces nuestro ejemplo alentará a otros a elegir a Dios. Mientras haya gente que elija el infierno, queda mucho trabajo por hacer.

Elige a Dios.

Él ya te ha elegido.

CAPÍTULO DOCE

¿CÓMO SERÁ EL CIELO?

Mi abuelo era un hombre robusto, amable y cariñoso, sumamente excepcional incluso cuando vivía. Tenía una gran devoción a la Virgen María, y cada vez que alguien mencionaba su nombre, se tocaba el sombrero en señal de respeto. Toda la familia lo quería muchísimo y por consiguiente nos entristeció la circunstancia de su muerte. Pero no la muerte en sí.

Pasó los últimos días sin poder moverse de la cama. Hacía meses que estaba impedido. Una mañana mi madre fue a cambiarle las sábanas y cuando comenzaba a retirarle suavemente la almohada, se dio cuenta de que había alguien en la puerta. Casi se quedó sin aliento al ver a dos personajes. Se trataba de unos viejos amigos de mi abuelo que hacía más de una década que habían fallecido.

—Anthony—le dijo el más alto de ellos.

Ante el asombro de mi madre, mi abuelo se incorporó lentamente en la cama. Abrió los ojos, forzó la mirada para ver a sus viejos amigos y un par de lágrimas le rodaron por las mejillas.

—No—dijo débilmente, moviendo la cabeza—. No.

—Anthony—repitió su amigo—. Anthony.

Mi abuelo levantó un poco más la cabeza y de pronto se le iluminó el rostro con una paz extraordinaria.

—Sí—le dijo entonces a su viejo amigo, con una sonrisa de oreja a oreja.

Mi abuelo volvió a echarse y cerró los ojos. A los pocos momentos estaba muerto.

Hay algo de lo que estoy segura y es de que Anthony Francis está en el cielo. Sé que mucha gente cree que el cielo es una especie de vasto paisaje celestial, escasamente poblado por los ángeles, los santos y sólo un puñado de gente con los méritos necesarios para alcanzar la gloria.

Pero a mí me parece mucho más plausible que en él residan muchos millones de almas, las de los niños no nacidos, las de quienes sufrieron y unieron su voluntad a la de Dios en el momento de la muerte, así como las de quienes lo hicieron en vida, y las de los fieles que estaban preparados para ver el rostro de Dios en el cielo, porque era el rostro al que tanto se parecían en la tierra. El objetivo de muchos de mis amigos católicos es el purgatorio porque piensan que el cielo está fuera de su alcance. No comparto en absoluto su actitud. Creo que todos tenemos la oportunidad de ir al cielo, como mi abuelo, para reunirnos no sólo con los ángeles y con los santos, sino con nuestros amigos y parientes en un lugar de incalculable bienaventuranza.

—Pero, madre, ¿qué es el cielo?—preguntarían—. ¿Es un lugar lleno de nubes de algodón y música de arpa? ¿Es un lugar del firmamento? ¿Está en mi corazón? ¿Por qué tengo que pasarme la vida intentando alcanzarlo?

Son excelentes preguntas y quiero contestar cada una de ellas, porque quiero convencerlos de que el cielo no es un concepto aburrido inventado para que se sientan mejor acerca de la muerte. Tampoco es una inacabable existencia etérea, en la que uno permanece mano sobre mano, a la espera de algo que hacer.

Reconozco que el cielo es un tema difícil de abordar; después de todo, estamos hablando de la residencia del Creador del universo. Pero, difícil o no, la realidad del cielo está al alcance de nuestro intelecto si prestamos atención a las Escrituras y a las enseñanzas de la fe católica. Los que piensan que el cielo es un tema fastidioso se llevarán una gran sorpresa, porque la verdad del cielo puede—y debería— cambiar cada instante de su vida actual.

Nuestro lugar en el cielo depende de la conducta y las actitudes cotidianas. Por mi parte, tengo mucho miedo de que cuando llegue finalmente al cielo, San Pedro y San Pablo me traten con cierta frialdad por todas mis ocurrencias acerca de ellos a lo largo de la vida. A un nivel mucho más profundo, nosotros los cristianos debemos enfrentarnos a la dura realidad de que nuestra santidad no es un mero pasatiempo ni un pequeño esfuerzo para «ser buenos». Nuestra santidad es el asunto sumamente serio de nuestra salvación personal. Consiste en aceptar que Jesucristo murió y resucitó por nuestros pecados, para que pudiéramos alcanzar nuestra salvación y la gloria del cielo. Y cuanto más aprendemos acerca del mismo, mejor comprendemos que el cielo es la única razón de nuestra estancia en la tierra.

De acuerdo; en tal caso, ¿qué es el cielo?

Creo que la mayoría de nosotros, si se nos insiste en que digamos dónde se encuentra el cielo, responderemos que está en algún lugar de «allí arriba». Miramos hacia las nubes cuando queremos dirigirnos a Dios para alabarle, darle gracias o pedir su gracia. Cuando alguien menciona a un amigo o pariente fallecido, levantamos la mirada y murmuramos: «Que en paz descanse.» Tanto creyentes como no creyentes suponen la existencia de una ley espiritual de la gravedad, según la cual todo aquello desprovisto de un cuerpo físico debe flotar necesariamente hacia arriba, en dirección a Dios y al cielo. Sé que no puedo evitar pensar en el cielo cuando miro por la ventanilla de algún avión y contemplo un hermoso firmamento iluminado por el sol, con infinidad de nubes en perfecta formación, flotando en un mar azul. Además, San Juan habla en su Evangelio de las subidas y bajadas del cielo y de la tierra, cuando dice: «Ningún hombre ha ascendido al cielo sino el que descendió del mismo, el Hijo del Hombre que está en el cielo» (Juan 3:13). Esto sugiere que el cielo es un lugar, y en realidad lo es.

Sin embargo, también es un estado. Jesucristo nos dice que el Reino de los cielos está dentro de nosotros porque el Padre, el Hijo y el Espíritu Santo residen en nosotros: «Si alguien me ama guardará mi palabra y mi Padre lo amará y nosotros acudiremos a Él y formaremos juntos nuestra morada» (Juan 14:23). Más adelante, San Juan también nos dice que «Dios es amor y que todo aquel que vive en el amor vive en Dios y Dios vive en él» (I Juan 4:16).

Por consiguiente, en primer lugar es importante comprender que el cielo es a la vez un lugar y un estado. Si estamos con Dios y Dios está con nosotros, entonces tenemos el cielo en la tierra y esto es a lo que se denomina santidad. La gente que conocemos que irradia júbilo en esta vida es evidente. Sólo necesitamos ver los ojos de la madre Teresa, los de un padre en el bautizo de su hijo o los de una persona anciana que se enfrenta sin temor a la muerte, para ver el verdadero júbilo de un cristiano portador del cielo en su corazón. Los primeros cristianos eran modelos ejemplares de júbilo; cantaban cuando les soltaban los leones en las arenas del odio; alababan a Dios cuando se los crucificaba, apedreaba y perseguía. A San Pedro le llenó de júbilo haberse hecho merecedor de ser crucificado de cabeza para abajo. El rostro de San Esteban brilló como el de un ángel cuando lo apedrearon hasta la muerte.

Estos cristianos llevaban el cielo en su corazón, y si su júbilo nos parece remoto, no es más que una distancia imaginada por nosotros. No obstante, este «cielo en la tierra» es el cielo que la mayoría de nosotros podemos llegar a comprender; podemos escudarnos en el falso concepto intelectual de que el cielo es en realidad un símbolo más que una realidad, o que el júbilo cristiano es una especie de condición psicológica o de «paz interior», más que la perfección del alma alcanzada después de una dura lucha. De algún modo este concepto del cielo apetece a nuestra sensibilidad material.

Pero el cielo de la próxima vida no puede ser olvidado, reinterpretado o descartado con la misma facilidad. Estamos hablando de otro mundo, que no somos capaces de ver, oír ni imaginar. Este cielo es la visión perpetua de Dios. San Agustín dijo que «la fe consiste en creer lo que no vemos; la recompensa de la fe consiste en ver lo que creemos». Cuando morimos, las almas que eran semejantes a Dios, que andaban en su búsqueda y se ocupaban de Dios, reciben la visión beatífica, la experiencia sobrecogedora de hallarse «cara a cara con Dios». Éste es el cielo de la vida eterna y la clave de los misterios de nuestra fe. Éste es el cielo que a la mayoría nos cuesta mucho comprender.

Comprendo que si la artritis les causa enormes dificultades y los hijos los vuelven locos, en estos momentos esto parece carecer de importancia.

—Ahora debo ocuparme de freír unos huevos, madre.

Cuéntemelo cuando esté en mi lecho de muerte. Allí es donde nos equivocamos por completo respecto a la esencia del cristianismo. Cada momento en el que ignoramos nuestro destino en la próxima vida es un momento desperdiciado en ésta. Como cristianos, nuestra vida en este mundo sólo tiene sentido en cuanto a que determina la naturaleza y la calidad de nuestra vida eterna. No es el hecho de ser fontaneros, presidentes o jugadores de polo lo que da sentido a nuestra vida. Ni siquiera el hecho de ser agradables, buenas personas o generosos. Lo único significativo es que la vida nos la ha dado Dios para su propósito, que es el de que alcancemos la gloria del cielo. Pero debemos recordar que el cielo no es sólo un lugar apacible en el que residimos después de la muerte. El cielo es el fruto de nuestra lucha a lo largo de la vida. Y la búsqueda del cielo empieza aquí en la tierra, con lo que los cristianos denominamos santidad.

El cielo no puede esperar

La mayoría de nosotros tenemos la idea absurda de que cuando muramos nos encontraremos de pronto ante tres grandes puertas que conducen al cielo, al infierno o al purgatorio, como si la eternidad fuera una especie de concurso televisivo. Si bien pensamos que un futuro en el cielo sería agradable, la mayoría imaginamos que está fuera de nuestro alcance. Nuestras esperanzas se fijan en la «puerta número dos», la que conduce al purgatorio, y confiamos en que cuando llegue el momento lograremos entrar por la puerta trasera de ese «gran pabellón de espera en el firmamento». Con ello no pretendo menospreciar el «pabellón de espera»; Santo Tomás nos asegura que el día más triste en el purgatorio es mil veces más alegre que el más feliz en la tierra, pero la verdad es que uno no entra por la puerta trasera en ninguna dimensión de la vida espiritual.

Todos emprendemos aquí en la tierra nuestro viaje al cielo, al infierno o al purgatorio. Nuestra vida sobrenatural es el viaje de nuestra alma, y como en todos los viajes, los primeros pasos son tan importantes como los últimos y los intermedios. Si piensan poder colarse en el purgatorio en el último momento, o lograr

que se los permita entrar en el cielo depués de una vida de conducta despreciable, o si eres uno de esos «cristianos por si acaso»
que esperan convertirse en santos en la vejez, olvidadlo. Su vida
eterna se desenvuelve en el tiempo de Dios, no en el suyo, y el
momento de comenzar a trabajar para la misma es ahora.

Debemos darnos cuenta de que nuestra alma crece, madura
y alcanza su nivel definitivo de santidad única y exclusivamente
en esta vida. Conozco a muchísima gente que forma parte de la
generación del «ahora», y parece que lo único que dejan para
«más adelante» es el desarrollo de su vida espiritual. Pero «más
adelante» puede significar «nunca» en el contexto de lo sobrenatural. Todos los elementos de esta vida, los pesares, las alegrías,
los tropiezos, las dificultades, se combinan con la gracia de Dios
para moldearnos y formarnos a su imagen y semejanza. Con cada
fragmento de la verdad que aceptamos, cada oportunidad de
ser santos que se cruza en nuestro camino, cada bofetón que
aceptamos como lo aceptó Jesucristo, nos acercamos a Jesús o
nos alejamos de Él. La capacidad de amor que nuestra alma haya
desarrollado en el momento de la muerte determinará su gloria
y su júbilo en el cielo.

Y, sin embargo, a muchos de nosotros nos cuesta enfocar nuestra atención en ese lugar lejano. Es como si tuviéramos los ojos
cubiertos por un extraño velo, que nos impide ver la realidad de
nuestro auténtico propósito en la vida. Algunas veces ese velo
no es más que pereza intelectual. En otros casos es el pecado, la
riqueza, la lujuria, el alcohol, la soberbia o el deseo de gloria humana. Si te resulta difícil concentrarte en el cielo como propósito
en tu vida, examina el factor o persona que te mantiene alejado
del mismo. ¿Qué es lo que te hace desear vivir en una choza en
lugar de una mansión? ¿Qué hay en tu vida que tan severamente
ciega tu visión?

La felicidad no es júbilo

He llegado a la conclusión de que la búsqueda de la «felicidad» mantiene a más gente alejada del cielo que ángeles en el mismo. «¿La felicidad, madre?» Sí, la felicidad. Como cristianos, no hemos sabido hacer una diferencia fundamental entre la búsqueda de la felicidad y la del júbilo.

Espero que cuando llegue al Reino pueda hablar extensamente de este tema con los fundadores de nuestro país, porque cuando incluyeron «la felicidad» en la ecuación «vida y libertad» le otorgaron un valor que verdaderamente no merece.

Debemos comprender que la felicidad es un suceso, que como tal puede cambiar, desaparecer o simplemente morir. La felicidad nos decepciona porque depende de otra gente, otros lugares, otras cosas. Tu marido llega a casa después de un agobiante día de trabajo y se siente miserable, mientras tu hijo, que ha sacado buenas notas en ciencias, está por las nubes. Al día siguiente tu marido recibe un aumento de sueldo y tu hijo reprueba una de sus clases, y ante tus propios ojos se invierten los papeles. La felicidad no es exactamente lo que podríamos denominar confiable. Cuando te entregas a la persecución de algo, tu actitud se desplaza de una dependencia en Dios y en tu vida espiritual, a otra en ciertos factores externos que te producen placer. Luchas desesperadamente por controlar lo incontrolable, para vencer lo invencible, y la gran víctima de esta obsesión con la felicidad es tu santidad.

No me interpretes mal; no sugiero que debamos ir permanentemente por el mundo con las caras enojadas. Cuando oigo a las monjas que se ríen, para mí es como un coro de ángeles. Pero si mi bienestar dependiera de su risa o de su amor, estaría en problemas. Todos debemos enfrentarnos a la realidad: hay tristeza en esta vida. Estamos rodeados de sufrimiento. Sería una locura dedicar toda una vida a nuestra propia comodidad pasajera, o a «pasárselo bien».

Esa actitud que reza: «Lo único que quiero en la vida es ser feliz», ha impedido a millones de almas llegar a conocer a Dios, auténtica fuente de felicidad eterna. Y ésta es la razón por la que, como cristianos, debemos distinguir entre la búsqueda de la felicidad y la del júbilo. El júbilo en nuestro corazón es el despertar de Dios en nuestra alma, cuyo Reino podemos conocer y saborear aquí en la tierra. El júbilo es el reconocimiento de que la voluntad de Dios se está consiguiendo en nuestra vida. Es este conocimiento el que nos da la fuerza para saltar de alegría cuando se nos persigue, para soportar los insultos y las injurias con la paz de Jesucristo, para aceptar cuando se cruce en nuestro camino, bueno o malo, como voluntad de Dios. El júbilo es lo que nos produce el asentamiento divino del Padre, el Hijo y el Espíritu Santo en nuestra alma.

Recuerdo un episodio en la historia de nuestra emisora de televisión, cuando intentábamos conseguir tiempo para transmitir a través de uno de los satélites más importantes. Corríamos el riesgo de quedarnos sin emisora si fracasaban las negociaciones. Era una perspectiva aterradora el pensar que cinco años de ministerio podían acabar en un instante si no contábamos con la posibilidad de llegar al público. Además, contábamos con la frustración adicional de tratar con gente cuya información cambiaba de día en día.

Siempre he sabido que era difícil ser cristiano en el mundo de los negocios. Pero lo único que podía hacer era apelar a mis cuarenta y dos años de vida religiosa para intentar ser consciente de que Dios obtendría un bien de aquel desastre. Debía recordar, de entrada, que la emisora pertenecía a Dios y mi oración debía ir encaminada al abandono. Si Dios deseaba ponerle fin después de cinco años, tenía que aceptar su decisión. No me gustaba la idea, pero el hecho de abandonarme a su voluntad me aportó una sensación de felicidad en el medio de la confusión.

Con la gracia de Dios podemos alcanzar el cielo durante nuestra vida en la tierra, siguiendo las enseñanzas básicas de Jesucristo, que si bien son eminentemente sencillas, con frecuencia nos pasan inadvertidas.

⁂ Podemos ser fieles a las obligaciones de nuestro estado en la vida, tanto si somos solteros o casados, como si tenemos vocación religiosa, obedeciendo los mandamientos de la Ley de Dios.

⁂ Podemos reaccionar ante las crisis cotidianas de la vida con la ternura, el valor y la dignidad de Nuestro Señor Jesucristo.

⁂ Podemos poner a Dios en el centro de nuestra vida, abriéndole siempre más espacio en nuestro corazón.

⁂ Podemos confiar en Dios, por absurdo, peligroso o misterioso que sea nuestro ruego; podemos confiar en que nos observa, nos guía y nos protege incluso cuando todo parece inexorablemente perdido.

La busca de júbilo en esta vida no es tan difícil como parece. No está reservado a las monjas de clausura, a los inspirados predicadores, ni a los que se dedican incansablemente a las obras de caridad. El júbilo, ese gozo misterioso que te permite enfrentarte a las experiencias más amargas de la vida y superarlas con la paz de Dios, es para ti. Todo se reduce a cinco palabras: aceptar la voluntad de Dios. Sabemos que es más fácil decirlo que hacerlo, pero si eliges como compañeros espirituales a la fe, la esperanza y el amor, crecerás en esa dirección. El júbilo que podrás alcanzar uniendo tu enorme deseo, energía y voluntad a la voluntad de Dios, es inimaginablemente liberador. Cuando aceptes la voluntad de Dios en todos los aspectos de tu vida, descubrirás que Dios te da fuerza, valor y una dignidad que retumba hasta el cielo. Retumba hasta el cielo porque no tiene que recorrer ninguna gran distancia. El cielo se halla de pronto en su corazón.

El cielo como lugar

Sé que alguien pensará que es una gran audacia atreverse a hablar del «otro» cielo, cuando después de todo sólo Nuestro Señor se ha desplazado del cielo a la tierra y después de regreso al cielo, pero no veo ninguna razón para eludir el tema, especialmente teniendo en cuenta que se trata con tanta frecuencia en las Escrituras. Esto no agrada a todo el mundo. Recuerdo una llamada de una mujer, muy enojada, durante una serie que transmitíamos en siete episodios, dedicados al cielo.

—¡Madre!—exclamó por teléfono—. ¿No ha leído usted la Biblia? ¿No sabe que el propio San Pablo dice que «ningún ojo ha visto ni ninguna oreja ha oído» lo que Dios ha preparado para nosotros en su Reino? ¿Cómo se atreve a hablar de un lugar que jamás ha visto?

—Esto es exactamente lo que estoy diciendo—le respondí—. Nada de lo que diga puede acercarse a la realidad del cielo. ¿Su predicador no habla nunca del infierno?

—Claro, por supuesto—respondió acalorada.

—¿Ha estado alguna vez allí?—insistí.

—¡Claro que no!

—En tal caso, si su predicador puede hablar del infierno sin haberlo visitado, ¿por qué no puedo hablar yo un poco acerca del cielo? Se trata, después de todo, de la meta de nuestra vida eterna como cristianos.

Lo admitió de mala gana. Lo que intento decir es que no me asusta hablar del cielo. Por lo contrario, lo que me asusta es no hablar de él. Me preocupa cuando los cristianos eluden ciertos temas sólo porque son excesivamente difíciles o porque suponen un esfuerzo excesivo para su mente. No podemos saberlo todo acerca del cielo; Nuestro Señor nos aclara que somos incapaces de abarcar su pleno conocimiento. Pero tenemos algunas revelaciones importantes acerca de lo que nos espera, especialmente en cuanto al efecto que causa en nuestra vida cotidiana.

Por una parte, sabemos que en el cielo, al igual que en la tierra, todo el mundo es distinto. Así como en la tierra varía nuestro talento, nuestra belleza, nuestro intelecto y nuestro temperamento, en el cielo varía también nuestra posición y nuestra personalidad. Esto tiene sentido porque cada uno se relaciona con Dios de un modo distinto. Todas las monjas de nuestro convento son distintas. Las hay bajas, altas, divertidas, pensativas, alegres y melancólicas. No rezamos todas del mismo modo. No tenemos el mismo aspecto. No nos gusta la misma comida, las mismas canciones ni los mismos chistes. Pero mirando a los ojos de cualquiera de las monjas se ve a Dios. Su belleza radica en su amor único por Nuestro Señor y en el cielo su unicidad será valorada y conservada.

Pero hay más. En el cielo veremos que en el programa de Dios prevalece la justicia perfecta. Veremos que los que han padecido dolor o humillación en la tierra, debido a su sufrimiento serán recompensados. Nos maravillará comprobar que los pobres, los lisiados y los perseguidos en este mundo, así como aquellos que con un corazón humilde han intentado ser santos, ocuparán su lugar entre los santos.

Deseo reconfortar a los padres que pierden a sus hijos por aborto involuntario. Un niño concebido con amor, a quien Dios ha dotado de un alma, es llamado de pronto a la eternidad. Pero en el seno del dolor, del sufrimiento y de la sensación de pérdida, los padres pueden hallar cierto consuelo. La primera voz que su hijo habrá oído habrá sido la voz de Dios. Jamás habrá oído a nadie hablar con ira, con envidia o con desprecio. Y si bien nos entristece pensar que el niño jamás habrá visto una flor, un árbol o el rostro de sus padres, recordemos que lo primero que habrá visto habrá sido el rostro de Dios. A corto plazo ha sido terriblemente privado, pero en la eternidad vive en una bienaventuranza extraordinaria.

San Pedro nos dice: «Si puedes compartir el sufrimiento de Jesucristo, alégrate porque disfrutarás de una alegría mucho mayor cuando su gloria sea revelada» (I Pedro 4:13). El júbilo en el cielo no será igual para todos. A cada uno se le recompensará según haya reaccionado ante su sufrimiento en esta vida con el amor y dignidad de Jesucristo. Las recompensas en el cielo compensarán sobradamente el dolor y las dificultades de este mundo. Pero esto es sólo un aspecto de la justicia que se manifestará en nuestra vida eterna. A fin de cuentas, el modo en que cooperemos con Dios durante nuestra vida, en los malos tiempos y en los buenos, determinará nuestro lugar en el cielo. El camino del cielo está cubierto de risa y de llanto, todo según la voluntad de Dios en cada momento. El cristiano que acepte con alegría lo que le corresponda y que sepa que en el gran esquema de la vida todas las cosas son pasajeras, encabezará la procesión hacia las puertas celestiales.

Mucha gente me pregunta acerca de los miles de millones de almas que no son cristianas, aquellas que jamás han tenido la oportunidad de conocer a Jesucristo.

—¿Les prohibirá Dios la entrada al cielo?—se preguntan.

La respuesta es: no. Dios nos juzgará según los conocimientos que hayamos recibido en este mundo y la forma en que los hayamos utilizado. Por «conocimientos» me refiero al grado de conocimiento de Dios. Aquel que no haya tenido la oportunidad de oír hablar de Dios, no tendrá el mismo grado de conocimiento que el que haya estado expuesto al amor de Jesucristo.

Nuestro lugar en el cielo estará determinado por lo que hayamos hecho con todos los dones y pruebas que hayamos recibido en esta vida. Los que han sido bautizados y educados como cristianos están más obligados a ser santos que los demás. Pero cada persona será medida individualmente; los que han recibido la gracia de un conocimiento profundo, introspección y dones, serán juzgados más severamente y los que simplemente se han mantenido fieles a la verdad de la distinción divina entre el bien y el mal, serán juzgados con menos rigor. Pero preocúpense ante todo de su propia salvación. Si esta noche recibiera la llamada de Dios, ¿se les permitiría entrar por la puerta de San Pedro?

¿Qué haré en el cielo?

Hay algo en nuestra naturaleza que nos induce a pensar que el cielo, incluso en toda su gloria, puede ser bastante aburrido. La idea de pasar toda la eternidad adorando a Dios parece, con toda franqueza, algo repetitiva. Qué duda cabe de que amamos a Nuestro Padre que está en los cielos, pero estamos acostumbrados a las recompensas de nuestra vida cotidiana: el abrazo espontáneo de un hijo, un paseo por una playa solitaria o un buen plato de espaguetis. Nuestras mentes limitadas son incapaces de comprender que el júbilo celestial pueda llegar a exceder los momentos de mayor felicidad que hayamos experimentado aquí en la tierra. Además, cuando hablamos de eternidad, nos parece un tiempo larguísimo, inacabable. Y dado que lo medimos todo en los términos de este mundo, visualizamos la eternidad como una sucesión infinita de minutos, horas y días, en lugar de un sitio donde no existe el tiempo. Nos parece que la eternidad puede ser excesivamente duradera.

Estoy segura de que si fuera posible sentir vergüenza en el cielo, veríamos muchos rostros ruborizados, porque ese temor de que el Reino pueda ser aburrido es totalmente absurdo. Además, el problema con esta forma de pensar, especialmente si nos aferramos a ella, consiste en que entorpece nuestro crecimiento espiritual. Quedamos atrapados en la idea de que el cristianismo es un nítido sistema de normas y nos pasa inadvertida su profundidad espiritual.

Se tarda algún tiempo en asimilar plenamente la promesa del Reino de Dios y si hace poco que has emprendido su camino espiritual, procuraría no intentar abarcarlo todo de una vez. Pero sácate de la cabeza la idea de que el cielo pueda ser aburrido. Imagínatelo desde este punto de vista: todo lo que amas en esta vida en la tierra es un don de Dios. Cada una de sus partículas, incluidos ustedes mismos, son obra suya. Ahora bien, si les ha dado esta vida como campo de pruebas y ha declarado inequívocamente que el cielo constituye la recompensa de las mismas, ¿por qué dudar del premio? ¿Qué razón podría tener Dios para elaborar un sistema eterno que, a fin de cuentas, resultara aburrido? ¿No crees que tiene mejores cosas que hacer?

No obstante, parecemos estar muy inseguros de su grandeza, incluso cuando la contemplamos con nuestros propios ojos. Dudamos de que el cielo sea «divertido» e incluso nos preocupa su posible existencia. Borren de su imaginación las túnicas hermosas, las arpas y las joyas y permítanme que les ofrezca una imagen que puedan comprender. Olvida las nubes de algodón e imagina cómo puedes pensar y sentirte en un estado de absoluta bienaventuranza, que corresponde a lo que el cielo es en realidad.

- Descubriremos por qué Dios ha permitido las dificultades, enfermedades y sufrimientos de esta vida.
- Descubriremos la justicia y la misericordia de Dios, las desventajas de esta vida se recompensarán con un lugar en el cielo.
- Descubriremos que nuestros defectos y debilidades se desprenden de nuestra alma como las escamas del pescado.
- Comprenderemos los misterios de la naturaleza y universo.
- Seremos capaces de asimilar las grandes verdades con facilidad. Nada nos será difícil.
- Descubriremos los misterios de Dios, que se irán revelando ante nosotros.
- Amaremos y seremos amados por todos, sin sentir jamás aversión o antipatía alguna hacia nadie.
- Siempre tendremos algo nuevo que hacer y aprender en el cielo, algo distinto en lo que regocijarnos.
- Jamás nos sentiremos inútiles, solos, despreciados, desalentados, deprimidos ni estúpidos.
- Nunca experimentaremos ira, resentimiento, odio, envidia ni ambición.
- Jamás tendremos hambre, sed ni pobreza.
- Nunca volveremos a tener miedo.

¿Cómo puedes ni siquiera pensar en rechazar todo esto a cambio de una vida pecaminosa?

Sería como cambiar un baúl de diamantes por un saco de carbón.

En el cielo, por primera vez, adquiriremos pleno conocimiento de nosotros mismos y de nuestras vidas, y no tendremos miedo de la verdad que descubramos. El Papa Juan XXIII tenía un pequeño cartel sobre su escritorio que simplemente decía: «Conócete a ti mismo.» Conocerse a uno mismo es un aspecto fundamental de la vida espiritual, pero con excesiva frecuencia nos alejamos de las duras verdades relacionadas con nuestros pecados y nuestras debilidades. En el cielo aparecerá todo ante nosotros, pero no huiremos ni nos ocultaremos avergonzados. Veremos las dotes y el talento que nos caracterizan, y los utilizaremos para alabar y glorificar el nombre de Dios. Tanta será la luz que recibiremos, que nos sentiremos libres para amarnos a nosotros mismos y a todos los demás seres creados por Dios, no gracias a nuestra propia bondad, sino a la bondad de Dios.

Conocernos a nosotros mismos nos resultará fascinante. Sin embargo, con ello no cesará el crecimiento de nuestro intelecto, ya que en el cielo nos serán explicados los grandes misterios. Estoy impaciente por sentarme a charlar con Santo Tomás de Aquino y con San Agustín sobre la Trinidad y otros temas «importantes» que siempre me han intrigado. De niña era una de esas estudiantes que tienen que trabajar duro para aprobar, y el tiempo no me alcanzaba para los libros, los deberes y los pasatiempos juveniles. La sola idea de poderme pasear por los pasillos del cielo y hablar sin miedo de las grandes verdades de nuestra existencia espiritual me parece sencillamente alucinante.

No sólo se abrirá nuestro intelecto en el cielo, sino que nuestra memoria y nuestra voluntad se unirán a la perfección a la voluntad de Dios. No estaremos ni siquiera una fracción de milímetro alejados de lo que tiene previsto para nosotros, ya que estaremos ausentes de pecado. ¿Pueden imaginarse a ustedes mismos como «seres perfectos»? No existe, ni puede existir, pecado alguno en el cielo. A pesar de que ayudes a Dios en su lucha contra el mal, todo a tu alrededor y en tu interior será puro. No habrá odio, envidia, lujuria, pereza, ni orgullo. No tendremos inclinación al mal ni debilidad alguna. Jamás nos separaremos de la voluntad de Dios. No volveremos a estar sujetos a ninguna tentación ni prueba. Tampoco seguiremos estando atormentados por nuestros pecados. Nuestro recuerdo estará totalmente libre de ira, temor, culpa, dolor, lamento y resentimiento. En su lugar habrá amor, compasión y misericordia. Todas nuestras debilidades habrán desaparecido y nos habremos convertido en quien siempre hemos deseado ser. Algunas veces me gusta meditar sobre una Angélica que no le grita a la gente, que es paciente y relajada. Pienso en cómo debe ser despertar tranquilamente todas las mañanas, en lugar de comenzar el día como si hubiera un incendio.

Les prometo que el júbilo inacabable no será aburrido, ya que en el cielo jamás estarás mano sobre mano. En realidad, es probable que pases la vida eterna trabajando. Pero no saques ninguna conclusión precipitada. No se tratará del mismo tipo de trabajo que hayas realizado aquí en la tierra. En el cielo no estarías lavando platos, levantando paredes, ni rellenando formularios. La única razón por la que lo hiciste en la tierra fue para alimentar a la familia y pagar el alquiler. Pero en el cielo no hay **bocas que** alimentar ni créditos que liquidar. Lo que harás será **rezar por** aquellos a quienes amas en la tierra y por medio de tus oraciones orientarlos e incluso inspirarlos. Ayudarás a moldear almas y a tocar corazones. Todo tu talento seguirá siendo tuyo y Dios se aprovechará de tus cualidades, tu ingenio, tu lógica, tu paciencia y tu amor, al servicio de su honor y gloria.

Mirando al cielo

Qué duda cabe que es difícil intentar imaginar el cielo, y por mucho que nos esforcemos tenemos la seguridad de quedarnos cortos. Pero esto no importa. Lo que sí importa es nuestra incapacidad absoluta para imaginarlo; el hecho de no disponer de un folleto a cuatro colores y de un mapa que nos conduzca al mismo nos impide creer en su realidad. Somos «realistas», o por lo menos eso decimos, y sin embargo las limitaciones de nuestras realidades configuran una verdad bastante pobre. Vivimos encajonados en nuestros sentidos, y nuestras limitaciones nos impiden vislumbrar las realidades espirituales del mundo de Dios. Cuando alguien nos habla de cosas que no podemos ver o de lugares que no podemos visitar, nos ponemos nerviosos.

Pero esto no significa que debamos renunciar, ya que al hacerlo desistiríamos también de la verdad, ni que debamos obsesionarnos en comprenderlo. Entraremos todos en el Reino de los cielos si en nuestro corazón somos portadores de un sencillo amor a Dios. Dios no nos pide que nos aprendamos de memoria las obras de Santo Tomás de Aquino o de San Agustín. No nos pide que comprendamos todos los misterios. Sólo nos pide que consideremos el reino de este mundo, por desagradable que sea, con amor y paciencia, y que deseemos el Reino de los cielos, por maravilloso y misterioso que sea, con fe, esperanza y amor.

Si relegamos el cielo a la categoría de «premio de consolación», o de una motivación superficial para «ser buenos», o al recipiente en el extremo del arco iris, jamás llegaremos a Él. Si creemos que gracias a la fe obtendremos favores, o dejaremos de sufrir, o nos haremos ricos, quedaremos decepcionados. Si reflexionamos retrospectivamente sobre los primeros cristianos y los mártires, aquellas almas sencillas y serenas que amaron a Dios en los buenos y en los malos tiempos, comprenderemos que necesitamos mucha preparación antes de poder unirnos a ellos en el Reino de los cielos. Entonces abandonaremos nuestras insignificantes quejas. Entonces nos propondremos como objetivo ese lugar que somos incapaces de ver.

Así que cuando me preguntan: «¿Cómo será el cielo?», deberé responderles que será más perfecto de lo que cualquiera de nosotros pueda describir. Sea cual sea su concepto de la felicidad total, no es nada comparado con el cielo.

En el cielo jamás sentirás la ausencia de nada ni de nadie. Probablemente todos hemos conocido a alguien que se sentía muy unido a algún animal. En una ocasión conocí a una anciana que había gastado enormes sumas de dinero en su chihuahua llamado Pepe, e incluso le había comprado una tumba en un cementerio para perros. Un día vino a verme muy disgustada porque no veía a Pepe en el cielo.

—¿Cómo puedo ser feliz en el cielo sin mi querido Pepe?—me preguntó.

Procuré mantener mi compostura y ser sensible a su exagerado apego. Le expliqué que en esta vida Dios nos ofrece diversos consuelos, a menudo para aliviar nuestra soledad, y en el caso de los animales domésticos, para darnos la oportunidad de gozar de su compañía. Sin embargo, en el cielo, no precisamos de cosas que nos son tan necesarias en esta vida. En la muerte, nuestro único equipaje somos nosotros mismos, nuestra alma y nuestro amor. Apareceremos solos ante Dios. En aquel momento, Dios se convertirá en nuestro «todo». No tendremos necesidad de animales de compañía ni de ningún consuelo mundano, ya que no habrá vacíos ni necesidades. Nuestra unión será sólo para con Dios. Cuando Dios se haya convertido en nuestro «todo», gozaremos de un júbilo eterno y sublime. Nos sentiremos plenamente satisfechos. No careceremos absolutamente de nada.

Conforme avanzamos por nuestra senda espiritual, nos damos cuenta de que el cielo no es una invención de la mente, sino el objetivo de nuestra alma. No es una recompensa por nuestra bondad, sino una visión que anhelamos. El cielo es un estado y un lugar. Es un don extraordinario de Dios. Ninguno de nosotros será capaz en esta vida de comprender qué aspecto tiene el cielo o qué sensación produce, de saber o imaginar si la música será de claviórgano o de flauta, o el sobrecogedor silencio de la mirada amorosa de Dios. Nuestras imágenes mentales de túnicas, jardines, nubes y ángeles alados pueden ser totalmente inadecuadas, pero no son absurdas. Son lo mejor a lo que hemos sido capaces de llegar con los pequeños destellos de luz que hemos recibido.

Puede que el cielo parezca difícil de comprender y eso no importa. No es fácil imaginar un lugar donde todo es perfecto, donde no puede reinar el pecado, donde Dios está visiblemente presente en todo momento. Pero no debemos permitir jamás que las limitaciones de nuestra mente entorpezcan nuestra búsqueda de la verdad. La lógica nos servirá como punto de partida, pero la fe, la esperanza y el amor pueden llenar nuestra mente de ideas y verdades que de otro modo no seríamos capaces de alcanzar. Si le pides a Dios que te ayude a comprender, te complacerá. Si le dices: «Señor, ayúdame a discernir la verdad», llegarás a saber más de lo que nunca habías llegado a imaginar.

«Pidan y se les dará.» Les asombrará la luz y la percepción que Dios les otorgará con sólo pedírselo. Comprenderás que tu confusión, tus preguntas y tu escepticismo tienen un propósito: el de acercase a Dios.

¡Nos veremos en el cielo! (¡espero!)

EPÍLOGO

Muy apreciado lector: Sin duda alguna el libro que acaba de leer le ayudará a acrecentar su fe en Dios, al igual que incrementar su conocimiento sobre las verdades que enseña la iglesia fundada por Jesucristo: la Iglesia católica.

"Respuestas, no promesas" escrito por nuestra muy querida Madre Angélica, fundadora de EWTN y *Radio Católica Mundial,* responde una serie de preguntas difíciles que nos hacemos -o que nos hacen- con respuestas claras, fáciles de entender y, sobre todo, muy de acuerdo a la doctrina de la Iglesia. Les prometo que lo leído en estas páginas le ayudará a cimentar más y más su vida en esa Roca poderosa que es el Señor Jesús. (Mateo 7, 24-27)

Conocí a Madre Angélica hace más de 35 años, cuando ella empezaba a producir los programas de televisión desde el garaje de su convento, en Irondale, Alabama. En aquel entonces yo era un joven sacerdote acompañando al Monseñor Nicolás D' Antonio, obispo auxiliar de Nueva Orleans, quien iba a hacer una serie sobre la fe.

Recuerdo que Madre Angélica, escuchando lo que Monseñor D' Antonio decía, me llevó a un lado -apartado de la única cámara de televisión que había- y abriendo su Biblia, me dijo: "Padre, nunca olvide este pasaje que quiero compartir con usted", y prosiguió diciendo: "Jesús respondió: Tengan fe en Dios. Yo les aseguro que el que diga a ese cerro: ¡Levántate de ahí y arrójate al mar!, si no duda en su corazón y cree que sucederá como dice, se le concederá. Por eso les digo: todo lo que pidan en la oración crean que ya lo han recibido y lo obtendrán" (Marcos 11, 22-24).

Lo que Madre acababa de leerme era lo que ella vivía. Ella estaba convencida que Dios quería usarla, junto con muchos más, para ser instrumento de evangelización del mundo entero. Es así como, de aquellas sencillas producciones del principio, el ministerio de EWTN se ha convertido en el medio de evangelización religioso más grande del mundo. Más grande que todos los medios de evangelización protestantes y evangélicos en la actualidad.

¿Cómo es posible que una monja de clausura, sin experiencia en los medios de comunicación, sin dinero y discapacitada, haya podido lograr lo que nadie, antes de ella ni después de ella, jamás ha podido alcanzar? La respuesta está en la fe de una religiosa pobre de la comunidad de las Clarisas Pobres de la Adoración Perpetua, que no solo creyó en Dios, sino que ¡creyó Su Palabra!

La Madre Angélica, no tenía posesiones materiales, pero si tenía como Centro y Señor de su vida al Dueño del oro y de la plata: ¡Jesucristo! Ella sabía muy bien que "lo que es imposible para el ser humano, con Dios sí se puede", si somos capaces de "tener fe del tamaño de un granito de mostaza".

—Padre Pedro Núñez, Ministerio "Mensaje" y Conductor de "Conozca Primero su Fe Católica" en EWTN.

Oración de San Francisco de Asís

Señor, haz de mi un instrumento de Tu paz.
Que allá donde hay odio, yo ponga el amor.
Que allá donde hay ofensa, yo ponga el perdón.
Que allá donde hay discordia, yo ponga la unión.
Que allá donde hay error, yo ponga la verdad.
Que allá donde hay duda, yo ponga la fe.
Que allá donde desesperación, yo ponga la esperanza.
Que allá donde hay tinieblas, yo ponga la luz.
Que allá donde hay tristeza, yo ponga la alegría.

Oh Señor, que yo no busque tanto ser consolado,
    cuanto consolar,
ser comprendido, cuanto comprender,
ser amado, cuanto amar.
Porque es dándose como se recibe,
es olvidándose de sí mismo como uno se encuentra
    a sí mismo,
es perdonando, como se es perdonado,
es muriendo como se resucita a la vida eterna.

Amén.

MADRE M. ANGÉLICA
(1923-2016)

La Madre María Angélica de la Anunciación nació el 20 de abril de 1923 con el nombre Rita Antoinette Rizzo en la ciudad de Canton, Ohio.

Durante su juventud, su enfermedad estomacal recurrente fue curada y este evento condujo a la joven Rita a un proceso de discernimiento que la llevó a las puertas de las Clarisas de la Adoración Perpetua en la ciudad de Cleveland. Trece años después, en 1956, la hermana Angélica le prometió al Señor mientras esperaba una cirugía de la columna vertebral que, si Él le permitía caminar de nuevo, le construiría un monasterio en el sur de los Estados Unidos.

Años después, en Irondale, Alabama, la visión de la Madre Angélica tomó forma. Su enfoque distintivo para enseñar la fe la llevó a formar charlas parroquiales, luego a publicar folletos y libros, y finalmente brotaron oportunidades de radio y televisión. En 1980, las hermanas habían convertido un garaje en el monasterio en un estudio de televisión rudimentario y allí nació la red EWTN.

La Madre Angélica ha tenido una presencia constante en la televisión en los Estados Unidos y en todo el mundo durante más de treinta y cinco años. Se han atribuido innumerables conversiones a la fe católica a su don único para presentar el evangelio: gozoso pero resuelto, calmante pero arriesgado.

La madre Angélica pasó los últimos años de su vida enclaustrada en el segundo monasterio que fundó: Nuestra Señora de los Ángeles en Hanceville, Alabama, donde ella y sus hermanas se dedicaron a orar y adorar a Nuestro Señor en el Santísimo Sacramento.